THOMAS MANN

Briefe an

OTTO GRAUTOFF

1894–1901

und

IDA BOY-ED

1903–1928

Herausgegeben

von Peter de Mendelssohn

1975

S. FISCHER

© S. Fischer Verlag GmbH, Frankfurt am Main 1975
Umschlagentwurf Eberhard Marhold
Registerarbeiten Corinna Reich
Satz und Druck Poeschel & Schulz-Schomburgk, Eschwege
Einband G. Lachenmaier, Reutlingen
Printed in Germany 1975
ISBN 3 10 048183 6

Leben und Werk Thomas Manns, möchte man meinen, seien
nachgerade hinlänglich erforscht und mit Selbstzeugnissen
ausreichend dokumentarisch belegt. In der von Hans Bürgin
und Hans-Otto Mayer besorgten ›Chronik seines Lebens‹
findet sich kaum ein Zeitabschnitt, in der zweiten Lebens-
hälfte sogar kaum eine Woche, kaum ein Tag, für den die
Angaben nicht durch Auskünfte aus Thomas Manns Werken
und Briefen gestützt wären. Einiges freilich, vor allem Thomas Manns Jugend betreffend, fehlte diesen Chronisten und
wird auch künftigen Forschern fehlen. Der frühe Briefwechsel
Thomas Manns mit seinem Bruder Heinrich, bis zum Jahr
1900, muß als verloren gelten, und die Tagebücher Thomas
Manns bis zum Jahr 1933 sind nachweislich nicht mehr vorhanden. Die Tagebücher seiner Jugendzeit, deren früheste
noch aus seinen Lübecker Gymnasiastenjahren stammten,
warf er, wie ein Brief an seinen Freund Otto Grautoff im
vorliegenden Band berichtet, in einem Augenblick des Un-
muts an einem Februartag des Jahres 1896 in den Ofen. Die
Tagebücher bis zum Jahr 1933, die vermutlich hieran an-
schlossen, vernichtete er ebenfalls selbst, nachdem sie während des deutschen Umsturzes in unbefugte Hände geraten
waren und er sie nur durch einen Glücksfall zurückerhalten
hatte. Nur die Tagebücher der Jahre 1933–1955 sind vorhanden; sie harren der Erschließung.
Dies die unwiederbringlichen Verluste. Die Chronisten von
Thomas Manns Leben fanden sie zumindest zum Teil wett-
gemacht durch seine erhaltenen Notizbücher und vor allem
durch den nahezu unübersehbar großen Schatz seiner Briefe,
der in den zwanzig Jahren seit seinem Tod ans Licht ge-

kommen ist. Ein mehrbändiges systematisches Verzeichnis aller bisher aufgefundenen und zugänglichen Briefe Thomas Manns, gleichfalls von Hans Bürgin und Hans-Otto Mayer besorgt, ist in Vorbereitung. In ihm werden, wenn es vollständig vorliegt, rund 14 000 Briefe erfaßt sein. Davon sind bisher rund 4000 veröffentlicht: in den drei von Erika Mann herausgegebenen Auswahlbänden sowie in etwa einem Dutzend verschiedener Einzelpublikationen. Diese Veröffentlichungen haben unsere Kenntnis vom Leben und Schaffen Thomas Manns außerordentlich erweitert und bereichert. Aber sie fallen fast ohne Ausnahme in die mittleren und späten Lebensjahrzehnte Thomas Manns, und es blieben somit auf seiner Lebenslandkarte noch immer einige beträchtliche weiße Flecke, Lebensgegenden, zeitliche, geistige, seelische, über die sich mangels dokumentarischer Unterlagen wenig Zuverlässiges in Erfahrung bringen ließ.

Diese weitgehend unerschlossenen Bereiche waren vornehmlich Thomas Manns Jugend- und Anfangsjahre in München, von seiner Übersiedlung aus Lübeck Ostern 1894 bis etwa zum Erscheinen von *Buddenbrooks* im Herbst 1901; sein Verhältnis zu seinem Bruder Heinrich während eben dieser Zeit, die ihre beiden gemeinsamen Italien-Aufenthalte 1895 und 1896–1898 einschließt; und seine Beziehungen zu seiner Vaterstadt Lübeck von dem Augenblick an, da er sie in seinem ersten Roman abbildete und sich mit diesem Buch ihren jahrelangen Unwillen zuzog. Wer die bisherigen Briefbände hierauf durchsieht, wird bemerken, daß sie aus den Jahren 1894 bis 1900 sehr wenig, fast nichts enthalten und zu den genannten drei Lebensbereichen kaum etwas beibringen.

Das hieß nicht, daß nichts vorhanden war. Es war Beträchtliches vorhanden, aber es war, als Erika Mann ihre dreibändige Sammlung zusammenstellte, nicht bekannt oder ihr – und anderen Forschern – nicht zugänglich. Erst in jüngster

Zeit ist es möglich geworden, diese Schätze zu heben und der Öffentlichkeit bekannt zu machen. Die in dem vorliegenden Band zusammengefügten Briefe Thomas Manns an Otto Grautoff und Ida Boy-Ed vermögen die genannten Lücken sehr weitgehend zu schließen; die zuvor leeren Stellen auf der Lebenslandkarte erweisen sich nun, so meinen wir, als sehr lebhaft besiedelt, mit Menschen, Städten, Erlebnissen, Eindrücken, Gedanken, Werkentwürfen und sogar frühen Arbeiten Thomas Manns, von denen wir bisher wenig oder gar nichts wußten. Einige Glücksumstände mußten zusammentreffen, damit diese beiden Brief-Konvolute ungefähr gleichzeitig auftauchten und von ihren jetzigen Eigentümern für die Veröffentlichung zur Verfügung gestellt wurden. Ein weiterer Glücksumstand war, daß sie zeitlich ziemlich genau aneinander anschließen und chronologisch gesehen ein Ganzes bilden. Sie bilden es auch, wie der Leser bemerken wird, in anderer Hinsicht, denn ihr durchgehendes Grundthema, in vielen Tonarten angeschlagen und von vielen Seiten beleuchtet, ist die alte Vaterstadt, so daß man diesen Band geradezu *Briefe nach Lübeck* hätte nennen können. Ihre Zusammengehörigkeit liegt auf der Hand, und ihre Zusammenfügung in einem Band ergab sich von selbst.

Beide Teile sind indessen eingleisig. Die Gegenbriefe der Empfänger, auf welche die Briefe Thomas Manns zum guten Teil detaillierte Antworten darstellen, sind nicht erhalten. Die Empfänger bewahrten die Briefe Thomas Manns, wie man vermuten muß, nicht vollständig auf, denn es bestehen einige offenkundige Lücken, aber doch zum allergrößten Teil. Was den Briefen Otto Grautoffs und Ida Boy-Eds, die Thomas Mann erhielt, zustieß, wissen wir nicht. Grautoffs Briefe, zumindest jene aus den frühen Jahren, scheint er nicht aufbewahrt zu haben; möglicherweise warf er sie mitsamt seinen frühen Tagebüchern in den Ofen. Die Briefe Ida

Boy-Eds, wenn und soweit er sie aufhob, gingen vermutlich zusammen mit anderen Briefschaften, deren Verlust wir beklagen, in München während des Zweiten Weltkrieges spurlos unter. Indessen ist zu erinnern, daß Thomas Mann kein gewissenhafter Aufbewahrer empfangener Briefe war. Er hatte die Gewohnheit, seine Briefschaften von Zeit zu Zeit durchzusehen und das meiste davon, soweit es nicht unentbehrlich war, in den Papierkorb zu werfen.

Was diese verlorenen Briefe enthielten, läßt sich hier und dort, zwischen den Zeilen, aus Thomas Manns Antworten herauslesen. Aber es genügt natürlich nicht, um dem Leser eine Vorstellung von den beiden Menschen zu geben, mit denen der Dichter hier viele Jahre lang Zwiesprache hielt. Deshalb im nachfolgenden einige Auskünfte über sie.

Otto Grautoff war ein Jahr jünger als Thomas Mann. Er wurde am 31. Mai 1876 in Lübeck geboren und entstammte einer seit mehreren Generationen in der Hansestadt ansässigen, vielverzweigten Bürgerfamilie, die zwar Stadtbibliothekare, Gymnasiallehrer und Domprediger hervorgebracht hatte, aber keinesfalls, wie die Manns, zum großbürgerlichen Patriziat zählte. Er war der Sohn des Buch- und Landkartenhändlers Ferdinand Hermann Grautoff, der sein Geschäft in der Breiten Straße 55 hatte. Dieses Geschäft florierte nicht. Um das Jahr 1879 ging es in Konkurs; Vater Grautoff mußte seinen Laden aufgeben und betrieb seinen Handel nur noch von seiner Privatwohnung aus. Heinrich Mann schrieb in seinen Erinnerungen: »Den Buchhändler Grautoff, der Bankrott gemacht hatte, zeigte Papa mir auf der Straße als einen Vernichteten.« 1889 stellte der ruinierte Sortimenter, wie es scheint, sein kümmerliches Geschäft ganz ein und zog aus der Königstraße in eine bescheidene Behausung vor dem Mühlentor. Im Februar 1891 machte er seinem Unglück ein

Ende. Der Senator Mann, Thomas Manns Vater, starb ein halbes Jahr später. Die Vaterlosigkeit mag die beiden unzertrennlichen Schulfreunde noch enger miteinander verbunden haben.

Buchhändler Grautoff ließ zwei Söhne zurück: Ferdinand, 1871 geboren, war nahezu gleichaltrig mit Heinrich Mann und sein Klassenkamerad auf dem Katharineum; Otto, der jüngere, durchlief zusammen mit Thomas Mann sowohl die Vorschule des Dr. Bussenius als auch das Katharineum, und zwar auf so getreulich-anhängliche Weise, daß er jeweils zugleich mit dem Freund versetzt wurde und sitzenblieb – im ganzen dreimal – und schließlich zusammen mit ihm Ostern 1894, ausgestattet mit der Obersekundareife, von der Schule abging. Der Ruin und das klägliche Ende des Vaters scheinen den älteren Bruder weniger bedrückt zu haben als den jüngeren. Ferdinand führte im vaterlosen Haushalt das große Wort und hatte das Ohr der geplagten Mutter, die sich mit Französisch-Unterricht weiterhalf; Otto haßte, fürchtete und verabscheute ihn, und Thomas Mann konnte ihn nicht leiden – die Briefe erzählen davon. Ferdinand studierte, machte sein Doktorexamen und wurde ein mittelmäßiger Journalist und Unterhaltungsschriftsteller hochpatriotischer Observanz, der es schließlich zum Chefredakteur einer größeren Provinzzeitung brachte. Er starb 1935.

Otto, nicht weniger ehrgeizig, aber nach weit Höherem strebend, litt unter dem gesellschaftlichen Niedergang der Familie und der deklassierten Kleinbürgerlichkeit, in die er sich hinabgedrückt sah. Zudem war seine äußere Erscheinung nicht ansprechend. Er war klein und untersetzt, mit unhübschen Zügen und leicht hervorquellenden Augen, die zudem kurzsichtig waren, so daß er schon früh eine Brille tragen mußte, und Thomas Manns vornehme Kameraden, die Patriziersöhne und jungen Adligen wie die Grafen Vitzthum und Reventlow, lachten über ihn, fanden ihn unmöglich und ließen ihn in ihrer Gesellschaft nicht zu. Sogar Thomas Mann selbst, ansonsten ungeachtet des durchaus bemerkbaren Standesunterschieds treu und anhänglich, schämte sich zuweilen, wie seine Briefe zeigen, des schäbigen und unansehnlich-tölpelhaften Freundes, der indessen mit unverbrüchlicher Treue an ihm hing.

›Tommy‹ seinerseits erwies Otto Grautoff, obwohl er ihn zu Zeiten schlecht behandelte und recht hochfahrend mit ihm umsprang, Sympathie und Anhänglichkeit. Fast während der ganzen Dauer seiner »stockenden und unerfreulichen« Lübecker Schullaufbahn, schrieb er im *Lebensabriß*, habe ihn »mit dem Sohn eines fallierten und verstorbenen Buchhändlers« eine Freundschaft verbunden, »die sich in phantastischem und galgenhumoristischem Spott und Hohn über das ›Ganze‹, namentlich aber über die ›Anstalt‹ und ihre Beamten bewährte. Bei diesen schadete mir sehr, daß ich ›dichtete‹«. Auch Grautoff dichtete, und auch ihm schadete es, aber er machte sich ebenso wenig daraus wie sein ungleich begabterer und bei den Kameraden angesehenerer Freund. Im Sommer 1893, in ihrem letzten Schuljahr, gaben sie zusammen die Schülerzeitschrift ›Der Frühlingssturm‹ heraus, die sich ›Monatsschrift für Kunst, Literatur und Philosophie‹ nannte. Thomas Mann zeichnete mit dem durchsichtigen Pseudonym ›Paul Thomas‹, Grautoff mit seinem vollen Namen; er meinte wohl, er habe nichts mehr zu verlieren. Die Zeitschrift brachte es nur auf zwei Nummern, aber es finden sich Talentproben von beiden in ihnen.

Thomas Manns Briefe an den ehemaligen Schulfreund lassen erkennen, daß Grautoff, anders als er selbst, einen haushohen Minderwertigkeitskomplex mit sich schleppte, den er auf alle Art zu kompensieren trachtete: er haderte unablässig mit seinem Schicksal, das ihn so benachteiligt hatte, war wehleidig, überempfindlich, alle Augenblicke aus unerfindlichem Grund gekränkt und beleidigt, zugleich auftrumpfend, zänkisch, hochfahrend und übermäßig selbstbewußt. Es war schwer, es ihm recht zu machen, obwohl Freund ›Tommy‹ sich redliche Mühe gab und immer wieder einlenkte. Was hatte, was fand er an diesem Freund? Sein Brief vom 28. März 1895 spricht es unverblümt aus:

»Ja, ganz einfach: ich hab' ihn eben geradezu ein bischen nötig. Erst jetzt, wo ich unter lauter Fremden bin, die mich nicht kennen, merke ich, daß er mir eigentlich eine ganze Menge gewesen ist. Wir waren wirklich intim. Wir waren schamlos vor einander, geistig, das war so schön und bequem. Wir verstellten uns höchstens zum Spaß. Wir verstanden uns bis in alle Finessen. Wenn ich mich dieses oder jenes intimen Gespräches mit ihm erinnere, wobei wir uns lediglich durch die komischsten Laute und einzelne Worte, die kein Anderer verstanden hätte, über die heikelsten Intimitäten verständigten, – so lacht mir das Herz im Leibe, noch jetzt! – Ja, aber sollte ich nicht das Ganze jetzt nur in der Vergoldung der Vergangenheit sehen? Mag sein, aber prächtig war es ganz gewiß, und ich weiß und habe gemerkt, daß ich dergleichen in der ganzen Welt nicht wiederfinde.«

Und an anderer Stelle, am 21. Juli 1897 aus Rom: »Ich spreche unverschämt lange von meinem bischen Litteratur; aber willst Du nicht, daß ich Dir von mir erzähle? Und ich habe stets als Deinen großen Vorzug geschätzt, daß Du zuhören kannst . . .«

Sie hatten als Schüler eine Art intimer Geheimsprache entwickelt – jene komischen Laute und einzelne Worte, »die kein Anderer verstanden hätte« –, und sie nannten es »gippern«. Das Wort kommt mehrfach in den Briefen vor. Ob er wohl noch gippern könne? fragt Thomas Mann den Freund und stellt an anderer Stelle beruhigt fest, daß Grautoff es noch nicht verlernt hat. Auch Heinrich Mann war das Wort aus der Jugend vertraut. Die Brüder dachten einmal, als sie zusammen in Italien lebten, daran, gemeinsam einen ›Gipper‹-Roman zu schreiben, und Thomas meinte später Heinrich gegenüber, daß *Buddenbrooks* »trotz der Gipprigkeit« doch eine gewisse Größe besitze. Was genau unter ›gippern‹ und ›Gipprigkeit‹ zu verstehen sei, hat er nirgends erklärt, aber man kann es aus den Briefen an Grautoff hier und dort herauslesen; es muß wohl soviel bedeutet haben wie gespielter Zynismus, keck und frivol hochfahrend daherreden, eitel-verspielte Selbstironie und Ironisierung der Umwelt, Afferei, Blague und ›Bajazzotum‹. Der junge Thomas Mann beherrschte, wie seine Briefe zeigen, diese Kunstsprache, mit der er sich über seine Unreife und Unsicherheit hinweghalf, aufs trefflichste und holte aus ihr mit großer Virtuosität die komischsten Wirkungen heraus. Denn Humor besaßen sie beide in hohem Maß, auch Grautoff bei all seinem erbitterten Lebensernst; Viktor Mann, Thomas' jüngerer Bruder, bestätigt, daß Otto Grautoff ein überwältigend komischer Anekdoten-Erzähler sein konnte.

Ostern 1894 war die gemeinsame Lübecker Schulzeit vorüber, und die beiden Freunde trennten sich. Thomas Mann ging nach München, wohin seine Mutter bereits im Vorjahr mit den jüngeren Geschwistern übersiedelt war, arbeitete einige Monate lang als Volontär in einer Versicherungsgesellschaft, hörte dann zwei Semester lang Vorlesungen an der Münchner Technischen Hochschule und widmete sich schließlich, gestützt auf einen knappen Monatswechsel, ganz dem Schreiben. Von all diesem, sowie von seinen zwei Italienaufenthalten und seiner zweijährigen Tätigkeit als Redakteur des ›Simplicissimus‹, berichten seine Briefe an Grautoff zum ersten Mal in einiger Ausführlichkeit.

Grautoff hatte es schwerer, mit seiner Familie, seinem Beruf, dem Leben überhaupt – wie schwer, ist aus Thomas Manns Briefen herauszulesen, in denen zuweilen eine pädagogische Note mitschwingt. Er hätte gern studiert, um gleich seinem Bruder Ferdinand Journalist und Schriftsteller zu werden. Aber die Familie, in der das Geld sehr knapp war, bestimmte ihn zum Buchhändler. Er ging als Buchhandelslehrling in das Provinzstädtchen Brandenburg an der Havel, wo er bis Juni 1897 blieb. Von dort kehrte er auf einige Monate nach Lübeck zurück, ging dann im Dezember 1897 als Buchhandelsgehilfe nach Stettin und fand schließlich im Oktober 1898 eine Stellung in Dresden, die ihm bessere Möglichkeiten bot. Während dieser ganzen Zeit strebte er unablässig danach, den Buchhändlerberuf loszuwerden, in München Fuß zu fassen und freier Schriftsteller zu werden. Dieser Sprung gelang ihm im Juli 1900. Er war damals vierundzwanzig Jahre alt; Thomas Mann, ein Jahr älter, hatte soeben *Buddenbrooks* vollendet. Grautoff arbeitete vorerst als Redakteur an der Zeitschrift ›Jugend‹ und anschließend in der Feuilletonredaktion der ›Münchner Neuesten Nachrichten‹. Zu dieser Zeit werden Thomas Manns Briefe spärlicher, denn man lebte ja in derselben Stadt und sah einander häufig, und gegen Ende des Jahres 1901 versickern sie gänzlich – sei es, weil Grautoff die späteren Briefe nicht aufhob, sei es, daß ihre Freundschaft sich überlebt hatte, die Beziehung oberflächlicher wurde und schließlich einschlief. Aus der Zeit 1901–1906 ist überhaupt nichts, aus der anschließenden Zeitspanne 1906–1925 nur ein knappes Dutzend kurzer Mitteilungen und Postkarten erhalten.

Thomas Mann hatte Grautoff das Schulkapitel in *Buddenbrooks* gewidmet, und Grautoff revanchierte sich 1907 mit seinem Novellenband *Exzentrische Liebes- und Künstlergeschichten*, den er »Thomas Mann, dem Menschen und dem Dichter für viele Jahre treuer Freundschaft« widmete; der

Held der ersten Novelle, Hans Pahlen, trägt Züge von Thomas Mann. 1908 brachte er einen Band *Lübeck* in der Reihe ›Stätten der Kultur‹ heraus, der Thomas Manns Schwester Julia Löhr gewidmet war. Grautoff war ein fleißiger und strebsamer Mann. Er holte in der Folge, als er weit über dreißig war, Abiturium und Studium nach, wurde Kunsthistoriker, machte die französische Kunst- und Kulturgeschichte zu seinem Spezialgebiet, übersiedelte ganz nach Paris, übersetzte aus dem Französischen – unter anderem Romain Rollands *Jean-Christophe*, der Thomas Mann während des Ersten Weltkrieges sehr beschäftigte und den er in Grautoffs Übersetzung kennenlernte – und veröffentlichte eine große Anzahl von Monographien über Poussin, Rodin, Courbet, Watteau und andere. 1925 gründete er, der inzwischen Dozent an der Lessing-Hochschule in Berlin geworden war, die Deutsch-Französische Gesellschaft. Er starb am 27. April 1937 in Paris.

Das Konvolut der Jugendbriefe Thomas Manns an ihn, das sich in seinem Nachlaß fand und das der Verleger und Autographensammler Kurt L. Maschler von Frau Erna Grautoff, der Witwe, 1937 erwarb, ist offensichtlich nicht vollständig. Dem ersten erhaltenen Brief Thomas Manns vom September 1894 müssen, wie sich aus ihm schließen läßt, während des Frühjahrs und Sommers 1894 andere vorangegangen sein. Sie dürfte Grautoff verloren haben. Des weiteren gibt es im Konvolut zwischen dem 22. Dezember 1898 und dem 11. Juli 1900 einen großen Sprung; aus dem ganzen Jahr 1899 und der ersten Hälfte des Jahres 1900 ist kein einziger Brief vorhanden. Daß Thomas Mann während dieser eineinhalb Jahre den Briefwechsel plötzlich eingestellt habe, um ihn dann sehr lebhaft wieder aufzunehmen, ist schwer denkbar. Möglicherweise lieh er sich später einige seiner Briefe, wie den aus Aalsgard, von Grautoff aus, weil sie verwendbare Materialien enthielten, vergaß, sie zurückzugeben, und verlor sie schließlich. Endlich sind, wie der Leser bemerken wird, einige der Briefe nur in Bruchstücken erhalten, und andere sind verstümmelt. Bei einigen fehlt der Anfang, bei anderen der Schluß, bei wieder anderen die Mitte; hier und dort sind die Briefe zerschnitten, offenbar um bestimmte Stellen herauszunehmen, und nicht immer richtig wieder zusammengeklebt. Diese Verluste von einzelnen Blättern und Verstümmelungen anderer gehen offenbar noch auf Grautoffs Lebzeiten zurück; als Kurt L. Maschler das Konvolut erwarb, war es bereits in seinem heutigen Zustand. Über die Gründe, warum Grautoff mit den Briefen so verfuhr, wissen wir nichts.

Die Briefe hatten ein sonderbares Schicksal. Als Maschler im Sommer 1937 Deutschland verließ und nach Wien übersiedelte, nahm er sie mit, mußte sie aber im März 1938, bei der Besetzung Österreichs zu überstürzter Flucht gezwungen, mitsamt seiner übrigen Autographensammlung und seiner ganzen Bibliothek in Wien zurücklassen. Bibliothek und Sammlung wurden vier Monate später von der Gestapo beschlagnahmt. Als Maschler nach dem Krieg nach Wien zurückkehrte und sein Eigentum wieder aufzuspüren versuchte, machte Dr. Gottfried Bermann Fischer, der Verleger Thomas Manns, ihn darauf aufmerksam, daß er selbst große Teile seiner eigenen Bibliothek, die ebenfalls von der Gestapo beschlagnahmt worden war, in der Österreichischen Nationalbibliothek wiedergefunden und von dieser zurückerlangt habe. Hier fand Maschler denn auch die Briefe Thomas Manns an Grautoff wieder. Die Gestapo, die ihren Wert offensichtlich erkannt hatte, hatte die Briefe sorgfältig registriert und mit einer genauen Aufstellung aller Stücke im Juli 1938 bei der Nationalbibliothek eingeliefert. Es fehlte, soweit ersichtlich, nichts. Aber es war auch das ein-

zige, was Maschler von seiner Sammlung und seiner Bibliothek wiederfand und zurückerhielt.

Ida Boy-Ed war fast ein Vierteljahrhundert älter als Thomas
Mann. Er kannte sie noch aus seiner Lübecker Gymnasi-
astenzeit. Sie hatte ihn, Grautoff und ihre Freunde ermutigt
und gefördert in den Tagen, da sie ›gippernd‹ ihre ersten
dichterischen Versuche unternahmen und mit dem ›Frühlingssturm‹ in der feindseligen Vaterstadt mit ihrem »lo-
derndem Haß gegen Schöngeisterei« sich zum ersten Mal an
die Öffentlichkeit wagten. Es war mehr als eine liebenswürdige Redensart, wenn Thomas Mann sie in einem seiner
Briefe seine »mütterliche Freundin« nannte; er meinte es
ernst und aufrichtig. Sie war Jahre und Jahrzehnte lang seine zuverlässige Stütze, sein fester Halt in der alten Heimatstadt; ihr verdankte er es vor allem, daß Lübeck schließlich
begriff, warum er ihm zur Ehre und nicht zur Schande ge-
reichte, ihn anerkannte und wieder unter die Seinen aufnahm,
denen er sich allzeit, wie seine Briefe an die Freundin zeigen,
zugehörig gefühlt hatte. Sie wußte, was es hieß, sich in Lübeck mit einer ›unbürgerlichen‹ Leistung durchsetzen; sie
hatte es selbst erlebt und durchgekämpft. Auch für sie war
Lübeck eine ›geistige Lebensform‹, der sie nicht entsagen
wollte und konnte.
Sie wurde am 17. April 1852 in Bergedorf geboren. Drei-
zehnjährig, 1865, kam sie nach Lübeck, als ihr Vater sein
aufblühendes Zeitungsunternehmen in die Hansestadt ver-
legte. Dieser Vater, Christoph Marquard Ed, Nachkomme
einer aus Schweden stammenden Familie, die einstmals von
Edmann geheißen hatte, war ein bemerkenswerter Mann. Er
hatte sich vom Buchdruckerlehrling hochgearbeitet, eine eigene Druckerei erworben, seine eigene Zeitung, die ›Eisenbahn-
Zeitung‹, gegründet und es schließlich zum Reichstagsabge-

ordneten für Lübeck gebracht. Er war aber nicht nur ein politischer Kopf, ein ›Freisinniger‹ und kämpferischer Mann des Fortschritts, sondern auch ein ›Schöngeist‹, ein Literat. Er war mit Hebbel und Gutzkow befreundet, schrieb Romane und Novellen – man sagte von ihm, in seiner Anfangszeit habe er nicht nur seine Leitartikel, sondern auch die Fortsetzungsromane für seine Zeitung direkt aus dem Kopf in den Winkelhaken ›geschrieben‹, eine Geschwindigkeit des Produzierens, die seine Tochter wohl von ihm erbte – und war ein vielgereister, liberaler und aufgeklärter Mann. »Meine ganze Kindheit«, schrieb sie einmal, »ward von der würdigen und bedeutenden Gestalt meines Vaters beherrscht.« Im Haus Große Petersgrube 29 wuchs sie in einer ausgesprochen literarischen und dazu stark politischen Atmosphäre auf. Sie begann schon frühzeitig, sich mit kleinen Novellen und Skizzen zu versuchen, und der Vater ermutigte und förderte sie.

Das wurde alles anders, als sie 1870, kaum achtzehnjährig, den Kaufmann C. J. Boy aus alter lübischer Patrizier- und Kaufherrenfamilie heiratete. Sie geriet, wie sie schrieb, »in eine mir geistig ganz ferne Umwelt.« Im Haus der patriarchalisch-engstirnigen Schwiegereltern belächelte man nicht nur ihren literarischen Ehrgeiz, man verbot ihr rundweg, überhaupt zu schreiben. Rasch nacheinander kamen vier Kinder zur Welt, eine Tochter und drei Söhne. Die Ehe erwies sich von Anbeginn als gänzlich verfehlt. Kaufmann Boy, ein gutherziger, aber schwacher und apathischer Mann, der von einer Schädeloperation in seiner Kindheit einen unheilbaren Gehirnschaden davongetragen hatte, interessierte sich für nichts, weder für Frau und Kinder, noch für Literatur und nicht einmal für sein Geschäft; die Familie Boy, in ihrer Stickluft, machte ihr das Leben unerträglich.

Sie war eine mutige und entschlossene junge Frau. Im Herbst

1878, als sie bereits einige kleine Erfolge mit Zeitungs-feuilletons und Fortsetzungsromanen erzielt hatte, warf sie, sechsundzwanzigjährig, ihre ganze Lübecker Existenz hin, ließ ihre drei jüngeren Kinder in der Obhut ihrer Schwester und flüchtete mit dem ältesten Sohn nach Berlin – »Die Welt sagte natürlich, mit oder zu einem Liebhaber.« Es war ein Skandal, wie ihn Lübeck noch nicht erlebt hatte. In ihren – unvollendeten und unveröffentlichten – Lebenserinnerungen schrieb sie:

»Doch zeigten mir einige wenige Persönlichkeiten, daß sie mein Streben würdigten und mein Talent achteten, auch mir, der Frau, vertrauensvolle Sympathie schenkten. Ich nenne hier mit dankbarer Erinnerung den Senator Heinrich Mann, Thomas Manns Vater – die Welt kennt ihn aus des Sohnes Schilderung. Er war eine Erscheinung von anmuthiger Würde, sehr gepflegt und zeigte stets eine heitere Güte gegen jedermann. Seine Klugheit und Weltläufigkeit stellten ihn hoch über den Durchschnitt seiner Mitbürger.«

In Berlin versuchte sie, auf eigenen Füßen zu stehen und sich mit Journalismus durchzubringen. Sie hatte eine schwere Zeit. Rudolf Mosse, der ihren Vater kannte, half ihr ein wenig, sie verdiente sich mühselig ihre winzigen Zeilenhono-rare zusammen, hungerte sich buchstäblich durch, begegnete aber im Umkreis des ›Berliner Tageblatts‹ einigen Männern von Bildung und Können, von denen sie das Handwerk lern-te: Julius Stettenheim, Adolph L'Arronge, Arthur Levysohn, Paul Lindau, Emil Schiff und Fritz Mauthner. Aber nach ein-einhalb Jahren ging es nicht weiter. Die Familie Boy setzte sie unter Druck: »Meine Freiheit hätte ich mir nur errin-gen können unter Verzicht auf meine vier Kinder. Also hieß es nach manchen Kämpfen heimkehren.« Sie lebte, von der Familie ihres Mannes verachtet, von der Lübecker Gesell-schaft ignoriert, an der Seite des teilnahmslosen Gatten dahin, zog ihre Kinder auf und schrieb und schrieb in jeder freien Minute. »Indes hatte ich doch *den* Erfolg erzielt, daß man, vielleicht aus Furcht vor meiner Energie, mich schreiben ließ und die Lektüre eines Buches nicht mehr als eine Tagediebere ansah. Zum Ausgleich schuftete ich mich im Haushalt unsinnig ab.« Der Vater entführte sie alljährlich aus der ›Stickluft‹ auf einige Wochen, nach Rom und Neapel, und langsam stellte sich Erfolg ein. Ihre Fortsetzungsromane wurden in Familienzeitschriften gedruckt, und als sie ein wenig Geld zu verdienen begann, fand auch die Sippe Boy an ihrer ›Schöngeisterei‹ nicht mehr so viel zu bemängeln. Die ersten Erfolge, meinte sie an ihrem Lebensabend, seien später gekommen, »als für mein persönliches Geschick vielleicht gut war. Aber der Erfolg kam doch!«

Er kam langsam, und in Lübeck noch langsamer als anderwärts. 1882, als sie dreißig war, erschien ihr erstes Buch, die Novellensammlung *Ein Tropfen*. Es trat, wie ein Kritiker sagte, »mit dem Mut der Verzweiflung für das eingeengte seelische Recht der Frau gegen alte Voreingenommenheiten« ein, war »eine Kampfansage gegen überholte Begriffe, gegen unechte Befangenheit unter Ausschaltung des gesunden Empfindens der Töchter.« So ein Wohlmeinender. In Lübeck erregte es einen Skandal, und der Kritiker der ›Lübeckischen Blätter‹, die zwanzig Jahre später voller Stolz Ida Boy-Ed als ihre bedeutendste literarische Mitarbeiterin schätzten, ermahnte die Eltern, das Buch vor ihren Töchtern zu verschließen. Zwei Jahre darauf erschien ihr erster Roman. 1885 brachte sie auf einen Sitz gleich drei Romane heraus. In diesem Jahr starb ihr Vater, und die ›Eisenbahn-Zeitung‹ wurde von einer Erbengemeinschaft fortgeführt; die Tochter gab dem einflußreichen Blatt hinfort sein geistiges Gepräge. Hier erschienen, unter dem Chefredakteur Telesfor von Szafranski, die ersten Arbeiten des Gymnasiasten Heinrich Mann. Derselbe Szafranski freilich lehnte einen Erstling des jüngeren Bruders, betitelt *Farbenskizze*, mit höhnischen Worten ab; ein Brief an Grautoff erzählt davon.

Ida Boy-Ed wurde gedruckt, sie wurde bekannt, aber keines ihrer Bücher wollte über die erste Auflage hinausgelangen. Da begab es sich, daß die Firma Boy, nach jahrelanger Verschleierung, bankrott ging. Alles war dahin, auch ihr eigenes Vermögen, das sie in die Ehe mitgebracht hatte, war verwirtschaftet. Jetzt hing ihre ganze Existenz und die ihrer Kinder – zwei ihrer Söhne gingen zur Marine, der dritte zum Heer – ganz allein von ihr, von ihrer Feder, ihrem Fleiß ab. Der Erfolg, schrieb sie als Fünfundsiebzigjährige, sei ihr »bis auf den heutigen Tag treu« geblieben: »Eigentliche Modeerfolge und Riesenauflagen waren mir nicht beschieden; ich mußte mir alles höchst mühevoll erarbeiten. Rückblickend staune ich selbst über die Unsumme von Arbeit, die ich habe leisten können und – müssen. Denn mein Mann, der unter einer geistigen Müdigkeit litt und für sein geschäftliches Mißgeschick nicht verantwortlich zu machen war, mußte sich auf meine Kraft verlassen. Wunderlicher Kreislauf der Dinge: die einst so verhöhnte und verachtete Feder umschrieb nun die bürgerliche Existenz mit der Linie der Sicherheit. Ich habe mein Talent oft prostituieren müssen. Nur Einsame können und dürfen ihm alles opfern; wer Verantwortlichkeit trägt, hat auch bürgerliche Pflichten.« Kaufmann Boy starb 1904. Um diese Zeit war die auffallend schöne, geradezu königlich wirkende Frau längst hochberühmt, und auch die Buchhändler der Heimatstadt wagten nicht mehr, ihre Bücher, »als seien sie pornographische Schmutzliteratur«, heimlich zu boykottieren.

In ihrem Haus in der Parkstraße sammelte sie Schriftsteller, Maler und Musiker um sich – sie holte Abendroth und Furtwängler als Dirigenten nach Lübeck, in ihrem Salon lernte der

Gymnasiast Thomas Mann den bewunderten Wagner-Tenor Emil Gerhäuser kennen – und wußte vor allem, einen sich stetig erneuernden Kreis junger Menschen, deren Begabung sie erkannte, um sich zu versammeln, zu ermutigen und zu fördern. Daran sind zahllose Erinnerungen erhalten. Thomas Mann war nur einer von vielen seiner Generation, als er schrieb:

»Ich bin aufgewachsen in Bewunderung für die hohe, schöne, klug blickende Frau, die so viel geschrieben hatte und im Lande berühmt war. Ich verschlang ihre Theaterkritiken in der ›Eisenbahn-Zeitung‹ und was mir von ihren Erzählungen in den Heften der ›Mappe‹ des Lesezirkels zu Gesichte kam. Ich war innerlich fest auf ihrer Seite – gegen Lübeck, das kleinbürgerliche Lübeck von vormals, in dem man es, ausgenommen zwei, drei Leute, die wußten, was Literatur ist, höchst wunderlich und verdächtig, wenn nicht geradezu ›gediegen‹ fand, zu ›schreiben‹ und ›einrücken zu lassen‹. Ahnte mir, daß ich ihres Schutzes bedürftig sein würde? Er ist mir zuteil geworden. Sie war die erste, die an mich geglaubt hat in Lübeck, der erste Lübecker – soviel ich weiß –, der ›Buddenbrooks‹ nicht abscheulich fand, sondern mich verteidigte. Nie hat sie aufgehört, mir Zeichen ihres Wohlwollens zu geben, der geistigen Teilnahme, mit der sie meinen Weg verfolgt, auch wenn er ihr irrig und gefährlich scheint, und immer werde ich ihr Dankbarkeit dafür bewahren müssen.«

Sie war eine rastlose Arbeiterin. Sie gebot sich: »Jede angefangene Arbeit vollenden. Nichts halb liegen lassen. In Gedanken schon die nächste Aufgabe organisieren, wenn die gegenwärtige sich der Vollendung naht. Arbeit entsündigt den Geist.« Ihr ältester Sohn sagte: »Ich habe bei unserer Mutter nie fünf unbenutzte Minuten beobachtet.« Und nun, nach dem Zusammenbruch ihres Mannes und dem Verlust ihres Vermögens, da sie eingestandenermaßen reinweg fürs Geld schrieb, schrieb sie besser und besser, und es kam der Erfolg. Sie fand gute, literarisch angesehene Verleger wie Reissner in Leipzig und Cotta in Stuttgart. Sie verdiente Geld, sehr viel Geld. Zeitungen und Zeitschriften konnten nicht genug Beiträge von ihr bekommen: Romane, Novellen, Reiseskizzen, kritische Aufsätze, Rezensionen. Auf der Höhe ihres Ruhms, so hieß es, habe sie von Cotta dreißigtausend Mark für jeden Roman bekommen. Sie konnte sich alljährlich große Reisen durch ganz Europa erlauben und verbrachte häufig den Winter in Ägypten. Sie fuhr alljährlich nach Bayreuth und kam oft, der Oper und des Schauspiels wegen, nach München. Sie zählte Richard Strauss und Bruno Walter zu ihren Freunden. Der junge Jürgen Fehling, Sohn des Lübecker Bürgermeisters, war ihr Schützling.

Sie verbrachte ihr ganzes Leben in Lübeck und dachte nicht daran, es zu verlassen. »Oft hat man sich gewundert«, schrieb sie, »daß ich in Lübeck wohnen blieb. Ich bin aber erstens sehr norddeutsch im Wesen, und zweitens habe ich ein Heimatgefühl von einer merkwürdigen Intensität.« Dasselbe konnte Thomas Mann von sich sagen, und er sagt es mehr als einmal in seinen Briefen an sie. Zu ihrem sechzigsten Geburtstag, 1912, stiftete der Lübecker Senat ihr im historischen Burgtor eine große Wohnung als lebenslängliches Ehrengeschenk. Von dieser Wohnung im mittelalterlichen Gemäuer ist häufig die Rede: Ida Boy-Ed bestand darauf, daß Thomas Mann, wann immer er nach Lübeck kam, ihr Hausgast sein müsse. »Bin ich jetzt in der Heimat«, schrieb er zu ihrem fünfundsiebzigsten Geburtstag, »so darf ich bei ihr in ihrem schönen Ehrenhause wohnen. Ich freue mich dann ihrer unverwüstlichen Vitalität, der hanseatischen Würde ihres Wesens, mit der sich Schalkheit entzückend paart, diese Heiterkeit und kindliche Lachlust, die dem geistigen Menschen so gut ansteht, und in ihrem Falle über ein vereinsamendes Gehörleiden triumphiert.« Hier im Burghaus hielt sie Hof, hier arbeitete sie bis zum Ende. Sie starb, sechsundsiebzigjährig, am 13. Mai 1928 in einem Sanatorium im nahen Ostseebad Travemünde. Lübeck flaggte halbmast. Jenen, die die Trauerfeier in der Marienkirche erlebten, war zumute, als trage man eine regierende Fürstin zu Grabe.

Ihr Werk ist heute vergessen und kaum mehr greifbar. Es ist unübersehbar umfangreich und vielgestaltig. In den zwölf Jahren von ihrem Beginn 1882 bis 1894, als Thomas Mann Lübeck verließ, veröffentlichte sie allein einundzwanzig Bücher. Insgesamt sind es gegen siebzig, und hinzu kommen ihre unzähligen Aufsätze in Zeitungen und Zeitschriften. Sie war gewiß eine Vielschreiberin und wußte, daß vieles Routine war oder wurde, weil, wie sie sagte, die Leser immer dasselbe verlangten und mit ihnen die Verleger. Aber ihr Bestes, wenn sie schrieb, was sie schreiben wollte, war sehr gut und ist noch heute lesenswert: die Schilderungen ihrer norddeutschen Heimat, Lübecks und seiner Menschen. Hierin stand sie hoch über den populären Unterhaltungsroman-Schreiberinnen ihrer Zeit – eine aufgeklärte, mutige, vorurteilsfreie Schilderin und Kritikerin der Frauenwelt der Jahrhundertwende, mit großem Einfühlungsvermögen in ihre sozialen und gesellschaftlichen Probleme begabt, von feiner, taktvoller Seelenkenntnis, und eine packende Erzählerin von schier unerschöpflicher Erfindungsgabe, die mit festen Strichen eine knappe und bildhafte Sprache schrieb. Sie schickte Thomas Mann regelmäßig alle ihre neuen Bücher, so wie er ihr die seinen schickte: von beiden ist in seinen Briefen häufig die Rede.

»Soll ich literarisch über sie sprechen?« schrieb er zu ihrem hohen Geburtstag. »Die großen Erfolge, die sie gewann, gründeten niemals in Zugeständnissen an das Publikum, sondern in ihrem Wahrheitssinn, dem Reichtum ihrer Lebenserfahrung, ihrem ›Realismus‹, der vor fünfunddreißig Jahren manchen hart ankam, wie ich mich erinnere. Man darf das ein für allemal aussprechen. Unter ihren Romanen (die ich lange nicht alle kenne, aber sie lacht und verlangt das nicht) ist das Meisterwerk wohl ohne Zweifel ›Ein königlicher Kaufmann‹. Worauf aber ich am meisten setzen möchte, ist derjenige Teil ihrer Produktion, mit dem auch sie, die unermüdliche Gestalterin, dem kritizistischem Hange der Zeit ihren Tribut gezollt hat: Bücher, in denen sie mit schwesterlicher Einfühlung vom Leben berühmter Frauen der Vergangenheit handelt. Ich halte für möglich (wer weiß, was die Zeit tut?), daß diese Beiträge analytischer Betrachtung länger werden gelesen werden, als die Romane – und nicht nur als die ihren.«

Zu diesen »kritizistischen« Beiträgen sind auch und vor allem, wenngleich Thomas Mann sie nicht erwähnt, ihre Aufsätze über die Werke des Freundes zu zählen, die sie hauptsächlich in den ›Lübeckischen Blättern‹ veröffentlichte, über *Königliche Hoheit*, über die *Betrachtungen eines Unpolitischen*, über *Lübeck als geistige Lebensform* und gegen Ende ihrer Tage über den *Zauberberg*, nicht zu vergessen den großen Aufsatz *Thomas Mann – Versuch einer Deutung* zu seinem fünfzigsten Geburtstag. Von diesen kritischen Würdigungen ist in den Briefen ebenfalls mehrfach die Rede. Ida Boy-Ed war keineswegs eine kritiklose Bewunderin Thomas Manns, sondern wußte Einwände in durchaus entschiedener Form vorzubringen. Dort hingegen, wo sie ihn verstand, vor allem in der vielschichtigen Allegorie *Königliche Hoheit*, verstand sie ihn mit untrüglicher Intuition besser und genauer als fast alle seine kritischen Zeitgenossen. Eine gewisse Vorstellung dieses Verständnisses gibt ihre Rezension von *Kö-*

nigliche Hoheit, die im Anhang Grautoffs *Buddenbrooks*-Besprechung folgt.

Die Briefe Thomas Manns an Ida Boy-Ed, soweit sie erhalten sind, beginnen mit dem Jahresende 1903 und enden wenige Wochen vor ihrem Tod. Es ist jedoch unwahrscheinlich, daß ihnen in den Jahren 1894–1903 nichts vorausging. Thomas Mann lernte Ida Boy-Ed, wie schon gesagt, noch als Gymnasiast, vermutlich in den Jahren 1892–1893 in Lübeck kennen, und es ist nicht anzunehmen, daß er die Verbindung mit ihr erst zehn Jahre nach seinem Weggang aus Lübeck wieder aufnahm. Wir wissen aus seinen Notizbüchern, daß er ihr seine Erstlingswerke *Der kleine Herr Friedemann* und *Buddenbrooks* schickte, und wir haben es aus seinem eigenen Mund, daß sie die erste war, die in Lübeck für ihn und *Buddenbrooks* eintrat. Es dürfte also wohl auch in Thomas Manns ersten zehn Münchner Jahren einigen Briefwechsel mit der ›mütterlichen Freundin‹ gegeben haben. Aber von ihm ist nichts erhalten, er ging wohl schon zu ihren Lebzeiten verloren. Der gesamte schriftliche Nachlaß Ida Boy-Eds, einschließlich der Briefe Thomas Manns, wurde von ihrer Enkelin, Frau Lisetta Niemeyer in Hamburg, bewahrt, behütet und unversehrt durch die Wirren der Zeit gerettet. In den letzten Briefen Thomas Manns ist von den Lebenserinnerungen Ida Boy-Eds die Rede. Sie begann in der Tat, als sie bereits eine sehr kranke alte Dame war, mit der Niederschrift dieses Werkes, aber sie konnte es nicht mehr vollenden. Ein sehr schwer leserlicher, unredigierter handschriftlicher Entwurf von 234 Manuskriptseiten bricht etwa mit dem Jahr 1910 ab. Teile wurden in Zeitschriften veröffentlicht.

Die Briefe an Ida Boy-Ed sind, soweit erhalten, vollständig und ungekürzt in diesen Band aufgenommen. Aus dem

Konvolut der Briefe an Otto Grautoff wurden nur einige unerhebliche kurze Billetts aus der Münchner Zeit sowie die bereits erwähnten wenigen Postkarten aus den Jahren 1906 bis 1925 ausgeschieden. Verstümmelungen und Auslassungen in den Originalen sind mit eckigen Klammern bezeichnet, desgleichen vom Herausgeber vorgenommene Ergänzungen fehlender Worte. Offenkundige Verschreibungen wurden berichtigt. Orthographische Eigenheiten und Besonderheiten Thomas Manns, die sich vor allem in seinen Jugendbriefen häufig finden, wurden nicht angetastet. Alle Datierungen der Briefe stammen von Thomas Mann selber. Bei einigen undatierten oder unvollständig datierten Briefen wurde das wahrscheinliche Datum vom Herausgeber, soweit möglich, aus dem Zusammenhang erschlossen und in Klammern gesetzt.

Die Anmerkungen beschränken sich auf das zum Verständnis der Briefe unbedingt Notwendige. Nur wenige Hinweise und Andeutungen in den Briefen ließen sich nicht entschlüsseln und mußten ungeklärt bleiben; ebenso hat sich die Identität einiger in den Briefen erwähnter Personen sowie die Herkunft des einen oder anderen Zitates nicht ermitteln lassen. Der Herausgeber ist Fräulein Corinna Reich für ihre Mitarbeit an den Anmerkungen zu besonderem Dank verpflichtet.

Herausgeber und Verlag danken Frau Katia Mann für die Erlaubnis zur Veröffentlichung der Briefe und Frau Lisetta Niemeyer und Herrn Kurt L. Maschler dafür, daß sie die beiden Briefkonvolute zur Verfügung gestellt haben und dem Herausgeber mit Auskünften und Erläuterungen behilflich waren.

München, Februar 1975

Peter de Mendelssohn

AN OTTO GRAUTOFF

Lieber Grautoff.

Für Deinen letzten Brief, den ich mit viel Interesse gelesen habe, sage ich Dir meinen besten Dank. Es ist hübsch von Dir, daß Du mich in Deinen Angelegenheiten so fleißig auf dem Laufenden hältst. Dein Plan, Deine Existenz zu verbessern, scheint den neuen Mitteilungen zufolge etwas mehr Form und Gestalt nun ja angenommen zu haben. »Das riesengroße Vorurteil gegen jeden Künstlerstand«, das Du in Lübeck so fürchtest, scheint mir vor der Hand bei Dir doch nicht in Betracht zu kommen. Es handelt sich in Deiner Angelegenheit doch um keinerlei Künstlertum, sondern Du willst doch *Journalist* werden, und ich sehe nicht ein, warum die betreffenden Herren in Lübeck ihren tragisch lodernden Haß gegen »Schöngeisterei« (das Wort gehört Herrn Tesdorpf) auf obiges, mehr oder weniger doch ehrenwertes Handwerk übertragen sollten. – Nur in puncto puncti – nämlich was das Pekuniäre anbelangt, schüttle ich noch den Kopf, denn ich weiß nicht, wie Du, sollte Deine Mutter darauf eingehen, Dir im Jahr 300 Mark zu geben, mit dieser Summe in Berlin leben willst. Wenn irgend ein Proletarier 700 Mark hat, so ist das furchtbar wenig, und er ist dann sicher Sozialdemokrat. Und Du denkst mit 300 Mark, mit 25 Mark monatlich, – wohliger zu leben als bislang! Weißt Du, daß ein einigermaßen bewohnbares Zimmer in Berlin, wo die Wohnungen allbekanntlich sehr viel teurer sind als etwa hier in München, schon 25 Mark kostet? – Wovon willst Du Dich nähren, gesetzt wirklich, Deine Mutter gäbe Dir Kleidung? – *Ich glaube aber nicht daran, daß sie Dir nicht m e h r geben kann.* Ich glaube deshalb nicht daran, weil Du bislang in Brandenburg zu wohnen und zu essen gehabt hast, und weil das ganz ohne Frage viel mehr als 25 Mark monatlich gekostet haben *muß.* Schreibe mir, was Du darüber weißt; wenn ich an die

25 Mark denke, muß ich erwarten, daß Du Dich in Berlin nach den Fleischtöpfen Brandenburgs a/H zurücksehnen wirst. Hunger ist ein stärkerer Drang als Poesie. Am Magen und noch einem Gliede hängt nach Schiller die ganze moralische Welt! – Mein Bruder hatte in Berlin 200 Mark monatlich, – und das ist noch lange nicht zu viel; Herr Ewers hatte 100 Mark monatlich von seinem notorisch geizigen Vater, – und das ist erstaunlich wenig. Mit 25 Mark hat aber noch kein sterblicher Mensch dort gelebt, wenn er es nicht gewohnt war, sein genußreiches Leben in Schutzhaft zu verbringen. –

– Der Name ist schon wieder gefallen, auf welchen den geschickten Übergang ich suchte. Was Du von Herrn Ewers' Auslassungen schriebst, war ja nicht grade gar so neu, aber aufs Neue hat es mich mit Staunen und Ehrfurcht vor ihm erfüllt. Es ist ja allbekannt in deutschen Gauen, daß die Zeitungsschreiber allwissend sind wie Gott in der Höhe, – aber woher Herr Ewers, der seit der albernen »Farbenskizze« kein Wort mehr von mir gelesen hat, weiß, daß ich kein Talent habe, woher noch einmal Herr Ewers, der Gottseidank keinerlei Einblick in unsere Familienverhältnisse oder in dasjenige zwischen meinem Bruder Heinrich und mir besitzt, es weiß, daß dieser sich »überhaupt nicht um mich kümmert«, sondern höchstens aus schauerlicher Erhabenheit auf mich armen Idioten herabblickt, – das ist mir ein heiliges Mysterium! – Offen gestanden kenne ich das freundschaftliche Verhältnis zwischen meinem Bruder und mir, das sich noch in letzter Zeit zu wahrhaft brüderlicher Intimität gesteigert hat, dann doch etwas besser als der allzu kluge Herr Ewers und eben so offen gestanden, überlasse ich das Urteil über mein Talent heiteren Sinnes anderen Leuten, als einem obskuren Winkeljournalisten, der ja wirklich einen ganz wunderschönen Schnurrbart haben mag, der aber doch hienieden noch nichts Hehreres vollbracht hat, als für das nötigste Kleingeld ebenso obskure Feuilletonblätter mit nicht eben weltbewegenden Geschichtlein von sitzengebliebenen Sextanern zu begaben, die Du und vielleicht noch einige Leute in Mesopotamien und Feuerland unverzeihlicherweise noch nicht kennen. Solchem Tintenkulitum liegt dann allerdings die Voraussetzung nahe, daß es andere Menschen, die es mit der Kunst ein bischen liebevoller meinen, und denen der Gedanke an Bezahlung bei der Arbeit garnicht kommt, überhaupt ja nicht geben kann, – und die Hypothese des Herrn Ewers: wenn ich mehr Geld hätte, würde ich »überhaupt das Dichten bleiben lassen« ist darum erklärlich und verzeihlich. Der Mensch kann nicht über sich hinaus denken, sagt Feuerbach; das Wort ist eigentlich anders gemeint, aber man könnte es auch auf Herrn Ewers zur Anwendung bringen.

Das Beste aber, das Großartigste – nein, erlaube mal, hat er das wirklich gesagt, von meiner Handschrift?! Hast Du Dich auch nicht verhört? Nämlich – das übersteigt denn doch alles! Daß Herr Ewers sich untersteht, über das Talent eines Menschen zu Gericht zu sitzen, von dem er vor Jahr und Tag einmal einen frühen Versuch gelesen, der in kindlichem Überschwang nach albernen Effecten noch haschte, daß er sich nicht entbrechen kann, einen anderen Menschen mit demselben Atemzuge, in welchem er ihn ein Genie nennt, lächerlichen Hochmutes zu beschuldigen, – das kann ich mir alles noch psychologisch erklären. Aber daß er den Leuten kaltblütig erzählt, *ich ahme seine Handschrift nach,* – das ist nun doch ein selbstverliebter Dünkel, der mich einfach unheimlich berührt, der mich positiv krankhaft anmutet, und auf den ich keine andere Antwort finde, als das genialische Szafranski-Ewer'sche Wort: »Wenn Sie öfters solche Einfälle haben, sollten Sie wirklich etwas dagegen thun«! Was bildet sich denn eigentlich Herr Ewers über seine soziale und geistige Stellung ein, daß er wähnt, man ahme jetzt schon in entzückter Schwärmerei seine Handschrift nach?! – Ich bewahre leider kein Manuskript von ihm und kann also eine eventuelle Ähnlichkeit zwischen seinen und meinen Schriftzügen nicht kontrollieren; sollte aber eine solche wirklich vorliegen, so würde ich mich aus allen Kräften bemühen, sie schleunigst aus der Welt zu schaffen. Nämlich es gibt einige begabte Leute, welche imstande sind, aus der Handschrift eines Menschen dessen Charaktereigenschaften [. . .]

lich einverstanden; – und – ein anderes Thema als der große Publizist und Deine Zukunft lag ja bis jetzt noch nicht vor. Sollte dem nicht abzuhelfen sein? Solltest Du mir nicht z. B. mal Deinen Sudermann-Essai schicken können? Ich würde mich sehr freuen, würde Dir vielleicht ein paar wohlgemeinte Bemerkungen darüber machen können und gern bereit sein, Dir auch von meinen neueren Arbeiten etwas zur Ansicht zu schicken. Dann wäre, wo Du doch, wie Du schreibst, das prachtvolle Gippern verlernt hast, doch wenigstens die Litteratur für unseren Verkehr gerettet. Und Litteratur [. . .]

München d. 22. 9. 94

Lieber Grautoff.

Besten Dank für Deinen Brief vom 21ten d. M., der es mich heftig bedauern läßt, einen Gleichen von Dir Anfang August nicht erhalten zu haben, weshalb Du auch eine Antwort entbehren mußtest. Aber *eine* Erwiderung auf die »Klagen eines genielosen Genies« scheint Dir doch, wie es aus Deinem Schreiben hervorgeht, von mir zugegangen zu sein. Darüber habe ich mich während der Lektüre besagten Schreibens be-

6

ruhigt; anfangs glaubte ich, Deine Frau Mutter habe Deinem Herren Prinzipal meine Handschrift beschrieben und ihn beauftragt, derlei Briefe zu confiscieren.

Deine Situation scheint allerdings recht beklagenswert zu sein, und ich kann es Dir nicht verdenken, wenn Du Dich nach freiem Künstlertum sehnst; aber ich habe mich verwundert, daß [Du] dieses *Künstler*tum damit einleitest, *über* einen Künstler, nämlich Sudermann zu schreiben. Aber das thatest Du wohl nicht als Künstler, sondern als hungriger Litterat, der seinem »Pekuniär-garnicht-gestelltsein« etwas nachhelfen wollte, und desto bedauerlicher ist der permanente »Raummangel« des Brandenburger Anzeigers. Dieser Raummangel ist übrigens eine recht abgedroschene redaktionelle Redensart, die Herr York, wenn er Dich doch gar so »ernst genommen« hat, höflicherweise durch eine weniger abgenutzte hätte ersetzen müssen. Pfui, den Mann mag ich nicht leiden.

Da waren die sommerlichen Schauspieler doch viel netter, die Dir geraten haben, zur Bühne zu gehen. Das war doch noch ein Gedanke! Auch in dieser Hinsicht rate ich Dir hierher zu kommen. Herr Generaldirektor Ernst Possart würde Dich mit offnen Armen empfangen, und als College von Rémond, Ida Hofmann, Keppler, Häusser etc. müßtest Du Dich trefflich ausnehmen. Als Antrittsrolle empfehle ich Dir die Wahl zwischen Romeo und Julia. [. . .]

und würdest durch wahres Empfinden eine unsägliche Wirkung erzielen – etwa bei den Worten:

»Komm, Nacht . . .
Verhülle mit dem schwarzen Mantel mir
Das wilde Blut, das in den Wangen flattert,
Bis scheue Liebe kühner wird, *und nichts*
Als Unschuld sieht in inn'ger Liebe Thun.«

Verzeih wenn ich neckisch wurde.

Auch wenn der Wortlaut der Verse nicht ganz stimmen sollte, verzeih es. Ich citierte aus dem Kopf, denn ich habe letzter Zeit viel Shakespeare studiert. –

Das freie Künstlertum, nach dem Du Dich sehnst, habe ich mir hier gar köstlich eingerichtet. Mit dem albernen »Büreau« ist es längst zu Ende und mit Anfang des Wintersemesters beginne ich mit dem Univer[. . .]
das *nicht* nach Lübeck; [. . .]

Seit das letzte Osterfest uns grausam auseinander riß – (verzeih, wenn ich schon wieder neckisch wurde) – habe ich, abgesehen von lyrischen Kleinigkeiten, zwei größere Novellen geschrieben »Gefallen« und »Aus Mitleid«. Die erstere hat die »Gesellschaft« – *vielleicht* gebracht – ich weiß von nichts. Antworten thut Herr Merian ja niemals. Es ist mir auch ganz gleichgültig. *Verbindungen* – Verbindungen sind die Hauptsache, und wenn Herr Dr. Conrad meine nächsten Novellen ebenso talentvoll findet, wie »Aus Mitleid«, so braucht er nur dem Packet ein Briefchen beizulegen und Wilhelm Friedrich verlegt den Kram mit Lust und Liebe. – – Augenblicklich bin ich mit dem Entwurf eines Märchendramas beschäftigt, vor dem die Herren Ludwig Fulda und Leo Melitz erbleichen sollen, und von dem ich träume, daß Possart es fürs Residenz-Theater annehmen wird, . . . träume – ach, ich bin 19 Jahre alt! – – –

Entschuldige – nämlich man hat »auf den Tisch die duftenden Reseden« gestellt, und das hat allmählich einen état d'âme bewirkt, der mich zwingt, unbedingt sofort an mein Märchenspiel zu gehen. Lebe wohl, gestalte mit fester Hand Deine Zukunft. In Deiner Brust sind Deines Schicksals Sterne, wie der Dichter so treffend bemerkt. Und vor allen Dingen schreibe mir recht bald. Ich korrespondiere von all

8

den alten Bekannten nur mit Graf Vitzthum und Dir. Was für eine Auszeichnung das ist, wirst Du nach einigem Nachsinnen vielleicht annähernd ermessen können.

War ich mit Vitzthum schon letzter Zeit in Lübeck sehr intim, so hat sich merkwürdigerweise unsere Freundschaft brieflich erst recht vervollkommnet. Er ist ein ganz eminent begabter Mensch. Nächsten Sommer will er mich hier besuchen. Ostern kommt auch Weber zum Studium her. Der hat mir auch ein paar sehr liebe Briefe geschrieben, und wir werden hier wohl viel mit einander sein. Na, das wird gut – einfach gut! – –

Also ich erwarte nächster Tage einen Brief von Dir. Ich habe Dir auch sofort nach Empfang des Deinigen geantwortet.

Besten Gruß.   Dein Thomas Mann.

Lieber Grautoff.   München d. 27. 9. [1894]

Herr Gottschalk, der große Pädagoge, hatte die schöne Gewohnheit, uns, bevor er uns durchprügelte, zu fragen, ob wir einsähen, daß wir Strafe verdient hätten. Das ängstliche Ja, das zur Antwort ihm ward, pflegte nicht von Herzen, wohl aber aus einer bangen Ahnung zu kommen, daß wir, wenn wir Nein sagten, noch viel mehr Prügel erhalten würden. Ich aber, der ich nun die Prügel schon weghabe, dem fernher von Brandenburg a/H für losen Spott wuchtige Schläge, – jedes Wort sittlicher Entrüstung voll, ein klatschender Hieb, – nun schon geworden sind, ich würde, wenn nachträglich Du mich nach Art des Herrn Gottschalk befragen würdest, erhobenen Hauptes nun antworten: Nein, ich habe die Strafe nicht verdient, denn ich gedachte es gut zu machen! Gewiß, ich gestehe, daß alles das, was ich von Herrn Possart und Deinen theatralischen Gedanken Dir schrieb, Spott und Ulk war und nichts weiter; aber ich gedachte mit munteren Narrheiten über Deine Misere ein paar Minuten Dich hinwegzugippern, und diesen Freundschaftsdienst lohntest Du mir mit einer schriftlichen Tracht Prügel! Das war nicht hübsch von Dir; Du hättest glimpflicher mit mir umspringen müssen, weil es ja wirklich gut gemeint war und sicherlich mehr am Platze als der einfältige Ratschlag, der Dir von jenen Soldaten der sommerlichen Thalia ward, einfach so mirnichts dirnichts zur Bühne zu gehen. Die Herren nämlich konnten ebensogut wissen wie ich, daß die erste Notwendigkeit, die einem solchen Schritt vorausgehen müßte, die eines gründlichen, jahrelangen dramatischen Unterrichts wäre, welcher bekanntlich *Geld* kostet. Während dieses Unterrichtes müßte es sich herausstellen, ob Du Talent hast oder nicht, – und das verneinst Du selbst in überaus bescheidener Weise. Du siehst also, daß der ganze Gedanke nur der Verulkung wert war, und am Ende traf nicht Dich sondern die »Künstler« vom Sommertheater mein Spott, die übrigens mit ihrem albernen Ratschlag weit mehr Dich verhöhnt haben, als ich es in meinem Briefe gethan.

Ich weiß nicht, ob Du auch mit L. Ewers über den absurden Gedanken gesprochen hast; jedenfalls würde er Dir, sosehr wie er Dir sonst Deinen Berichten nach zum Munde zu reden scheint, keine andere Antwort geben können als ich. – Was E. selbst betrifft, so schrieb er schon, als mein Bruder noch hier war, daß er die bewußte journalistische Stelle »angenommen«, – besser wohl: durch Verbindungen *bekommen* habe. Für einen »unreifen Kopf« wie Dein Herr Bruder etwas ungeschickt ihn nennt, halte ich ihn nun nicht, sondern finde es nur verwunderlich, daß er damals gar so schnell sein nationalökonomisches Studium als »Quatsch« an den Nagel hing, wo er nun doch für den handelspolitischen Teil eines größeren Blattes arbeiten will. Aber er wird schon die Kniffe heraushaben mit denen solche Arbeiten auch ohne

Kenntnisse fabriziert werden, und man braucht gewiß, wie Du richtig meinst, für seine Zukunft keine Furcht zu hegen. Er weiß mit Leuten umzugehen, weiß zu reden, ist eine robuste Natur, überhaupt Plebejer durch und durch und wird sich schon herausbeißen. Daß er früher mal etwas anderes zu werden versprach, als er noch zur Schule ging und Verse machte, daran denkt er wohl selbst nicht mehr. Ich weiß nicht, mir hat's immer leid gethan. – Daß er sich über mich wieder einmal abfällig geäußert hat, wundert mich nicht, weil Du mir schon früher von solchen Kritiken berichtet hast, und ärgert mich nicht, weil ich nachgrade auf seine Meinung keinen Wert mehr zu legen nötig habe. Wenn er, der sich doch in jener Berliner Nacht im trauten Verein mit Dir in sieghaftem Spotte über Lübeck wieder einmal erhoben hat, in diesem Punkte, nämlich, daß ich ein dummer Taugenichts bin, mit den Lübecker Lehrern und Kleinkrämern Hand in Hand wandeln will, so ist das seine Sache und – charakteristisch nicht für mich, sondern ganz allein für ihn. – Mit meinem Abgang vom Büreau, der schon vor etwa einem Monat stattfand, hat es übrigens, trotz ihm, seine glückliche Richtigkeit. Er selbst hat mir durch meinen Bruder Ratschläge in Betreff der Immatrikulation erteilen lassen. Daß ich mich im Büreau sehr wohl fühlte wird er sich also wohl ausgedacht haben, um Dir zu zeigen, daß ich zum Ziffernabschreiber durchaus geboren bin; – solche Coups sind ja sein Handwerk. –

Ob Du wohl auch über Deinen Berliner Plan seine Meinung eingeholt hast, auf die Du ja noch immer einiges Gewicht zu legen scheinst? Wenn das der Fall wäre, so würde er ihm ebenso sicher aufs liebenswürdigste zugestimmt haben, wie er hinter Deinem Rücken sich darüber lustig machen würde. Du ahnst eben nicht, von welcher gemeinen Doppelzüngigkeit dieser armselige Plebejer ist. *Mir* bestätigte er schriftlich und mündlich hundert mal Talent, las damals meine »Farbenskizze«, riet mir, sie dem Herrn Szafranski zu schicken und dictierte dann diesem verärgerten und versäuerten Schreiber die bewußte »Kritik«, die an Albernheit meinem Machwerk sicher nicht nachstand, das damals nach perverser Originalität ungeschickt noch tastete. *Mir* schwärmte er einmal brieflich von meinem »herrlichen Vater« vor und entblödete sich dann nicht über die Frau dieses Mannes, die an Feinsinn und Noblesse so unendlich hoch über ihm steht, hinter ihrem und meinem Rücken die gemeinsten Ausdrücke Dir gegenüber zu gebrauchen, wie Du es mir damals mitteiltest, Du erinnerst Dich wohl, gelegentlich des Gerüchtes der Wiederverheiratung meiner Mutter. Das weiß ich, daß ich diesem Herrn, sollte ich ihm im Leben noch einmal begegnen, nicht gerade freundschaftlich ent[gegen]kommen werde, und das weiß ich auch, daß ich Dir nun mal, und sollte heuchlerisch er Dir auch zugestimmt haben, gehörig über Deinen Plan den Kopf zurechtsetzen werde.

Ich ahne ja nicht, welcher Art wohl die »erdenklichsten Vorbereitungen« sind, die zu treffen Du vorgiebst und kann also detailliert auf die Thätigkeit nicht eingehen, die Du entwickelst, um Dir eine Existenz zu gründen; das aber erkenne ich ganz genau, mein Junge, daß Dein Plan, dergestalt wie er Dir augenblicklich vorschwebt, ganz unreif und ganz unausführbar ist. Ich bitte nur noch einmal zu überdenken: Du scharrst 100 M (hundert Mark!) zusammen, läufst unabgemeldet Deinem Prinzipal davon, fährst nach Berlin, mietest Dir eine Wohnung, die Du gleich für ½ Jahr bezahlst. Dann bleibt Dir vielleicht noch etwas Kupfergeld. Wovon willst Du dann leben? Du sagst, dann *mußt* Du Glück haben; was heißt das? Woher soll das »Glück« kommen? Was willst Du schreiben? Welches Berliner Blatt soll Dir etwas abkaufen? Du sagst, Dein stenographischer Unterricht soll Dich über Wasser halten. Wieso? Wem willst Du in Berlin etwas vorstenographieren, der Dich dafür bezahlt? Das ist ja doch ein heller Unsinn, bester Freund! Du sagst Dir mit viel Empfindung vor: »Ich will ein Künstler werden!« gehst nach Berlin und weißt da absolut nichts anzufangen, kannst da, wenn Du wirklich gleich Deine Wohnung für ½ Jahr bezahlst, keinen Tag leben. Du willst von dort aus Deiner Mutter schreiben? Ja glaubst Du denn, daß nach einem solchen Gewaltstreich man Dir von Lübeck aus freundlich behülflich sein wird, daß man Dir Geld schicken, Dich unterstützen wird? Man wird Dir kurzweg befehlen, sofort nach Brandenburg zurückzukehren, Deinen Prinzipal wegen der Fahnenflucht um Verzeihung zu bitten, Dich wieder auf Deinen Kontorbock zu setzen – und alles wird sein wie es war. – Du weißt, daß ich kein Philister bin, der vor jedem absonderlichen, außergewöhnlichen, eigenmächtigen Schritt ängstlich zurückschreckt; aber Dein Vorhaben ist sosehr gegen alle Vernunft, so vollkommen nutzlos und Dir selbst zweifellos noch so unklar, daß ich Dich als Freund dringend mahnen muß, alles noch einmal zu überlegen.

Wenn Du Dein jetziges Leben nicht ertragen kannst – gut, gewiß, dann ist es entschieden, daß Du damit brichst. Also ich rate Dir zu einer anderen Initiative:

Du fängst jetzt allmählich an, wenn Du das nicht schon sowieso gethan hast, Klagen über Deine Existenz in Deine Briefe einzuflechten, steigerst diese Klagen mit jedem Mal, wirst leidenschaftlich, verzweifelt. Dann beginnst Du zu flehen, man möge Dich erlösen, Dir ein Studium in Berlin gewähren, Du kämest um, Du gingest zu Grunde! Wenn alles nichts nützt, kommst Du eines schönen Tages in Lübeck angereist, – alles erschrickt – Du stürzt Dich Deiner Mutter zu Füßen (scheue keine theatralische Pose; das wirkt immer) weinst, heulst, flehst, wankst zwischen stiller Wehmut und rasender Verzweiflung in schönem Wahnsinn daher – – und wenn man Dir dann schließlich nicht das Studium bewilligt, so will ich der nichtsnutzige Dummkopf heißen, für den Herr Ewers mich hält! Du sagst, Du wolltest studieren, um Journalist zu werden, als der Du viel besser bezahlt würdest, wie als Buchhändler; L. E. bekäme schon jetzt 200 Mark monatlich! (Du kannst ja auch lügen und sagen: 300 Mark). Ich bin vollkommen überzeugt, daß man schließlich Deinem leidenschaftlichen Drängen nachgeben und Dir das Studium bewilligen wird. Dann gehst Du bewaffnet mit Geld und gutem Gewissen nach Berlin und fängst ein freies Leben an, wie es Dir beliebt, hast Muße zu arbeiten, Verbindungen anzuknüpfen, vor allen Dingen: *etwas zu lernen,* wie ich es jetzt thun werde; wir haben ja eigentlich alle beide noch garnichts gelernt, und zu der intellectuellsten der Künste, der Wortkunst, gehört nicht nur Gefühl und Technik, sondern auch Wissen, es sei denn, daß man unter die Lyriker gehen will und verhungern. Dann wirst Du später auf Dein Studium hin schon ein journalistisches Plätzchen finden, das Dich ernährt, und in dessen Geborgenheit Du dann nebenbei künstlerisch thätig sein kannst, ohne daß Deine Existenz davon abhängig ist, ob Du Talent hast oder nicht. –

Auf diesem einfachen Wege allein kannst Du das Ziel erreichen, nach dem Du strebst, und wenn jetzt noch Blatt für Blatt Deine Waaren zurückweist, wenn jetzt Du noch so sekundanerhaft überschwänglich und ungebärdig bist, Herrn Sudermann zu einer künstlerischen Göttlichkeit erheben zu wollen, der doch nur ein geschickter Kompromißler ist, – so tröste Dich damit, daß Eifer und Erfahrung Dich schon vorwärts bringen werden, welch beide sicherlich weit bessere Pädagogen noch sind als Herr Gottschalk. –

Freundschaftlichst   Dein Thomas Mann.

Mein lieber Grautoff

Dein langer Brief vom 7., 8. und 9. des Monats hat mich
außerordentlich erfreut, und ich danke Dir herzlich dafür.
Ich wollte Du schriebest ein bischen öfter; Du kennst mein
Interesse für Dich und weißt, daß ich jeden Deiner Schritte
mit Teilnahme verfolge und verfolgen werde. Ich thue das
augenblicklich um so mehr, als ich Deinem Gewaltstreich immer sympatischer gegenüber stehe. Es ist mir ganz gleich,
ob Du nun äußere Berechtigungen, künstlerische Begabung
etc. für den Schritt, den Du planst, besitzest oder nicht. Darüber ist in dieser Angelegenheit kein Wort zu verlieren.
Wenn Du das Leben, das Du momentan führst, nicht fort-
führen willst und kannst, so ist es Dein urnatürliches, be-
dingungsloses Recht, alles, was Dich an dieses Leben kettet,
wenn mit Güte nichts zu machen ist zu zerbrechen und ein
Neues zu beginnen. Das ist meine ehrliche Überzeugung, die
ja gräßlich gottlos sein mag, indessen sehr gut gemeint ist.
Des Menschen Wille ist thatsächlich immer sein Himmelreich,
und fremder Wille dem Menschen immer eine unerträgliche
Hölle. Das weiß jeder aus Erfahrung.

Die Befürchtungen, die Du bei der Ausführung Deines Planes
in Bezug auf Deinen Chef und sein Geschäft hast, halte ich
für ganz unbegründet. Wenn kein Kontrackt Dich bindet,
wenn Du kein Honorar bezogen hast, so bist Du, wenn nicht
dem Namen so doch der Sache nach, *Volontär* und kein
Mensch darf etwa nach Deiner Abreise Deine Sachen mit Be-
schlag belegen etc. Wenn Du Dich vom Chef nicht verab-
schiedest, so ist das eine Frage der Höflichkeit resp. *Un*höflichkeit, die Du in dieser Sache nicht zu berücksichtigen
brauchst; Dein Chef wird auch nicht immer grade die Höflichkeit selbst gewesen sein. Deiner Abreise an sich steht
also garnichts im Wege. Genau aber rate ich Dir die *Geld-*

frage zu überlegen. Spare für jeden Fall so viel Du nur kannst zusammen. Du mußt mindestens so viel haben, daß Du erstens die Reise bezahlen und zweitens Deiner Mutter noch etwas Übriges vorhalten kannst: »Siehst Du, *so* habe ich gespart und mich abgequält, ... aber länger ... k...onnte ich's nicht aush...« dergleichen Wippchen mußt Du Dir noch mehr ausdenken; sowas wirkt rührend. Und sollten sie Dich dennoch, trotz aller ergreifenden Scenen »nach Hinter-Indien als Abschaum fließen lassen«, so freue Dich, denn dort ist es ganz gewiß viel hübscher als in Brandenburg, und wenn Du bei München vorbei siepertest, so würde ich mich riesig freuen. (Übrigens, Du kannst ja doch noch gippern! Das ist recht!) – – Natürlich mußt Du Dir genau überlegen, was Du in Berlin überhaupt willst. Du mußt Deinen Leuten an der Trave doch fertige Wünsche entgegenhalten können. Nenne lieber noch keinen Endberuf, denn vor dem Namen »Journalist« werden sie zurückschrecken. Sage lieber, Du könntest einfach den praktischen, das heißt kaufmännischen Beruf nicht länger ertragen und flehst um die Bewilligung eines akademischen Studiums; »Du werdest es dann schon durch Fleiß und ermüdliche Ausdauer im Leben zu etwas bringen«. Solchen oder ähnlichen Ton schlage nur an. Auf Phrasen sind die Leute von Jugend auf eingedrillt. Du brauchst Dir die Summe, die zum Studium selbst nötig ist, nicht gar so kolossal vorzustellen. Je nach der Anzahl der Collegien, die Du belegst, kannst Du für 30 bis 50 Mark ein ganzes Semester studieren, was immerhin weniger ist, als auch ich ursprünglich dachte. Wenn Du also von Deinen Angehörigen soviel herausschinden kannst, wie einst der mit Recht so beliebte Ludw. Ewers, nämlich 100 Mark pro Monat, so bist Du fein heraus. –: verhältnismäßig. Du kommst, da Du ja zum Äußersten entschlossen bist und wohl [?] alles lieber willst, als länger

buchhändlern, vielleicht auch schon mit 90 Mark pr. Monat
aus. Mit weniger aber kaum. Darüber mache Dir keine Illusionen. Eher darfst Du Lübeck nicht verlassen, als bis Dir
mindestens 90 Mark sicher sind. –

Übrigens, ich muß Dich bitten, diejenigen meiner Briefe,
die von Deinem Fluchtplan handeln, entweder bald nach
Empfang zu vernichten oder sie *sehr* sorgfältig aufzubewah-
ren; denn ich möchte nicht gern, daß man sie – wie dergleichen ja schon vorgekommen ist – *findet*, und daß dann ganz
Lübeck schreit: Er hat ihn verführt! Er hat das Kind verführt!!
Der Gottlose! Der Verkommene! Der Teufel in Dichters-
gestalt! –

A propos Dichter! – Durch die Mitteilung der vier Gedichte
hast Du mich sehr erstaunt; ich muß indessen Herrn von
Leixner recht geben, insofern als er sie »noch nicht genügend«
findet. Du giebst noch zu sehr der Versuchung nach, Dich
mit fremden Federn zu schmücken. Leider grade die besten
und wahrscheinlich von Dir am tiefsten empfundenen Verse
– Verse etwa wie: »Mir träumte, Du wärest mir wieder
gut« und »Es fiel ein Reif in Herbstesnacht« stammen zu
eklatant von Heine; bei ihm heißt der erste der beiden Verse:
»Mir träumte, Du wärst mir noch gut« und der zweite: »Es
fiel ein Reif in der Frühlingsnacht«. – Das erste Gedicht –
Mir träumte etc.« scheint mir, bis auf den Schluß, der dem
musikalischen Gefühl nach kein Abschluß ist, sonst übrigens
von den vieren das relativ beste zu sein, – wie denn ja
überhaupt Deine Verse, abgesehen von dem »Die Jugend ist
ein großer Schmerz« mit seinem total blödsinnigen Schluß,
im allgemeinen ein gewisses, wenn auch noch unentwickel-
tes Talent ziemlich deutlich zeigen. Das hat auch wohl Herr
von Leixner sagen wollen, als er Dir schrieb, Deine Gedichte
seien »*noch* nicht genügend«. Redakteure haben nicht Zeit,
viele Worte zu machen. – – Ich möchte übrigens glauben,

daß Du für Prosa viel mehr disponiert bist als für Verse, daß Silbenmaß und Reim, Dir nur hinderlich beim Ausdrükken Deiner Gedanken und Gefühle sind. Ich bin z. B. der Ansicht, daß Deine wutschnaubenden Zeilen über die traurige Unlogik der Welt viel mehr taugen, als alle Deine Gedichte zusammen, und ich bin also sehr neugierig auf Deine große Novelle. Auch würde ich mich sehr freuen, wenn Du mir die Prosastücke, die Du liegen hast, einmal schicken würdest.

Aber kritisch scheinst Du wenig begabt zu sein, – wenn Du nämlich Sudermann's »Heimat« anschwärmtest und jetzt auf die »Schmetterlingsschlacht« schimpfst. Die Sache verhält sich grade umgekehrt, wie Du glaubst. In der »Heimat« war Sudermann ein vor dem Geschmack der misera plebs kriechender Kompromißler ohne jedes künstlerische Gewissen, – und er hatte Erfolg; in der »Schmetterlingsschlacht« versuchte er es, ein Dichter zu sein und – ward ausgejohlt. Als er in der »Heimat« (gewiß ein brillant gemachtes Stück) eine unverschämte Theatersau oder Großkokotte sehr oberflächlich begriffenen Nietzsche deklamieren ließ, da jauchzte das ganze, voll-und-ganz-moderne Premièren-Israël ihm zu; als es ihn aber dann nach höher wachsenden Lorbeeren gelüstete, als er es unternahm, mit dichterischer Treue einmal, nach allem Proletariatsgeheul, das übertünchte Elend der kleinen Bourgeoisie zu schildern, da zeigte sich Berlin so recht als Kunststadt und pfiff das durchaus gute Stück aus. Siehst Du, so liegt die Sache; Du scheinst Dir von Sudermann eine ganz falsche Vorstellung gemacht zu haben, – eine so falsche Vorstellung ungefähr, wie Dein Herr Bruder sich anscheinend von Nietzsche macht. Der Brief von ihm, den Du mir mitteiltest, und der allerdings für einen Menschen von 21 bis 23 Jahren reichlich albern und unverständlich ist, hat mich sehr amüsiert, – oder mehr eigentlich noch empört; denn nun höre mal folgendes!

Also Du erinnerst Dich doch, in welcher Weise damals Dein Bruder über den meinen gegen Deine Mutter und Dich sich ausließ, nachdem er denselben in Berlin aufgesucht und freundlich von ihm empfangen worden war; Du wirst die Ausdrücke, die er gebrauchte wohl noch ungefähr im Kopfe haben. Nun erzählte mir mein Bruder kürzlich ganz beiläufig folgenden netten Zug von Herrn Ferdinand Grautoff. Als derselbe ihn im Sanatorium zu Berlin besucht habe, habe er ihm unter anderem berichtet, er besuche täglich ein und dasselbe Lokal, wo sich eine Kellnerin befände, der er jedesmal 10 ₰ Trinkgeld gäbe, – und nun werde sie ihn denn auch wohl bald »als Liebhaber annehmen«!

So! Das ist Dein würdiger Bruder Ferdinand, der Dir schriftliche und mündliche Moralpredigten hält, und dessen Sittsamkeit und Frömmigkeit Deine Mutter so hoch schätzt! Was sagst Du dazu!

Versteh' mich recht: ich nehme ja sowas keinem Menschen übel. Wenn einer im Stande ist, sich in Kellnerinnen zu verlieben und ihnen vermittels Zehnpfennigstücken Gegenliebe einzuflößen, so ist das Sache der Seelenfeinheit resp. = *un-*feinheit. Wie die Kraft, so das Ideal, sagt Feuerbach. Für Deinen Bruder mag der Genuß einer Berliner Restaurantdirne der Gipfel der Erotik sein. Meinetwegen. Ich gönne es ihm sogar von Herzen, wenn er wirklich noch durch treue Zahlung von 10 Pfennig-Stücken an die süßen Brüste seiner Fraue gelangt ist. – Aber! Er soll dann wenigstens nicht zu Hause und besonders Eurer Mutter gegenüber durch sein ganzes Benehmen und alle seine Reden vorgeben, er sei ein Ausbund an tugendlicher Reine; dann soll er wenigstens nicht heuchlerisch über die »Gottlosigkeit« und »Verworfenheit« anderer Leute zetern, die viel höheren Begriff von dem Worte »Sittlichkeit« haben, das in seinem Munde zum Mißbrauch wird; dann soll er diese Leute nicht heimlich mit Kot bewerfen, nachdem er eben vor ihnen mit seinen allerliebsten Schweinereien renommierte; dann soll er Dich nicht mit Moralpredigten langweilen und sich nicht auf Deine Kosten daheim lieb Kind machen. Das ist eine lumpige Gemeinheit. Ich rate Dir dringend, die hübsche Geschichte Deiner Mutter mitzuteilen, damit ihr doch ein bischen mehr die Augen über die ehrsame Bravheit ihres verehrten Ältesten aufgehen. Ich verbürge mich für die Thatsache. Du darfst meinen Namen nennen; ja ich erlaube Dir sogar, den netten Zug in Deines Bruders Charakter in derselben Form, wie ich ihn Dir eben mitteilte, wörtlich Deiner Mutter zur Kenntnis zu bringen. Ich glaube, Dir damit die Waffe gegen ihn in die Hand gegeben zu haben, die Dir bis jetzt fehlte.

Herr Ludwig Ewers ist natürlich noch viel gemeiner als Dein Bruder. Ich habe Dich schon in meinen letzten Briefen zu überzeugen gesucht, daß er ein boshafter Heuchler ist, der mit jedem schönthut und ihn hinterrücks anspuckt. Das hat sich bei mir erwiesen und nun auch bei Dir. Denn nachdem er Dir gegenüber mich verhöhnt hatte, hat er meinem Bruder von Eurem Zusammentreffen bei Bauer erzählt und sich nach Kräften über *Dich* lustig gemacht. Das habe ich Dir ja vorhergesagt; ich erfuhr es kürzlich von meinem Bruder. – Ich höre übrigens, bei Eurer Zusammenkunft hätten *meine Briefe* vorgelegen? Hat er die denn gelesen? Schreib' mir doch darüber. Ich wollte er hätte die letzten gesehen, in denen von ihm die Rede war! – –

Was wohl der kluge Herr, der ja bestimmt wußte, daß ich durchaus kein Talent besitze und die ganze Schriftstellerei nur meinem Bruder nachmache, zu dem Erfolg meiner Novelle »Gefallen« sagen würde?! Denn daß die »Gesellschaft« mir volle 24 Druckseiten zur Verfügung stellte, war immerhin ein hübscher Erfolg; ein größerer aber der, welcher sich daranschloß. Ein paar Tage darauf bekam ich nämlich von dem bekannten Berliner Lyriker Herrn Richard Dehmel einen Brief, der mich ebenso sehr überraschte wie erfreute. Das Schreiben lautet wörtlich:

»Verehrter Herr!
Ich habe eben Ihre wundervolle Erzählung »Gefallen« in der »Gesellschaft« gelesen und dann nochmals meiner Frau vorgelesen und muß Ihnen mein Entzücken und meine Ergriffenheit schreiben. Es giebt heutzutage so wenig Dichter, die ein Erlebnis in einfacher, seelenvoller Prosa darstellen können, daß Sie mir diese etwas aufdringliche Bekundung meiner Freude und Bewunderung schon erlauben müssen. – Falls Sie noch andere Erzählungen von gleicher Reife liegen haben, möchte ich Sie bitten, mir die Manuskripte für die in Gründung begriffene Kunstzeitschrift »Pan« einzusenden, von der Sie wohl gehört haben und in deren Aufsichtsrat ich sitze. Honorar für die Druckseite 10 bis 15 Mark.
Gruß und Hochachtung! Richard Dehmel.«

»Für die spätere Buchausgabe« von »Gefallen« verbreitet sich Herr Dehmel dann noch in einer längeren Nachschrift über einige technische Einzelheiten meiner Novelle, und zwar in sehr verständnisvoller Weise.
Du kannst Dir denken, wie ich mich nun ärgere, das Ding für 3 Freiexemplare an die »Gesellschaft« verplempert zu haben, wo ich vom »Pan« 240 Mark oder mehr dafür bekommen hätte. Ich arbeite nun natürlich an einer neuen Novelle für den »Pan«. Das ist nämlich ein großes, von einer Vereinigung Berliner Schriftsteller gegründetes Kunstblatt, das Bilder der berühmten Maler, Stuck etc., bringen wird und dichterische Produktionen aller Art. Die Mitarbeiterschaft an dieser Zeitschrift ist jedenfalls ein sehr glücklicher Beginn meiner künstlerischen Laufbahn, – abgesehen da-

von, daß das Blatt mich anständig honorieren wird, weil ich mich ja nicht angedrängt habe, sondern *aufgefordert* worden bin.

Was, wie gesagt, wohl Herr Ewers zu dem allen sagen würde! Jedenfalls würde es mich freuen, wenn Du meine Novelle läsest. Vielleicht läßt Du Dir die November-Nummer der »G.« kommen; ich habe leider kein Exemplar mehr zu versenden. – – –

Von meinem Studium muß ich Dir ausführlich später einmal berichten. Es ist nämlich schon 2 Uhr nachts. – Ich höre Kunstgeschichte, Nationalökonomie, Litteraturgeschichte, Ästhetik und über Shakespeare's Tragödien. Fast am interessantesten von allem ist – sollte man's glauben! – die Nationalökonomie, die der berühmte Professor Haushofer liest. Er faßt sie als moderne und moralische Wissenschaft auf, und seine Vorträge haben oft sehr philosophisch-tiefe Momente. – –

Ich wünsche Dir, daß Du auch bald so frei und glücklich wirst, wie ich es gottseidank geworden bin.

Mit herzlichem Gruß   Dein Thomas Mann.

[Ende November 1894]

[...]

Charakter ausgelassen, zeigt, daß Du ihm gegenüber kein besonders gutes Gewissen hast. Aber Du hast ganz recht: ich habe sehr wohl gemerkt, daß auch Du Dich entwickelt hast, daß auch Du an Deiner Selbsterziehung arbeitest. – Deine Bestellung, die November-Nummer der »Gesellschaft« betreffend, habe ich ausgerichtet; er sagte, er werde sie Dir »bei Gelegenheit« schicken; auf welche »Gelegenheit« er wartet, weiß ich nicht. – Übrigens hat er mir allerlei Sachen von sich vorgelesen, meistens Verse, die von Talent, besonders von

Formtalent zeugen. Auch seinen ungeheuren »Lucifer«
kenne ich jetzt. Das Gedicht ist im Grundgedanken nicht
übel; aber ich hege immer etwas Antipathie gegen solche
Himmelstürmereien, denn meistens haben grade die Minder-
bemittelten die Neigung mit weltumfassenden Monumental-
werken um sich zu donnern. Der »Lucifer« tritt so anmaßend
auf; Göthes »Faust« ist bescheidene Lyrik dagegen.

Bescheidene Lyrik auch und stilles Lauschen auf das warme
Pochen eines Menschenherzens ist gegen den bombastisch
prangenden »Lucifer« Deine »Novelle« »Frühling«, die ich
heute erhielt. Ich setze »Novelle« in Anführungsstriche, weil
ich Dich bitten möchte, auch diese Arbeit, wie »Kindesschmerz«, lediglich als *Studie* ansehen zu brauchen. Die novellistische Abrundung nämlich ist vollkommen verfehlt.
Es ist schon unwahrscheinlich daß Walter für seine Novelle
250 Mark bekommt, (Du hast dabei an den »Pan« gedacht,
der 10 M. für die Seite bezahlt, aber auch ein Format hat,
daß eine Novelle auf 5 höchstens 6 Seiten fertig ist,) noch
unwahrscheinlicher aber ist es, daß seine Mutter angesichts
dieses Bombenerfolges vor Herzeleid »der Schlag rührt«,
und am allerunwahrscheinlichsten ist dann der Schluß, daß
dem jungen Menschen alsbald ebenfalls das Herze bricht.
Wenn man bei einer Beurteilung diese Abrundung im Auge
behielte, so müßte man sagen, daß »Frühling« eine schlechte
Novelle sei, und darum ist es ein Glück, daß die Arbeit ihrer
ganzen Anlage nach überhaupt keine Novelle ist, sondern
eine Studie oder Skizze. Sie ist dies und nicht jenes, weil der
Held kein Novellen- oder Romanheld sondern ein skizzen-
hafter Held ist. Der Leser *kennt* ihn nicht, sieht ihn weder
von außen noch von innen. Von außen kennt er ihn überhaupt nicht, von innen nur ganz flüchtig. – Skizzenhaft. Er
weiß nichts von seinem Charakter, seiner Weltanschauung,

seiner Herkunft, seiner Entwicklung, weiß nur, daß ein unbestimmter junger Mensch in seinem praktischen Beruf sich unglücklich fühlt, aber wie kann ihn das interessieren, wie kann er sich für einen Menschen erwärmen, den er garnicht kennt?

Antwort: Die Arbeit ist auch für einen Leser garnicht bestimmt; es ist kein fertiges Bild, zum Exponieren bereit, es ist eine Atelierarbeit, eine Kohlenskizze, eine Vorstudie, die allein für den Künstler etwas bedeutet und Wert hat, eine Studie, die darauf wartet, einst in eine große Arbeit eingefügt zu werden, um äußere Existenzberechtigung zu erhalten, *denn sie ist gut.* Als Studie ist sie gut.

Der Fortschritt, den du gemacht hast, besteht in der wachsenden lyrischen Ausdrucksfähigkeit. Damit will ich nicht leugnen, daß noch hin und wieder sich ganz verfehlte und schiefe Ausdrücke und Bilder finden. Wenn Du z. B. schreibst, daß der Frühling, »der sein krankes Herz unter seine Fittiche genommen«, hier auch *aus* seinem Herzen *heraus*steigt, so siehst Du selbst, daß das heller Unsinn ist. Aber Deine Ausdrucksfähigkeit dessen, was Du den Dingen, der Natur gegenüber empfindest, erstarkt wie gesagt. Grade die Naturpoesie [. . .]

Lieber Grautoff.   München d. 6. Dezember 94

Ich danke Dir bestens für Deinen Brief; wie ich ihn verstehen soll, weiß ich nicht recht. Du hast Deinen Plan »als zwecklos verworfen«, hast aber doch »den Mut gefunden zu kämpfen oder zu sterben«? Wie reimt sich das? Daß das Letztere eine dumme Phrase ist, wirst Du nach einiger Betrachtung schon selbst eingesehen haben; es stirbt sich nicht so eben mal 'n bischen.

Die beiden Briefe, die Du mir einsandtest, schicke ich Dir anbei zurück. Soweit ich sie lesen konnte angewidert bzw. gerührt.

Wenn Deine Mutter Dich damit tröstet, nach den Lehrjahren werde es besser werden, so muß sie ja wissen, ob Du jemals im Stande sein wirst, Dich selbstständig zu etablieren, etwa als Verleger; denn nur in diesem Falle könntest Du doch Dein »litterarisches Talent« (glaubt sie daran?) buchhändlerisch verwerten.

Dein Herr Bruder hat in dem Punkte recht, daß Du, um Journalist zu werden, studieren müßtest. Das habe ich Dir immer gesagt. Um das zu erwirken, mußt Du aber den Mut haben, Deiner Mutter gegenüberzutreten und von ihr mündlich mit allen Mitteln Erhörung zu erflehen. Daß Dein Bruder die Schule absolviert hatte, stellte ihn pekuniär a priori nicht anders, als Dich. Kann er studieren, kannst Du es auch. Aber Du mußt zu handeln wissen. Du mußt selbst wissen, was Du willst. Solange Du noch auf Phrasen von »Kampf oder Tod« dithyrambisch Dich entrückst, ist nicht mit Dir zu reden.

Es ist nicht ausgeschlossen, daß ich Ostern nach Berlin komme, um dort ein Semester zu studieren (laß aber nach Lübeck hin nichts davon verlauten!). Wenn dann noch nichts in Deiner Angelegenheit geschehen ist, können wir uns ja treffen und Sitzung halten.

Mit freundlichen Grüßen   Dein Thomas Mann.

[München, 8. 1. 1895]

Mein lieber Grautoff.

Meinen besten Dank für Deinen schönen langen Brief vom 6ten! Ich freue mich immer sehr, wenn ich von Deinem Sein und Bleiben etwas erfahre; es dürfte nur öfter vorkommen.

Wegen Deines vorigen Schreibens brauchst Du Dich nicht so zu schämen. Nur die *beiligenden* Manuskripte waren mir ein bischen gegen den Geschmack, nicht Dein eignes. Wenn ich auch den erschrecklichen état d'âme, aus welchem heraus jener Brief geschrieben war, wohl nicht selbst gekostet habe, bin ich doch Psycholog genug, um mich hineinversetzen zu können, et tout comprendre c'est tout pardonner. Daß es um den Selbstmord keine ganz gemütliche Sache ist, habe ich Dir auf die Phrase hin, die grimmig Du mir um die Ohren schlugst, ja gleich geantwortet. Und noch dazu im Wasser! Wie eine Katze! . . . Pfui Teufel!

Was Deine Situation betrifft, so wird Dir nun gewiß der Gedanke an die zukünftige gute Studienzeit über die nächsten drei schlimmen Jahre hinweghelfen, von denen ja übrigens schon eins beinahe herum ist. Bist Du dann erst einmal beim Studieren, so läßt Du Dich einfach so leicht nicht wieder davon abbringen. –

Ich bin ganz glücklich, daß auch Dir mein »Gefallen« – gefallen hat. Ja, damit habe ich wirklich einen Bombenerfolg gehabt! Alle Welt ist so entzückt, daß es mich ordentlich rührt. Die »Gesellschaft« wird doch mehr gelesen, als ich dachte. Hier in München redet mich wenigstens jeder Mensch auf die Geschichte hin an. Herr Dr. Mayr, Privatdozent an der Universität, (der Bruder Emil Gerhäusers,) mit dem ich mich hier angefreundet habe, war ebenfalls sehr enthusiasmiert. Wenn ich in die akademische Lesehalle komme, wo ich Mitglied bin, stößt sich alles vor Ehrfurcht in die Seite. Dann bin ich so recht in meinem Element. Du weißt ja, wie kindisch eitel ich bin!

Meine letzte, (kleinere) Novelle »Der kleine Professor« liegt bei Herrn Merian auf dem »Werktisch«. Vielleicht bringt er sie nächstens einmal. In der Januar-Nummer steht der kleine Zweistropher »Siehst Du, Kind, ich liebe Dich . . .«

In der Akad. Lesehalle traf ich auch Herrn *Mengers,* stud. *iur.* Man freut sich doch, wenn man einen oder den anderen alten Bekannten wiedersieht. Ostern wird ja auch Ch. Weber hierherkommen. – Wenn Du Herrn Holm wiedersiehst, so grüße ihn recht herzlich von mir. Hoffentlich trägt er mir meine Opposition in der Turnhalle nicht nach! Sein Gedicht im Magazin ist mir leider nicht aufgefallen, aber ich werde nun danach suchen.

Die Verse, die Du mir schickst, habe ich mit Interesse gelesen; aber ich muß Dir sagen, daß sie nichts taugen. Grob, nicht wahr? Aber ich benehme mich nicht wie Herr Ludwig Ewers, der sie erst loben würde und dann darüber schnoddern. Ich sage Dir ganz ehrlich: sie taugen nichts. »Dir sind die Augen schon ganz trüb –« das konnte unsere Köchin auch geschrieben haben. Ich war immer der Meinung, und werde es mehr und mehr, daß Du für *Prosa* viel besser veranlagt bist, als für Gedichte. Wenn Du einmal etwas ungebundene Rede liegen hast, so laß die mich bitte lesen; ich glaube bestimmt, daß sie mich mehr ansprechen würde. Was ist denn aus Deiner großen psychologischen Novelle geworden? –

Verzeih, wenn ich Dir nicht so viel schreiben kann wie Du mir. Ich bin sehr beschäftigt, habe sehr viel zu lesen, sehr viel zu *lernen* und arbeite überdies an meinem Märchenspiel »Der alte König«, dessen erster Akt fertig ist.

Mit eiligen aber herzlichen Grüßen und in der Hoffnung, recht bald wieder von Dir zu hören, verbleibe ich

Dein Thomas Mann.

Mein lieber Grautoff.

Ich danke Dir bestens für die Zusendung der beiden Novellen, die ich eben gelesen habe. Denk' Dir – erst jetzt bin ich dazu gekommen, *Deine* Novellen zu lesen! Daraus magst Du schließen, wie sehr ich in Anspruch genommen bin, und wie wenig Zeit mir sogar für die liebsten Korrespondenzen übrig bleibt. Erstens ist Faschingszeit, und man muß sich wohl oder übel amüsieren. Zweitens bin ich jetzt, abgesehen von der »Lesehalle«, auch noch dem hiesigen bekannten »Akademisch-dramatischen Verein« beigetreten. Dann sind die Collegien da. Dann will man doch auch schandenhalber dann und wann einmal ein bischen arbeiten. Und dann ist noch so mancherlei anderes da, was einem durch den Kopf und andere Glieder spukt – genug Du siehst – – –

Also Deine Novellen habe ich mit großem Interesse gelesen, mit Freude, dann und wann mit: Erstaunen. – Das heißt, ich rede von der zweiten. Die erste wirst Du ja selbst längst als Wirr- und Irrsinn erkannt haben; aber in der zweiten bist Du Dir selbst ganz erheblich über den Kopf gewachsen. Was ich mir gleich gedacht hatte fand ich bestätigt: für Prosa bist Du ungleich mehr begabt, als für Gedichte, denn für letztere bist Du meiner Ansicht nach gar nicht begabt. »Wiedergeboren« zeigt unzweifelhaft ein Talent der Selbstbeobachtung, dem hie und da freilich noch der völlig mitteilende Ausdruck mangelt. Immerhin ist es Dir damit gelungen eine abgerundete und pointierte Novelle zu schaffen, und was die Hauptsache ist, – sie zeigt, daß Du Dich zu großen Aufgaben gezogen fühlst: Daß Du *Mut* hast. Das ist beinahe schon alles, denn Du bist ja wohl erst 18 Jahre alt. Wenn Du etwas älter sein wirst, so wirst Du z. B. eine Hure, die sich Einer von der Straße aufliest, nicht mehr so rührend naiv als holdes Mägdlein schildern, das in Liebe süß errötet! Überhaupt war diese Schlußepisode überflüssig. Der veränderte Seelenstand des Helden, nachdem er den Tod gesehn, hätte genügt. Mich wenigstens vermöchte das bischen Unterleib nicht über die Misere des Lebens [zu] trösten! Der Unterleib enthält ja gewiß viel Poesie, aber wenn der Optimismus allein auf *ihm* basiert, – das ist doch etwas gemein! – – – Druckreif ist »Wiederg.« natürlich noch nicht – (lächelnd bemerkte ich die freien Seiten.) Es finden sich noch ebensoviele Erstaunlichkeiten im schlechten wie im guten Sinne darin.

Aber nur tapfer weiter! Halte Dich an das, was Deine Seele erlebt hat, (die holde Hure hat sie *nicht* erlebt!) Ringe danach, Deine vagen Empfindungen in deutliche Gedanken umzusetzen, und dann ringe mit der Sprache, um die Gedanken äußern zu können. So mache ich es auch, und es wird mir nicht leichter als Dir.

T. M.

München d. 5. 3. 95

Mein lieber Grautoff.

Mit Deinen fünf Bogen vom 28. Februar hast Du mir eine große Freude gemacht, und jede einzelne Seite hat mich lebhaft interessiert.

Was Du mir über Deine Novelle »Ralf Reuler« und über den Geist schreibst, aus dem heraus Du sie schriebst, ist mir ja nicht neu, denn ich kannte diesen Geist ja so ziemlich. Daß Du Dir nun nicht mehr mit graziöser Bewegung die Ohren zuhältst, wenn jemand klingelt, ist gewiß ganz gut, aber so schlimm war das garnicht. Wenn man nur wirklich etwas kann, so stören solche Wippchen garnicht, – im Gegenteil, ein bischen kokette Pose war mir immer ganz recht beim Künstler, – und mir selbst, wie Du weißt, nicht fremd. –

Was die *Liebe* betrifft, über die Du Dich ausläßt, so hast Du nicht nötig, den Unterleib so ganz und gar zu verachten. Freilich, zu den Dienstmädchen und Dirnen sage ich mit Dir aus vollem Herzen »Pfui Teufel!«, – aber im Unterleib liegt doch eine ganze Menge Poesie, man muß ihn nur hübsch mit Gemüt und Stimmung umwickeln. »Dans le véritable amour c'est l'âme qui enveloppe le corps«! – Ich sage, Du *brauchst* den Unterleib nicht zu verachten, Du *darfst* es aber gern; ich thu's nämlich auch. Ich habe mich letzter Zeit nahezu zum Asketen entwickelt. Ich schwärme, in meinen schönen Stunden, für reine ästhetische Sinnlichkeit, für die Sinnlichkeit des Geistes, für den Geist, die Seele, das Gemüt überhaupt. Ich sage, trennen wir den Unterleib von der Liebe! Und so weiter. Darüber ließen sich Bände reden. Aber es ist ein ganz persönlicher Standpunkt, den man nicht zu Philosophie verallgemeinern darf. –

Bei den Worten, die Du mir über unser Verhältnis schriebst, wurde mir durchaus nicht »eklig«. Ich habe nie mehr gegippert, sondern bin im Gegenteil ziemlich ernst und melancholisch aus vielen Gründen. Aber oft sehne ich mich nach unseren merkwürdigen Zusammenkünften in der »Bavaria« zurück und – warum soll ich es nicht sagen – nach Dir. Ich habe hier ja so viele, viele Bekannte, aber wirklich befreundet, wirklich intim bin ich doch nur mit einem gewesen, und das warst Du. Zufällig vielleicht. Aber es ist auch Wahlverwandtschaft im Spiele. – Gegen keinen kann ich mich so aussprechen wie ich es gegen Dich konnte, und grade in letzter Zeit hätte ich Dir unendlich viel mitzuteilen gehabt. Aber schriftlich geht das nicht, das merkst Du, der Du mir auch viel zu sagen hättest, ja selbst. Wir müssen warten, bis wir wieder einmal irgendwo zusammentreffen.

Ich hatte eigentlich geglaubt, daß ich zum Sommer oder Herbst nach Berlin kommen würde, wo wir uns ja öfters hätten sehen können; nun ist es aber doch wahrscheinlicher, daß ich um diese Zeit für ein Semester etwa nach Lausanne gehe. Aber einmal komme ich doch nach Berlin, ich weiß nur noch nicht, wann. Freilich ist München immer interessant und man bekommt es so leicht nicht satt. Immer macht man neue Bekanntschaften, Schauspieler, Dichter, Maler – das reißt nicht ab; man kennt sich garnicht mehr aus. Immer ist etwas los; man kommt nicht zum ruhigen Atmen. Kaum ist jetzt der Faschingstrubel überstanden, so steht schon wieder eine große Theateraufführung vor der Thür. Der »Akadem. dramat. Verein« veranstaltet nämlich jedes Halbjahr unter der Regie des Herrn Ernst von Wolzogen in einem hiesigen Theater die Aufführung eines modernen Stückes vor einem exquisiten Publikum, der Bluts-, Geld- und Geistesaristokratie Münchens. Das letzte Mal, als ich noch nicht Mitglied war, gab man das Webergeheul des Herrn Hauptmann. Aber die Darstellung war sehr gut. Viele Zeitungen sprachen davon. Diesmal haben wir Ibsens grandiose »Wildente« gewählt, ein Stück, das ich selbst im Verein sehr warm befürwortet habe und worin ich den Großhändler Werle spielen werde. Paß auf, mein Ruhm soll durch alle Zeitungsblätter rauschen! Die Proben sind in vollem Gange und nehmen viel Zeit in Anspruch. Ja, wenn es das allein wäre! Aber dann der bummelige Verkehr im Café, im Theater, in Concerten, – immer drei Viertel des Tages und drei Viertel der Nacht dem Schreibtisch fern! Ich komme zu keiner Arbeit, auf die Dauer verbummele ich hier ganz und gar. Und ich fürchte, das würde in Berlin nicht viel anders werden. Darum wird, glaube ich, der Aufenthalt in Lausanne recht segenvoll für mich sein. Ich werde mich dort von allem Verkehr fern halten und fleißig in aller Stille und schöner Gegend vor mich hin arbeiten. – –

Deine Lectüre (Göthe, Shakespeare) ist sehr gut. Du solltest überhaupt viel mehr ältere Sachen kennen. Das Modernste ist heute die Reaktion. Weißt Du, daß Bahr jetzt auf die Klassiker schwört?! Und der ist l'homme de tête und hat immer die richtigen Instinkte für den letzten und kommenden Zeitgeist. Auch den alten Herrn Spielhagen solltest Du nicht so verächtlich behandeln. Jedenfalls hast Du seinen Aufsatz über die »Umsturzvorlage« ganz mißverstanden. Wenn Du ihn noch einmal liest, so wirst Du merken, daß alles purer Hohn ist und garnicht schlecht gemacht. Übrigens hat Herr Spielhagen auch die Gegenpetition an den Reichstag unterschrieben. – Die Vorlage, die jedenfalls Bismarck geschickter gemacht haben würde, allein gegen die Sozialdemokratie gerichtet hätte und nicht über alle außerpolitischen Gebiete hinüber verwässert haben würde, ist mir persönlich auch wie sie jetzt ist, völlig gleichgültig, denn ich werde kaum jemals in die Versuchung kommen, Umsturz zu erregen; meine Muse ist keine reisige Maid, die zürnend dreinschlägt, sondern ein liebliches Mägdelein, das Kränze windet und leise singt. Aber weil ich nicht nur meine eigne Kunst, sondern die Kunst überhaupt liebe, muß ich die Vorlage allerdings ebenfalls verurteilen.

Was Deinen Zukunftsplan betrifft, so habe ich nicht recht verstanden, ob Du nun eigentlich erst Deine 3-jährige Lehrzeit absolvieren und dann abschwenken, oder jetzt bald, nachdem Du stenographieren gelernt, ein Studium akademischer Art beginnen willst. Ich kann Dir ja in der Sache wenig raten. Du mußt natürlich selbst am besten wissen, was Du erhoffen darfst und was nicht. Jedenfalls halte mich in der Angelegenheit, die mich erklärlicherweise sehr interessiert, immer auf dem Laufenden. Wenn es Dir wirklich gelingt, schon jetzt für die nächste Zeit, oder etwa zum Herbst oder nächsten Winter ein Studium in Berlin auszuwirken, so ist doch noch sehr die Frage, ob ich nicht dennoch vor Lausanne nach Berlin gehen würde! Denn wie gesagt, ich würde riesig gern mal wieder mit Dir zusammen sein. –

– Hast Du in letzter Zeit etwas geschrieben? Schicke es mir bitte immer! Ich habe, wie ich schon andeutete, infolge meiner Verbummelung fast garnichts fertig gebracht. Meine letztere größere Arbeit, eine Novelle »Der kleine Professor« vollendete ich schon im November 94. Jetzt liegen in meiner Schreibmappe zwei angefangene Manuskripte, der fertige 1. Akt eines Märchenspiels in Versen und eine begonnene Novelle. Kürzlich habe ich nur allerlei Lyrik fertig gebracht. Zu Gedichten gehört ja kein Fleiß und keine Ausdauer. Ich mache sie gewöhnlich abends beim Einschlafen. Dies und jenes davon will ich Dir zum Dank für Deine Novellen anbei mitteilen. Diesen Brief will ich aber vorher schließen. Lebe recht wohl und schreibe mir *sehr* bald wieder! Und nochmals: Sieh zu, daß Du nach Berlin kommst, – dann komme ich auch!

Mit freundlichen Grüßen   Dein Thomas Mann.

[etwa 28. 3. 1895]

Mein lieber Grautoff.

Nachdem ich Dir für Deine letzte Sendung herzlich gedankt habe, will ich zunächst die beiden Fragen erledigen, deren Beantwortung ich noch nachzuholen habe. Was den »Pan« betrifft, so habe ich damals, bald nach der Aufforderung, eine kleine Novelle »Der kleine Professor« an Herrn Dr. Dehmel abgeschickt, bekam sie aber bald zurück nebst einem äußerst liebenswürdig gehaltenen Brief des Inhalts, erselbst habe die Erzählung mit wirklichem Wohlgefallen gelesen und zweifle ja überhaupt nicht an meiner Künstlerschaft, allein die Arbeit eigne sich grade für den Pan deshalb nicht, weil das Thema zu klein sei, der Pan verlange die Bearbeitung großer

Vorwürfe, wozu große Kunst gehöre, mein »Gefallen« wäre geeignet gewesen. Das leuchtete mir dann auch ein, und nicht eher wirst Du den Namen, der »bald jedem geläufig sein wird« im Pan entdecken, als bis ich wieder einmal »große« Kunst gemacht habe. Ich bitte um Geduld. Die große Kunst läßt sich nicht so aus dem Ärmel schütteln. – Die Vorstellung der »Wildente«, zweitens ist bis zum Mai verschoben worden, da jetzt die Universitätsferien dazwischengekommen sind, die bis gegen Ende April dauern.

So, das ist erledigt. Nun zu meiner Meinung über Deine artistischen Beilagen. Zunächst das Gedicht. Weißt Du, daß ich entzückt war, als ich es las und jedesmal wieder entzückt bin, wenn ich es lese, entzückt – bis zum neunten Verse?! Du wirst es jedenfalls selbst wissen, daß die beiden ersten Strophen wunderhübsch sind, daß ihre sanft tröstliche und still hoffnungsvolle Stimmung mit wirklicher Kunst herausgebracht ist und daß der Schluß so hundsmiserabel, so ohrfeigenmäßig schlecht ist, daß selbst dem routiniertesten Verreiß-Kritiker die Worte dafür fehlen würden. Wirklich, nach dem stillen Genuß, den mir die ersten neun Verse bereitet hatten, wirkte das

> »vom Fluß der Lethe zu trinken«
> »er rettet Dich vom Ertrinken.«

wie ein Faustschlag ins Gesicht! Und dahinter steht dann noch ganz frech »C'est ça«! Nein, die drei letzten Verse mußt Du unbedingt durch andere ersetzen. Das Gedicht ist solcher Mühe wert. Warte, bis Du inspiriert bist; nach den ersten 9 Zeilen ist die Inspiration so vollkommen zu Ende, daß man weinen möchte. – »Kindesschmerz« ist durchaus gut. Ich gratuliere Dir, daß Du das schreiben konntest. Es ist stilistisch stellenweise erstaunlich geschickt, ist von Anfang bis zu Ende von wirklich ergreifender Wirkung und, wie ich entschieden glaube, das Beste, was ich von Dir kenne. Warum es so gut geworden ist, weiß ich ganz genau: Weil Du Dich darin über den – noch beschränkten – Kreis Deines Könnens nicht hinauswagst; weil es eine *Studie* ist und keine ganze Novelle, der Du noch nicht gewachsen bist. Ich halte das Studienhafte hiernach für Dein Terrain – vorläufig –, und ich rate Dir, dabei zu bleiben. Mache lauter Studien, bis Du imstande sein wirst, aus den gesammelten Notizen ein Ganzes, Abgerundetes zu komponieren. Du verstehst, daß ich unter »Studien« – *Vor*studien verstehe. – Ich darf »Kindesschmerz« behalten, nichtwahr? – Das Gedicht von vorigem Male habe ich jetzt verstanden, aber die Erklärung war auch nötig. Jetzt, wo ich weiß, was die erste Strophe bedeuten will, sehe ich desto deutlicher, daß da beinahe jedes Wort unpassend ist. Ich glaube, dem Gedicht ist nicht zu helfen. –

Deine Urteile über meine Gedichte scheinen mir im Allgemeinen ganz zutreffend. Nur in Betreff der Romanze stimmen wir nicht überein. Die erste Strophe finde ich ganz gut, aber die zweite ist mir sehr zweifelhaft, bis auf den Refrain. Übrigens: daß Dein Lob überall zu stark und Dein Tadel überall zu schwach ist, weiß ich selbst am besten. Mein Selbstgefühl ist zwar ziemlich groß, aber es bleibt immer in den Grenzen des guten Geschmacks und wird nie in albernen Dünkel ausarten. – Wenn ich es nicht schließlich vergesse, will ich diesem Briefe wieder etwas »Unkraut« beilegen, das ich in diesen Tagen pflückte. Ob es zwei »Kornblumen« sind, weiß ich noch nicht; kläre mich bitte darüber auf. – Abgesehen von meinem treuen und lieben Tagebuch schreibe ich in dieser Zeit überhaupt gar keine Prosa, sondern arbeite nur ziemlich fleißig an meiner Bühnendichtung. Den »Kleinen Professor« habe ich jetzt übrigens der »Modernen Kunst« geschickt; das ist eine fröhliche Keckheit, aber wer weiß, vielleicht gelingt der Streich. Wie ich auf den Einfall kam, ist mir psychologisch ganz klar. Vor zwei Tagen sitze ich in meinem Zimmer, lese grade eine Rede von Eugen Richter, dem fetten Volkstribun und habe moralischen Kater, wie leider nicht selten, da schneit mir plötzlich ein Mensch zur Thür herein, der sich gradezu für Korfitz Holm ausgab und es schließlich auch war. Er war sehr nett und erzählte allerlei, z. B. von Herrn Harden. Hauptsächlich machte er mir soviel dankbare und entzückte Complimente und Elogen über »Gefallen«, daß ich in eine ganz übermütige und freche Laune geriet, und am selben Abend wanderte der »Kleine Professor« Arm in Arm mit einem kurzen Geleitbrief in ein Couvert und trat seine kecke Reise nach Berlin an, mit dem Vorsatz, nun endlich berühmt zu werden. »Heil seiner Fahrt«! (Lohengrin . . .!) –

Übrigens: diese Fahrt in etwa 5 Monaten selbst anzutreten, bin ich jetzt entschlossener als je. Freilich, ich bin ja wetterwendisch, meine Laune wird voraussichtlich bis zum Spätsommer noch zehnmal umschlagen, und es kommt darauf an, wonach sie im entscheidenden Augenblicke steht. Aber momentan bin ich für Berlin entschlossen. Lausanne läuft mir ja nicht weg, und der Vorwand französisch lernen zu müssen bleibt auch nach Berlin immer dafür bestehen. Also vorläufig erst einmal nach Berlin. – Aber nun Du! – Ja, Du schreibst furchtbar vernünftig. Deine Worte über unser freundschaftliches Verhältnis, das Du nur par distance für möglich hältst, zeigen mir, daß Du Dich kennst und daß Du mich kennst, daß Du aber außer Acht läßt, daß auch ich mich kenne. Du könntest Dir doch denken, daß ichselbst, als ich den Wunsch, einmal wieder mit Dir zusammen zu sein, in mir constatierte, diesen Wunsch sofort ganz genau kritisiert habe und in ganz der nämlichen Weise wie Du. Ich sagte mir: »So, das ist doch merkwürdig. Mit dem möchte ich wieder zusammentreffen, den in der letzten Lübecker Zeit ich, umgeben von sehr fashionablen und teilweise sogar begabten Grafen, ganz links liegen ließ? Habe ich denn seine Persönlichkeit vergessen? Nein, die habe ich durchaus nicht vergessen. Nun, und doch? Ja, und doch. Denn mit den Grafen, das hätte doch nicht lange gedauert. Sie verachteten ihn furchtbar, und darin hatten sie von ihrem Standpunkt aus ganz recht. Niemand kann es ihnen verdenken. Aber daß ich mich deshalb seiner schämte, das war eine blitzalberne Geschmacklosigkeit, die ganz gewiß nicht lange angehalten hätte. Aber bin ich auch sicher, daß ich in diese Geschmacklosigkeit nicht gegebenen Falls zurückfallen werde? Nein, ich gestehe, das bin ich nicht. Aber: in Brandenburg giebt es wohl überhaupt kein grafenähnliches Geschöpf und in Berlin kenne ich nur einen Vornehmen, sonst keine Seele, und der ist nur dann und wann einmal da. Auch ist Berlin groß, und wenn ich mit einem zusammen bin, so braucht der Andere nicht zur Stelle zu sein. Der Einwand ist also nichtig; es ist einfach niemand da, dem gegenüber ich die Albernheit begehen könnte, mich seiner äußeren Persönlichkeit zu schämen. Überhaupt, in Lübeck war das Alles anders. Da schimpften und achselzuckten nicht nur die anderen Bekannten, da warnte und verbot auch der possierliche kleine Phraseur, der Professor. Der Umgang mit ihm war allgemein anrüchig; auf die Dauer wirkte das auf mich, – dummerweise. Also der Einwand fällt hin. Und nun das Dafür? Der Vorteil? Ich will mal nachdenken. – Ja, ganz einfach: Ich hab' ihn eben gradezu ein bischen nötig. Erst jetzt, wo ich unter lauten Fremden bin, die mich nicht kennen, merke ich, daß er mir eigentlich eine ganze Menge gewesen ist. Wir waren wirklich intim. Wir waren schamlos vor einander, geistig, das war so schön und bequem. Wir verstellten uns höchstens zum Spaß. Wir verstanden uns bis in alle Finessen. Wenn ich mich dieses oder jenes intimen Gespräches mit ihm erinnere, wobei wir uns lediglich durch die komischsten Laute und einzelnen Worte, die kein Anderer verstanden hätte, über die heikelsten Intimitäten verständigten, – so lacht mir das Herz im Leibe, noch jetzt! – Ja, aber sollte ich nicht das Ganze jetzt nur in der Vergoldung der Vergangenheit sehen? Mag sein, aber prächtig war es ganz gewiß, und ich weiß und habe es gemerkt, daß ich dergleichen in der ganzen Welt nicht wiederfinde. – So, jetzt bin ich beruhigt, jetzt habe ich mir meinen Wunsch erklärt.« – – So verlief etwa diese Reflexion, und Du siehst, mein Junge, daß mich Deine Vorstellungen, für deren Offenheit ich Dir übrigens dankbar bin, vollkommen gewaffnet fanden. Fernerhin glaube ich, daß Deine dann folgenden, mehr äußerlichen Bedenken ebenfalls hinfällig sind. Was diejenigen betrifft, die pekuniärer Art sind, so scheinst Du vergessen zu haben, daß ich Dir eine *halbe Flasche Sekt* schuldig bin. Wenn ich Dir noch *mehr* schuldig bin, so habe ich das vergessen; aber Sekt vergesse ich nie! Für ein Retourbillet und ein Glas Bier oder Kaffee in Berlin kann ich Dir mindestens einmal im Monat garantieren. Ich werde selbst nicht viel haben, aber das kann ich. Wenn ich andererseits dann nach Brandenburg fahre, so brauchen wir ja nicht in Deinem Zimmer zu sein. Wir können spazieren gehn oder uns in ein recht stumpfsinniges Gasthaus setzen. Am Sonntag bist Du ja frei. Daß das Städtchen grade meine Magennerven angreifen wird – Du sprichst von »übergeben« – glaube ich nicht. – – Endlich besteht ja natürlich die Frage, ob Du überhaupt noch in Brandenburg sein wirst, wenn ich in Berlin bin. Das ist eine Sache für sich. Wie Du sie Dir denkst, verstehe ich noch nicht recht. Wenn Du im Sommer nach Hause fährst, so erreichst Du doch entweder, daß Du gleich mit der Journalisten Carrière beginnst und kommst nach Berlin, oder Du erreichst es nicht und kehrst nach Brandenburg zurück. Das

»Zu Hause bleiben« verstehe ich nicht. Denkst Du in eine Lübecker Buchhandlung einzutreten? Das widerrate ich Dir entschieden. Ein Leben in Lübeck, in Deinem, so viel Du mich fühlen ließest, traurigen Heim und umgeben von lauter Senior Ramkes halte ich für Dich ganz unmöglich, viel unmöglicher als Dein jetziges Leben, wo Du relativ frei bist und wenigstens außerhalb des Geschäftes thun kannst, was Du willst. – Kläre mich über diese Frage bitte auf. – Jedenfalls: was Deine innerlicheren und subtileren Gründe gegen unser Zusammentreffen [. . .]

[3. 4. 1895]

Mein lieber Grautoff.

Bitte, mißverstehe mich nicht. Ich will Dich durchaus nicht mahnen. Was lange währt, wird gut. Aber bitte teile mir, wenn Dein nächster Brief noch nicht fertig ist, nur kurz per Postkarte mit, ob Du meinen letzten Brief vor etwa einer Woche erhalten hast. Ich lebe in steter Besorgnis, er könne irgendwie verloren gegangen oder von neugieriger Hand unterschlagen sein. Man kann nie wissen.

Holm läßt Dich grüßen, und ich grüße Dich selbst, hoffend, daß es mit meinem Opus, das übrigens glaube ich, 13 Seiten lang war, in Ordnung ist, nämlich, daß Du es richtig bekommen hast.   T. M.

Übrigens, im Anschluß hieran muß ich noch eine *Gewissens*frage an Dich stellen, die mich oft quält; Sage mal ehrlich und offen und in aller Freundschaft: Hast *Du* damals einen gewissen »*7ten Band*« wirklich »*verbrannt*«?! Ich habe das nie recht glauben können, und oft fällt mir die Sache ein, und ich muß denken: wenn Deine Mutter oder sonst jemand den Band in die Hände bekommen hätte! Nun antworte mir mal *ehrlich*, was Du von ihm weißt. Ich weiß Du lügst gern und hältst das gewiß für furchtbar vornehm; ich aber längst nicht mehr, und deshalb sage nun hierin die Wahrheit! – *Wenn* wirklich das Buch in andere Hände gekommen ist, so ist das jetzt nicht mehr gar so schlimm, als daß Du deshalb zu lügen brauchst, um mich zu beruhigen. Lübeck ist weit fort und geht mich nichts an. Aber ich möchte nur im Klaren darüber sein. Darum antworte mir die Wahrheit: Wie verhält es sich mit dem Heft? Die Wahrheit zu sprechen gehört zum »guten Geschmack«, den ein kluger Mann an die Stelle der Moral gesetzt hat! –

Hoffentlich bekomme ich bald einen Brief, oder, wie gesagt, wenn er nicht fertig ist, eine Postkarte.   T. M.

München d. 12. 4. 95.

Lieber Grautoff.

Ich weiß nicht, wie Du darauf kommst, daß ich schon jetzt nach Berlin übersiedeln würde; ich habe Dir das doch nie geschrieben? Es steht überhaupt noch immer nicht unerschütterlich fest, wohin ich gehen werde; jedenfalls aber mache ich mich im Spätsommer irgendwie auf die Reise, nach Lausanne oder Berlin, letzteres hat mehr Hoffnung, obgleich Du, wenn ich komme, vielleicht nicht mehr in der Nähe sein wirst.

Ich sage »vielleicht«, denn so fest wie Du vermesse ich mich nicht an das Gelingen Deines Planes zu glauben. Du willst also vom Sommer an ein liebes langes Jahr fröhlich in Lübeck umhergehn und nichts weiter thun als die »Technik der Stenographie« lernen, wie Du immer schreibst? Das ist ja recht nett! Nein wirklich, das wird ein entzückend gippriges Jahr! Volle 1½ Stunden am Tage sitzt Du in Deinem Arbeitskabinet, rauchst Cigaretten und stenographierst vor Dich hin. Während des übrigen Tages bist Du frei wie Eugen

Richter, spielst mit einem Finger die Loreley auf dem Klavier, dichtest Deiner Mutter die Stuben voll, gehst in der Breiten Straße spazieren als freier Bürger, und wenn z. B. Dr. Bäthge Dich fragt: »Na Grautoff, was machense denn eigentlich nu!« so antwortest Du stolz: »Ich lerne die Technik der Stenographie!« und kommst Dir vor wie ein Gott. – *Du* willst Pessimist sein und glaubst daran mit seliger Inbrunst, daß *dies* Jahr Dir beschieden sein wird? Wahrhaftig, ich würde Dich darum beneiden! Aber ich schreibe es Dir hier mit Tinte auf dies Stück Papier, daß man Dir dies köstliche Jahr *nicht* gewähren wird, sowahr wie ich hier sitze und tief belustigt bin. – Ich sehe von allem Anderen ab. Ich sehe davon ab, daß die buchhändlerische Lehrzeit ja keineswegs »6« Jahre in Anspruch nimmt, sondern daß Du schon, von jetzt an gerechnet, in 2 oder höchstens 3 Jahren als Gehülfe Honorar beziehen würdest und zwar sicher nicht weniger als die berühmten 1200 Mark jährlich, die Du als Gerichtssaal-Stenograph erwartest, eine ähnliche Stellung wie L. Ewers sie damals nur durch Glück und Berliner litterarische Verbindungen erhielt, (nachdem er schon mehrfach publizistisch hervorgetreten war!) und solange behielt, bis er von einem Verurteilten rächerisch angefallen wurde. Ich sehe ferner davon ab, daß Du mit 1200 M. Deiner Mutter, ebenso wenig wie jetzt, »das Alter erleichtern« kannst, noch viel weniger davon *Collegien bezahlen.* Von 100 M. monatl. kannst Du grade bescheiden essen, bescheiden wohnen und Dich bescheiden kleiden: weiter durchaus *nichts.* – Nun, das sind Fragen der Zukunft, und ich sehe wie gesagt davon ab, denn es handelt sich vorläufig um das nächstliegende, und das ist das himmlische Jahr in Lübeck, von dem Du noch thust, als wäre es wunder wie schwer zu überstehen und in der Hoffnung auf ein seliges Jenseits im Gerichtssaal! Aber dies Jahr erlebst Du nicht, ich sage es Dir. Wenn Du Deiner

Mutter die Rede gehalten hast, die ich schon kenne, so wird sie die Hände überm Kopf zusammenschlagen und rufen: »O *Gott*, ich müßt' ja wol was mit'n *Stock* haben! Du willst hier ein Jahr lang bei mir herumliegen und nichts weiter thun als Grenostafie lernen, oder wie es heißt?! Da wär' ja der verkommene Mensch in München noch fleißiger als Du! Seine Mutter hat sich übrigens jetzt mit einem Pferdebahnkonducteur verheiratet, – schon lange. Aber das gehört nicht hierher. Genug, was Du da sagst, ist einfach gottlos.« – Gut. Dann führst Du Deine Geschütze ins Gefecht, Deine Briefe von Dr. Weiß und dem Herrn, der sich untersteht, Mann zu heißen und nichts will, als daß Du sein stenographisches Lehrbuch kaufst. Du thust sogar ein Übriges und gehst mit diesem Dokument, in dem Du ein Document des menschlichen Egoismus noch gar nicht erkannt zu haben scheinst, zum Senior Ramke. Was thut derselbe? Er macht sein längstes Gesicht, pfaucht durch die Nase und sagt: »Ach Gätt, mein Ssohn! Du willst den Berruf verrlassen, darein Gätt Dich gessetzt hat?!« – Schön. Was weiter? Generalversammlung. Familienrat. Und das Günstigste, was dabei herausbraten kann, ist, daß man Dir sagt: »Wir werden sehn; vielleicht später. Aber jetzt erst mal hübsch nach Brandenburg zurück an die Arbeit. Du kannst doch unmöglich hier ein ganzes Jahr herumliegen und Dich mit nichts weiterem beschäftigen als Stenographie! Du mußt doch was zu thun haben!« – Was man dann in Betreff der Zukunft ausbebeln wird, weiß ich natürlich durchaus nicht. Ich sage Dir nur: Mindestens ebenso wahrscheinlich wie ich im Spätsommer nach Berlin kommen werde, wirst Du um diese Zeit wieder in Brandenburg sein, – provisorisch vielleicht nur, aber Du wirst da sein, das glaube ich. – Wie ist es überhaupt mit den Kosten für die Stenographie? Aus Büchern allein kannst Du sie nicht lernen; Du mußt einen Lehrer dazu haben. Hat

Deine Mutter das Geld für einen solchen bereit? Du sagst, sie könnte Dir nicht 20 M. im Monat geben, »und die lieben Verwandten. – Ach Du lieber Gott.« Nun und? – Schon um kein Geld für irgendwelche Ausbildung Deinerseits hergeben zu brauchen, werden alle Verwandte und Freunde Deiner Mutter ihr sagen: »Lassen Sie ihn ja da wo er ist. Lassen Sie ihn sich gewöhnen und ausharren. Wenn er für das Kaufmännische sich für zu gut hält, so hätte er ja auf der Schule fleißiger sein können etc.« – Du fragst nach meiner Meinung? Gut; ich habe das Facit gezogen: Laß den Dingen ihren Lauf. Laß fürs erste alles, wie es ist. Schlimmer kann es nicht werden, besser schwerlich. Zum Beruf eines Zeitungsmenschen gehört Geschmeidigkeit, pracktische Umsichtigkeit, Geriebenheit, gewandte Unverschämtheit, die Kunst sich überall »anzuscheißen«, wie Ewers sich auszudrücken liebt, – lauter gemeine Eigenschaften, die die Juden bekanntlich so tauglich für die Presse machen, und die Du nicht besitzt. Du stellst Dir unter Journalismus wunder was Künstlerisches vor und irrst darin ganz und gar. Grade weil Dir die Natur »einen Funken Göttlichkeit eingeträufelt« hat, grade weil Du ein empfindsamer, sentimentaler, wenig robuster Mensch bist und gern Dich still mit Deinem Innern beschäftigst, grade deshalb würdest Du Dich elend, totunglücklich im Preßtreiben fühlen. Glaube mir das; ich habe recht. Du eignest Dich zum Zeitungsmenschen geradeso wenig wie – ich! – Darum rate ich Dir noch einmal: Laß vorläufig alles wie es ist. Es ist das Beste so, das einzig Mögliche. Du hast Freistunden, und die kannst Du mit Deinen Interessen ausfüllen. Arbeite wie bisher ruhig weiter an Deinem Talent, sieh zu, was Du aus Dir machen kannst. Freue Dich an der weißen Seite des Blattes, das auf der anderen schwarz ist. Genieße die Kunst und mache selbst welche, so gut Du immer kannst. Vielleicht bist Du kein künstlerisch könnender, sondern nur ein künstlerisch empfindender Mensch. Wer weiß das? Für den Journalismus eignest Du Dich auf keinen Fall. Noch einmal: Laß alles, wie es ist. – Was Du nun aber thun oder lassen wirst, – jedenfalls glaube ich, daß wir uns im August oder Anfang September über die Frage Deines Lebens in Berlin oder Brandenburg werden unterhalten können. –

Deine Philosophie, über die ich mich äußern soll, ist schnell abgethan. Die Fragen und Ausrufe, die Du der Welt und dem Leben entgegenhältst, sind grade das Gegenteil von Philosophie, nämlich Lyrik. *Du* fühlst Dich dann und wann unglücklich, weil [. . .]

[Anfang Mai 1895]

[. . .]

hunderten von Engeln. Eine goldene Treppe führt ins Unabsehbare empor, und oben sieht man, das heilige Kind im Arm, die Mater dolorosa; am Fuße den seligen Faust; in der Mitte Grethchen. Und von milden Chören vernimmt man die überirdischen Verse:

> Alles Vergängliche
> Ist nur ein Gleichnis,
> Das Unzulängliche
> Hier wird's Ereignis,
> Das Unbeschreibliche
> Hier ists gethan,
> Das ewig Weibliche
> zieht uns hinan.

Vielleicht ist es lächerlich; aber mir wurde fromm und gläubig zu Sinn bei diesem electrisch beleuchteten Blick ins Metaphysische. – Und nun noch ein paar Verse, die der geist-

reiche Teufel spricht und an die ich Dich persönlich erinnern
will, weil ich schon oft an sie gedacht habe, wenn es Dir
gefiel, von meinem »unglaublichen« »Glück« zu sprechen:

> Wie sich Verdienst und Glück verketten,
> Das fällt den Thoren niemals ein;
> Wenn sie den Stein der Weisen hätten, –
> Der Weise mangelte dem Stein.!

[...]

d. 7. Mai. [1895?]

[...]

So, nun habe ich »Walter Weiler«, der eine lange Wande-
rung gemacht hat und verschiedenartig aufgenommen worden ist, wieder in Händen, und nun kann er nach Brandenburg a/H abreisen. Heute habe ich ihn von Holm zurück-
bekommen, der ihn auch seiner Mutter vorgelesen hat. Beide
sind enthusiasmiert. Im Gegensatz zu dem Herrn, der mir
sagte, ›Gefallen‹ stehe turmhoch darüber, betont Holm, daß
es von ›G.‹ bis zu ›W. W.‹ ein Fortschritt sei wie von ›Mama‹
zu ›Gefallen‹. Was soll ich nun glauben?
Also nun Schluß, damit Du die Sendung endlich bekommst.
Ich wiederhole Dir aber, daß Du mit der Rücksendung der
Manuskripte unter keinen Umständen bis Ende Mai warten
darfst. Sobald Du sie kennst, muß ich sie wieder haben. Und
Deine Meinung wirst Du auch wohl in einigen Zeilen bei-
fügen können.
Mit besten Grüßen   Dein Thomas Mann.

[Postkarte]　　　　　　　　München, Café Central
　　　　　　　　　　　　　Mittwoch Morgen [15. 5. 1895]

Lieber Grautoff

Eben habe ich Deinen lieben Brief mit großem Wohlgefallen
gelesen und danke Dir, indem ich den Empfang bescheinige,
herzlich dafür. Um die Universitätsferien schere ich mich den
Teufel. Ich reise, wenn ich Lust habe. Wahrscheinlich schon
im Juli, spätestens Anfang August. Du scheinst zu meiner
Genugthuung nun selber anzunehmen, daß Du dann noch
in – ach so. – Ich hoffe, daß ich bald Muße finden werde,
Dir auf den Brief ausführlich zu antworten. Bis dahin verbleibe ich wieder einmal

　　　　　　　　　　　　　　　　　　　Dein T. M.

　　　　　　　　　　　　　München d. 16. 5. [1895]

Mein lieber Grautoff.

Tagelang habe ich an Deinem Brief in der That nicht gelesen,
aber eine angenehme halbe Stunde, für die ich Dir danke, hat
er mir gestern doch bereitet. Ich fand ihn vor, als ich um
halb 9 Uhr fertig angekleidet war, steckte ihn in die Tasche,
nachdem ich die Manuskripte verwahrt hatte, ging aus,
schrieb in der ersten besten Postfiliale meine Stenographiestunde wegen Indisposition ab, wanderte ins Café Central,
frühstückte, rauchte und las die neun Bogen, die Du, noch
immer einsam beim gelben Lampenschirm, wenn draußen
über der schlummernden Stadt der Tag schon graute, für
mich geschrieben hast. Die Postkarte, die dann die verschla-
fene oder aus anderen Gründen hinfällige Kellnerin mir
brachte, wirst Du mit meinem Dank erhalten haben, den ich
nun wiederhole.

Ich habe mir gleich gedacht, daß es mit der Redensart vom
»guten Kerl, der es wert ist zu leben« nicht so ernsthaft ge-

meint war. Es war eine Stimmung, wie sie den modernen Taugenichts erfaßt, wenn plötzlich die Sehnsucht ihm kommt nach einem braven und tüchtigen Dasein unter den Leuten, – wenn der Philister in ihm aufsteht. Aber solche Stimmung, die den Narren nur angehört und mit der Vernunft nichts oder gar dem Willen zu schaffen hat, geht ebenso schnell wieder, wie sie kommt, und der nichtsnutzige Décadent verzichtet eilig wieder darauf, in der Welt etwas zu sein, begnügt heiter sich damit, daß ihm nur die Welt etwas ist . . .

Das kennt man, und so ist es auch Dir ergangen. Aber lieb ist es mir doch, daß Du von dem, wirklich absurden, Entschluß, den Du gefaßt hattest, wieder abgekommen bist. Ich meinerseits kann Dir nicht genug von dem Schritt abraten, den Du, wie Du selbst sagst, nicht zurückthun kannst, und von dem Du nicht weißt, wohin er Dich führt, was sich dann für Dich ergibt. Noch einmal: Laß vorläufig alles wie es ist! Du willst Künstler sein; gut, das kannst Du auch in Brandenburg. Von den drei, gewiß peinlichen, Lehrjahren ist mehr als eines schon vorüber. Die anderen beiden vergehen auch, unvorhergesehene Abwechslungen verkürzen sie, Du liest, Du schreibst, Du bildest Dich. Ein halbes Jahr, wenn nicht länger, bin ich in Deiner Nähe, – das wird doch auch schon eine ganz nette Abwechselung für Dich sein. Dann, wenn die Zeit um ist, darfst Du studieren, wirst dann in einen Verlag empfohlen. Wer weiß, wie Dir das interessant sein wird. Dein litterarisches Verständnis kannst Du dort ausgezeichnet zur Geltung bringen, kannst nebenbei Künstler sein, soviel Du willst und immer zeigen, ob Du wirklich einer bist. Hic Rhodus, hic salta! Und Rhodus ist überall; auch schon jetzt in Brandenburg.

So gehen die Dinge ihren einfachen und natürlichen Gang. Warum willst Du sie darin stören, mit Wirrnissen und Scenen, warum Dichselbst gewaltsam in allerlei unabsehbare

Mißhelligkeiten bringen. Ceterum censeo: Laß alles wie es ist! Oder unternimm jedenfalls nichts, bevor wir mündlich darüber beratschlagt haben. Ich freue mich schon auf diese Sitzung. In etwa 8 Wochen wird sie stattfinden. Ich reise im Juli; um die Universitätsferien kümmere ich mich, wie gesagt, nicht. – –

Wozu ich Stenographie treibe? Gott, erstens kann man überhaupt nie zuviel können, und zweitens ist es ja durchaus nicht ausgeschlossen, dass ich später Journalist werde. Meine Mutter wünscht einen festen, arbeitsamen Beruf für mich, und sie hat vielleicht ganz recht. Man braucht vielleicht einen festen Halt, eine geregelte Thätigkeit, um nicht ganz zu verbummeln. Bevor ich Stenographiestunde hatte, schlief ich immer bis 12 Uhr mittags, manchmal bis 3 Uhr nachmittags. Das ist abscheulich; aber wer kann ohne eine äußere Stütze gegen seine dekadente Natur.

*

Freitag d. 17.

Gestern habe ich die beiden Novellen wieder in die Welt hinausgesandt. Den »kleinen Professor« an Herrn Merian in Leipzig, mit der unerschütterlichen Weigerung, nun das Manuskript noch einmal in mein Haus aufzunehmen. »Lassen Sie es liegen, solange Sie etwas Besseres haben und drucken Sie es, wenn Sie Platz finden.« Punctum. »Walter Weiler« an Herrn Dr. Dehmel in Pankow bei Berlin. Daß er die Novelle dem »Pan« vorschlägt, halte ich für ausgeschlossen. Sie ist allein schon zu lang dafür. Aber ich möchte, daß er mir seine Meinung darüber schreibt; seit »Gefallen« scheint er sich ja für meine Fortentwicklung zu interessieren.

Daß ich den »kl. Prof.« vor einem Jahr schon hätte schreiben können, wie Du meinst, bezweifle ich stark. Vor einem Jahre war ich ein so verrannter Bahrianer, daß mir weder

dieser Stoff in den Kopf, noch dieser Stil in die Nerven gekommen wäre. Ein wenig reifer bin ich doch geworden seit
der Zeit, wo mein Tagebuch schließlich ebensogut von dem
bubenhaft frivolen und falsch sentimentalen Pseudo-Pariser
hätte sein können.

Ich glaube mit Dir, daß die Moderne Kunst die kleine Novelle ganz gut hätte bringen können, ohne ihr verehrliches
Publicum allzusehr zu beleidigen; aber was Du, in Verbindung damit, über die Novellen meines Bruders sagst, ist ver-
dammt einfältig, das nimm mir nicht übel. Es fehlt Dir für
seine Art und Weise wohl noch das Verständnis. Ich habe
eine gewisse zutrauliche Gefälligkeit, eine anschmeichelsame
Sentimentalität, die ihm abgeht. Aber was er mit seiner feinen und reserviert vornehmen Sprache, mit seiner eminenten
Psychologie zu bewirken weiß, das, denke ich, hat er auch
in den beiden Novellen gezeigt, die Du gelesen hast. Dieser
robuste, stumpfsinnige Polizeisergeant im »Löwen«, der in
der grauen Tiefe seiner schwerfälligen unbewußten Seele die
Bändigerin liebt, ohne daß er es weiß, der von dieser unbewußten Liebe heimlich gestützt allein den Kopf behält, als
die Katastrophe eintritt, der von einem dunklen Natur-
instinkt regiert den Löwen tötet, der das Mädchen zwischen
den Klauen hat; dem es auch nachher nicht zum Bewußtsein
kommt, warum er die That vollbracht hat, und der dann stolz
auf diese That, von der er selbst nicht weiß, wie sie geschehen ist, die Bewunderung der Anderen als »Held« und die
Rettungsauszeichnung entgegennimmt – hast Du das denn
garnicht verstanden?! Und wie schön ich die zweite Novelle
fand, die in der Weihnachtsnummer war, »Irrtum«, mit diesem stimmungsvollen Milieu und dieser ergreifenden Fabel,
das kann ich garnicht sagen. Man atmet ja förmlich die Luft
dieses vornehmen alten Zimmers, in dem das greise Ehepaar
auf dem steiflehnigen Empire-Sofa beim Tannenbaum sitzt!

Wenn dergleichen Dein »Mißfallen erregt«, so bist Du ein Banause. Noch entzückender fast ist die italienische Novelle »Contessina«, die ebenfalls wohl noch in der »Mod. Kunst« erscheinen wird; mein Bruder las sie mir vor, als er zum letzten Mal in München war. Aber das Schönste, das Großartigste, das Wunderbarste, was er bis jetzt geschrieben hat, ist die Novelle »Das Wunderbare«, die man wohl erst in der gleichbetitelten Sammlung finden wird, die er hoffentlich bald herausgiebt. Das ist ein Kunstwerk, für das mir alle Worte fehlen. – Nein, mein Junge, Heinrich Mann ist ein Künstler, ein Dichter, dem wir zwei beide denn doch noch nicht bis an die Knie reichen; und hoffentlich giebt er das Schreiben nicht verzweifelnd auf, wenn ich ihm erzähle, daß er »gradezu« Dein »Mißfallen erregt hat«! –

Was »Walter Weiler« betrifft, so freut es mich, daß die Erzählung Eindruck auf Dich gemacht hat. Indessen bleibe ich dabei, daß dieser unglückliche Dilettant und Eichendorff'sche »Taugenichts« ins Moderne übersetzt – viele Ähnlichkeit mit Dir hat. Und mit tausend an [. . .]

[Ende Mai 1895]

[. . .]

nicht ein *wenig* länger ist. – – –

Die weihevolle Stunde, in der Du Dir »Walter Weiler« laut vorgelesen hast, hat mich gerührt. Warst Du denn so lange ungestört? Ich denke, Dein Vetter teilt mit Dir das Zimmer? – Wohnst Du eigentlich im Hause Deines Prinzipals? – Auf »Verklungen« bin ich sehr neugierig. Der Titel ist schon äußerst suggestiv! – Merkwürdig ist, daß das Thema zweierlei Liebe, das Du mutlos verworfen hast, jetzt grade von mir behandelt werden wird. Die Novelle soll köstlich werden, sage ich Dir! Ich will darin, wie ich Dir schon schrieb, auch

einen Teil meiner hiesigen gesellschaftlichen Sensationen verwerten. – Du scheinst wirklich tüchtig unter dem Einfluß von
»Walter Weiler« zu stehen. Ich mußte lachen bei einzelnen
Stellen Deines Briefes, die ganz in der sanften, traurigen,
kindlich anspruchslosen Erzählweise des armen Walter geschrieben sind! Siehst Du, da hast Du wieder die Ähnlichkeit
zwischen Dir und ihm!: Du liest eine Dichtung, die Eindruck
auf Dich macht, und wenn Du Dich dann hinsetzt um zu
schreiben, so fühlst und schreibst Du unwillkürlich in ihrem
Stil. Das nennt man eben Dilettantismus; oder es gehört
wenigstens dazu. –

– Meinem kleinen Bruder, nach dem Du Dich erkundigst,
geht es sehr gut. Er ist vergnügt und guter Dinge, solange er
nicht von mir – denn sonst sagt ihm niemand ein Wort –
wegen Übermuts in seine Schranken zurückgewiesen wird.
Dann schreit er. Und zwar nicht sehr musikalisch. Er hat
sich in dieser Hinsicht nicht eben *erstaunlich* entwickelt, was
ja aber nicht ausschließt, daß er dennoch wirklich zum Musiker wird. Ich habe mir das immer gedacht, weil ich so kalku-
lierte: Der Vater war Geschäftsmann, pracktisch, aber mit
Neigung zur Kunst und außergeschäftlichen Interessen. Der
älteste Sohn (Heinrich) ist schon Dichter, aber auch »Schriftsteller«, mit starker *intellectueller* Begabung, bewandert in
Kritik, Philosophie, Politik. Es folgt der zweite Sohn, (ich)
der nur Künstler ist, nur Dichter, nur Stimmungsmensch, in-
tellectuell schwach, ein sozialer Nichtsnutz. Was Wunder,
wenn endlich der dritte, spätgeborene, Sohn der vagsten
Kunst gehören wird, die dem Intellect am fernsten steht, zu
der nichts als Nerven und Sinne gehören und gar kein Ge-
hirn, – der Musik? – Das nennt man Degeneration. Aber ich
finde es verteufelt nett. – Von Allem abgesehen aber wird
sich der Kleine unter den Eindrücken und Einflüssen, in denen er aufwächst, zum *Geschäftsmann* kaum entwickeln.

So, nun habe ich Deinen Brief Punkt für Punkt beantwortet
und habe vorläufig nichts weiter hinzufügen. Ich hoffe, daß
Du mir *recht* bald wieder schreibst. Die schlimme Arbeitszeit
ist ja vorüber.

Mit bestem Gruß   Dein Thomas Mann.

                                   [vermutlich Ende Mai 1895]
[...]
fiel mir das auf bei dem Tageserwachen auf Seite 3. – Übrigens ist der Titel schlecht. Das einzige Wort, worauf »Verklungen« im Text sich bezieht, ist »Rausch«, – und ein
Rausch kann nicht »ver*klingen*«. – –

›Walter Weiler‹ wird nun doch wohl, wie es wenigstens bis
jetzt den Anschein hat, im ›Pan‹ erscheinen. Als ich das Manuskript an Dehmel geschickt hatte, bekam ich zunächst eine
Karte, auf der er sagte, daß er mir gern seine Meinung
schreiben wolle, daß ich mich aber noch 3 oder 4 Wochen
gedulden müsse, da er sehr beschäftigt sei. Tags darauf kam
indeß folgende Karte: »Lieber Menschenfreund! Gestatten
Sie mir diese Anrede, nachdem ich eben Ihre Novelle gelesen
habe. Ich hatte nur probeweise die erste Seite lesen wollen,
kam dann aber nicht mehr los. Das wird Ihnen genug sagen . . . freilich habe ich einige Einwendungen, worüber Näheres mündlich; ich komme Ende Juni nach München. *Inzwischen werde ich den ›Walter Weiler‹ PAN empfehlen.* Ihr
R. D.« – Ich antwortete umgehend, es sei leichtsinnig von
ihm gewesen, mir seine Empfehlung mitzuteilen, bevor die
Annahme erfolgt sei; jetzt aber, wo er mirs einmal in den
Kopf gesetzt habe, bäte ich ihn aufs Dringendste, seinen ganzen Einfluß bei der Sache geltend zu machen. – Nun bin ich
neugierig, was passiert. Erscheint »W. W.« im Pan, so bedeutet das für mich eine schwere Menge Geld und einen ver-

hältnismäßig *sehr* großen Erfolg; der wort- und bildkünst-
lerische Inhalt des ›Pan‹ wird in vielen großen Zeitungen besprochen. Wenn der alte Fontane keine Geschichten macht,
so geht es gut, und – bis jetzt habe ich das Manuskript nicht
zurück. – Es lebe die Kunst! Alles Übrige ist graue Misère. –
Bei Reders Geburtstagsfeier war ich auch; die Dichtelei
nimmt sich aber im »Magazin« besser aus, als in Wirklichkeit. Mit dem »Intimen Theater« habe ich allerdings nichts
zu thun. Die Aufführung der »Wildente«, von der ich Dir
schrieb, wird vom Akad. dramat. Verein unter v. Wolzogens
Leitung veranstaltet. Ich spiele den Großhändler Werle. Die
Sache macht mir Spaß. Fast täglich sind Proben; am 12. Juni
soll die Aufführung stattfinden. – –
Ich weiß nicht, diesmal scheine ich ja nicht über den zweiten
Bogen hinauszukommen. Ich denke nach, aber sehe wirklich,
daß ich Dir vorläufig nichts mehr zu sagen habe. Laß mich
nicht wieder so unanständig lange auf einen Brief warten.
Ich freue mich immer riesig, wenn ich das große gelbe Couvert morgens im Kasten finde.
Und dann ist es nachher eine so hübsche Stunde, wenn ich
bei schönem Wetter im Hofgarten sitze. Vor mir eine Schale
Eis, hinten rauscht leise der Springbrunnen, es ist still, und
der diensthabende Kellner wundert sich, daß ich einen 6 Bogen langen Brief lese, mit Buchstaben, die aussehen, als wären sie von einem neugeborenen Kinde geschrieben, und dabei die erwachsensten Dinge erzählen . . .
Deine Novelle, mit der es sich ja ebenso verhält, gebe ich Dir
dankend zurück.
Besten Gruß! T. M.

Lieber Freund.

Ich bin für Alles dankbar, und so danke ich Dir herzlich wie
sonst auch für Dein leises und ja nur provisorisches Lebenszeichen vom 15ten. So gräßlich gegrollt, wie Du es Dir aus-
malst, habe ich nicht über Dein langes Schweigen; höchstens
ein bischen gewundert habe ich mich über das plötzliche
Nachlassen Deines Weilerschen Mitteilungsbedürfnisses. Jetzt
aber, wo ich weiß, daß es sich bloß um die 20 Pf. Porto gehandelt hat, will ich Dir gern einen Beweis dafür geben, wie
sehr ich Deine Briefe schätze, und erlaube Dir, mir auch einmal, wenn es garnicht anders geht, eine *un*frankierte Sendung zukommenzulassen. Du siehst, daß Deine Mitteilungen mir mehr, als ein paar Groschen wert sind! –

Das zweimal wiederholte und heftig unterstrichene »muß«
in Deiner Beteuerung, daß Du mich sprechen mußt, – *verstehe* ich! Und Du weißt, daß auch ich mich auf unser Wiedersehen freue, ja daß mir viel daran liegt. Desto mehr bedaure ich, Dir über den Tag meiner Ankunft in Berlin noch
keinere genaueren Angaben machen zu können. Es *kann*
schon Mitte Juli, Ende Juli sein; es kann aber auch Anfang
August, ja Ende August werden, es kommt auf Alles Mögliche an. Dehmel kommt schon Ende dieses Monats, kommt
also nicht in Betracht. Anfang August aber wird Emil Gerhäuser hier gastieren. Ferner weiß ich nicht, ob ich mich vor
Schluß des Semesters exmatriculieren lassen kann. Schließlich
aber, und das ist der fragwürdigste Punkt, giebt es hier in
München irgendwo ein Mädchen, das noch immer nicht genug Rosen von mir bekommen hat, und bei dem ich entar-
teter Schwächling den Brackenburg noch immer nicht genug
gespielt habe. Ich habe keine Lust, diese Andeutung weiter
zu ergänzen. Es kommt darauf an, wie lange diese Narrheit
bei mir vorhält; ich weiß garnichts.

Keinesfalls aber ist es ja nötig, daß ich am 22. Juli nach B. komme, wenn Du erst eine Woche später dort eintreffen willst. Da wäre es doch viel netter, ich käme auch erst nach Verlauf dieser Woche und Du wärest gleich am Bahnhof. Es wäre mir doch sehr lieb, von einem Bekannten empfangen zu werden. –

Also, ich kann Dir noch nichts Bestimmtes sagen, hoffe aber, Dir Anfang Juli, wenn Du Deinen Urlaub nehmen mußt, einen definitiven Entschluß mitteilen zu können.

– – Daß das ›Magazin‹ Deinen ›Kinderschmerz‹ nicht nehmen werde, hätte ich Dir vorhersagen können; jedenfalls aber kann ich Dir nun zu der immerhin schmeichelhaften Absage gratulieren. –

Die Aufführung der ›Wildente‹ hat nun vorgestern vor einem auserlesenen Publicum stattgefunden und hatte einen guten Erfolg. Auch mehrere Zeitungen brachten günstige Recensionen. Die Vorstellung soll in 8 Tagen wiederholt werden. – – – In letzter Zeit habe ich sehr unsolide gelebt; in dem bischen Komödiespielen bestand meine ganze Arbeit. Meistens kam ich erst um 4 oder halb 5 Uhr morgens nach Hause, wenn es schon ganz hell war und alle Vögel zwitscherten. Das war poëtisch – Nächstens werde ich wohl für ein paar Tage München verlassen und ins Gebirge gehn. Arbeiten werde ich vor Berlin wahrscheinlich nicht mehr viel.

Ich freue mich auf Deinen nächsten Brief, der hoffentlich wirklich ›in kürzester Zeit‹ eintreffen wird, und grüße Dich freundschaftlichst,   T. M.

[...]

spielte einen überlegenen Weltmann (mit einem kleinen Zusatz von Schuft), der seinen »überspannten« Sohn mit Achselzucken behandelt.

Zwischen den beiden Aufführungen lagen für mich die Tage in den Bergen. Neubeuern, von wo aus ich Dich grüßte, ist ein kleiner, hauptsächlich von Malern besuchter Ort, nur wenige Stunden von München entfernt (mit dem italienischen Schnellzuge). Die Gegend ist stellenweise außerordentlich schön, aber die Zustände im Allgemeinen reichlich primitiv. Was Dich ja eigentlich garnicht interessiert. Am letzten Montag war ich dann noch in Kuffstein, was noch ein bischen südlicher liegt, in Tirol. Hier sind die Leute schon Österreicher und sagen »Servus!« statt »Grüß Gott!«, und man rechnet mit Gulden und Kreuzern. Es ist eine reizende kleine Stadt, in weitem Kreise von den Bergen umgeben und inmitten von dem grauen Gemäuer der Festung überragt. Der Inn ist hier viel breiter, als die Isar in München, und von starker Strömung. –

Hier habe ich gleich wieder zu leben angefangen, wie ich aufgehört hatte,: faul und bummelig, in Gesellschaft beim Wein im Café Luitpold, morgens zu Bett und mittags wieder auf. Seit Wochen habe ich keine Zeile Prosa mehr geschrieben. Nur, wie gesagt, ein paar Gedichte, darunter ein Sonett, – das erste meines Lebens, aber hübsch; Frau Holm schwamm in Entzücken. Ich schicke es dem »Magazin«. – Jetzt kommt es mir so vor, als sollte ich wieder arbeitsamer werden. Es zieht mich wieder zu meiner begonnenen Novelle, die glaube ich, »Piété sans la foi« heißen wird, und eine Allerneueste habe ich heute concipiert.

Der »Kleine Professor« wird schon kommen; August oder September. Über »Walter Weiler« habe ich noch immer keine

Nachricht – gottseidank, denn jeder Tag, an dem ich das Manuskript nicht zurückbekomme, ist ja Gewinn. Übrigens erwarte ich täglich den Besuch Dr. Dehmels. – – –

Was Dein »Verklungen« betrifft, auf das Du zurückkommst, so mag es gern das beste sein, was Du geschrieben hast. Daß, wie ich glaube, der Titel nicht hinreichend durch den Inhalt erklärt ist, ist ja schließlich nur eine Kleinigkeit. – Ich wünsche Dir Glück zu Deiner neuen Arbeit. Hast Du Gedichte geschrieben in letzter Zeit? Dann schicke sie mir. Hoffentlich schreibst Du mir bald. Wenn Du kein Geld hast, so schreibe ruhig aufs Couvert: »Vom Empfänger zu bezahlen«; da ich kürzlich meine Uhrkette versetzt habe, wird mich das nicht anfechten!

Mit freundlichem Gruß   Dein Thomas Mann.

[Postkarte]
Adalbertpost   [München, 6. 7. 1895]

Lieber Grautoff.

Es ist mir leider ganz unmöglich, Deinen Wünschen betr. meine Reise noch weiter entgegenzukommen, als ich es schon gethan habe. Ich reise gegen den Wunsch meiner Mutter, die mich eigentlich bis nach den Ferien hierbehalten möchte, *schon* (nicht *erst*) Anfang August. Früher ist es mir nicht möglich, trotz aller Interjectionen Deinerseits. Du mußt Dich danach einrichten. Ich bitte Dich nochmals, mir einen Tag zwischen1.– 6. August anzugeben, an dem ich Dich vorfinden kann. – Dank für Deinen Brief!   T. M.

Lieber Grautoff.

Ich bin sehr beschäftigt, und Du wirst auf einen längeren
Brief wohl einige Zeit warten müssen; es sind ja auch kaum
4 Wochen mehr, bis. Vielleicht werde ich Dir »Heimgeg.«
auch erst persönlich zurückgeben. Jedenfalls bitte ich Dich,
mir irgendwie kurz Deine Entschlüsse betr. unsere Zusammenkunft mitzuteilen; und zwar bald, damit ich mich danach einrichten kann. Übrigens, wenn es Dir *so* ganz unmöglich ist, so könnten wir uns ja auch eventuell erst treffen, wenn Du von Lübeck *kommend* Berlin passierst.

Ich erwarte Nachricht von Dir.   T. M.

                                   München d. 10. 7. 95

Lieber Grautoff.

Dein Gedicht ist recht gut, »Heimgegangen« sogar sehr gut,
bis auf allerlei . . .

Weißt Du das neueste? Übermorgen reise ich ab und zwar
nach – Italien. Heute früh bekam ich einen Brief von meinem
Bruder, und nun ist alles in Ordnung. Deutschland wird mich
fürs erste nicht mehr sehen. Vielleicht, daß ich im Winter
nach Berlin komme; Gott weiß es; höchstens der.

Du wünscht mir natürlich alles Böse; aber hoffentlich nützt
es nichts. Meine Adresse wird fürs erste sein:

                    Palestrina
                 (presso *Roma*)
               Casa Pastina-Bernardini.

Der Abschied von München wird mir aus einigen Gründen
recht schwer; aber sie will mir schreiben, und andererseits
bin ich natürlich voll Begeisterung.

In den letzten Tagen habe ich noch ziemlich fleißig gearbeitet, und in Italien wird viel schattige Ruhe in schweigsamen Hainen mein Schaffen begünstigen. Wenn ich dort nicht mindestens ein Dutzend Novellen concipiere, so will ich kein Künstler sein!

Hoffentlich läßt Du bald von Dir hören.

Dein Thomas Mann.

P. S. Hab' ich Dir geschrieben?: Dehmel besuchte mich neulich. »Walter Weiler« ist acceptiert. Hast Du den »Pan« gesehn? Es ist eine Pracht.

[Palestrina, August 1895]

[...]

kann ich Dir das Manuskript ja noch einmal geben, mit den neuen zusammen. – Daß Dir der Pan mißfallen hat, bedaure ich. Es ist doch eigentlich ein Extract aus Allem, was es an raffinierter Kunst nur giebt. Gewiß ist viel Affectation dabei. Aber warum nicht? Das ist mir nicht weiter unsympatisch. Auch die Heine'sche Illustration zu den »Demi-Vierges« des Marcel Prévost kannst Du in meinen Augen nicht herabsetzen. Diese raffinierte Primitivität ist Dir nur in der bildenden Kunst noch unverständlich; in Litteratur umgesetzt, würdest Du sie gleich zu genießen wissen. Und wenn Du das Buch kenntest, würdest Du sehen, wie der Künstler die Figur der jungen Dame feinsinnig begriffen hat. – Übrigens, ich will allmählich schließen; denn erstens möchte ich vorm Schlafengehen noch ein Stündchen lesen und zweitens möchte ich nicht, daß der Brief doppeltes Porto kostet; ich bin kein reicher Mann; wenn ich verrottet bin – am Reichtum liegt's nicht. – Noch eins: Mein Bruder, der mich schreiben sieht, erkundigt sich nach Deinem Bruder Ferdinand. Er muß doch allmählich ausstudiert haben? Oder wie lange ist er auf der

Universität? Schreibe bitte, was er macht. – Übrigens: Kürzlich habe ich mich zum litterarischen Mitarbeiter des »xx. Jahrhunderts« aufgeschwungen; mein Bruder ist ja Herausgeber. In der letzten (August-) Nummer habe ich schon eine unsäglich überlegene Notiz über Panizza gebracht, die mit »T. M.« gezeichnet ist. Im nächsten Heft kommen zwei Bücherbesprechungen. Die Sache macht mir Spaß, obgleich sie ja gar keinen Zweck hat.

Besten Gruß! T. M.

[Postkarte] Roma, Via Torre Argentina 34.
d. 5. x. 95.

Lieber Grautoff.

Ich möchte wissen, warum ich kein Wort mehr von Dir zu sehen bekomme. Die italienische Post ist sehr miserabel. Entweder ist mein letzter Brief, der bemerkenswert poetisch war, verloren gegangen, und Du wartest noch immer auf Nachricht von mir; oder *Du* hast mir schon wieder geschrieben, und *ich* habe nichts bekommen. Wie verhält es sich? – – Von Rom bin ich begeistert! *Du* gehörst auch nach Rom . . . – Ich werde so lange wie möglich hier bleiben; wahrscheinlich bis Mitte November. Laß *sehr* bald von Dir hören! Ich warte seit langen Wochen! T. M.

München d. 17. 1. 96

Lieber Grautoff.

Dies Mal will ich Dir denn etwas zu lesen schicken, als vorläufiger Ersatz für die Photographie, auf die Du noch immer warten mußt. Ich habe mich, Gott verzeih's mir, *noch* nicht zu der Procedur entschließen können; aber nun soll es auch bald geschehen. –

Die Reihenfolge, in der die Manuskripte entstanden ist diese: »Im Mondlicht« (Palestrina, August 95) »Begegnung« (Porto d'Anzio, September 95) »Zur Psychologie des Leidenden« (hier, November 95) und »Der Wille zum Glück« (hier, Dezember 95). – Ich muß Dich bitten, mir die Sachen, nebst einer schönen Kritik, *möglichst bald* zurück zu schikken und werde Dir wohl zu diesem Zwecke das Porto beilegen, damit Du nicht die geringste Entschuldigung hast, mich warten zu lassen. Ich werde nämlich das Eine oder das Andere davon vielleicht nächstens brauchen können. Vor einiger Zeit bekam ich plötzlich eine Karte von Herrn O. E. Hartleben, auf der er mich (»Theodor Mann«) »in Sachen des Simplicissimus« (?) zu einem Rendezvous in irgend einer Weinstube aufforderte. Ich war überzeugt, daß eine Verwechslung vorlag, schrieb ihm kurz in diesem Sinne und dachte nicht mehr daran. Jetzt erfahre ich, daß der »Simpl.« ein Blatt ist, das der reiche Verleger Herr Albert Langen hier herausgeben wird und das Herr Hartleben zum Theil redigieren wird. Letzterer hat damals in der Pan-Redaktion meinen »Walter Weiler« gelesen; u.s.w. – Ich merke, daß ich eine heftige Dummheit gemacht habe und werde mich nun wohl, da Herr Hartleben wieder in Berlin ist, an Herrn Langen selbst wenden und ihm, wohlwollend wie ich bin, etwa den »Willen zum Glück« zur Disposition stellen. – Er hat, anbei erzählt, »Mutterlieder« von Mia Holm für seinen Buchverlag acceptiert.

– Deine neuen Werke habe ich mit Interesse gelesen. Über die Studie, deren Titel kokett aber nichtssagend ist, habe ich nichts Neues zu sagen. Ich wiederhole, daß die Form nach und nach geschmackvoller wird. Bei den Gedichten ist das leider nicht der Fall. Vom ersten sind nur die beiden letzten Verse auszuhalten, und das zweite mit seinen »Sternlein« und seinem »blutenden Liedersingen«, das einen, sich auf »Herz« reimenden, »Schmerz« »klagt«, wirkt komisch. Übrigens ist ja auch das eine Wirkung; aber wohl kaum die beabsichtigte. – Es wird schon immer besser werden! Und schließlich ist Dein Talent ja keine Brotfrage. Du bist ja jetzt gelernter Buchhändler und kannst nie verhungern.

Es wäre wirklich hübsch, wenn Du anno 97 hierher kämst: Aber Deine Frau Mutter weiß ja, daß ich hier bin ...? Nach Berlin zu gelangen ist mir wirklich vorläufig unmöglich; aber die Möglichkeit Dich hier zu sehen, ist ja eine ganz neue und sehr erfreuliche Perspective. – –

Was Deine litterarische Bildung betrifft, wegen der Du mich um Rath fragst, so ist eine detaillierte Antwort schwer zu geben. Ich kann Dir nur allgemeiner Weise empfehlen: Lies *nur*, was Dich *interessiert*. Lektüre, die man ohne Interesse betreibt, bildet meiner subjectiven Erfahrung nach nicht im allergeringsten. Soweit wie Dein Interesse geht, genau so weit bist Du bildungs*fähig*. Das Interesse für dies und jenes kommt langsam und mit den Jahren. Wer sich weltlitterarischer Bildung bestrebt ist mit 30 Jahren noch ein Anfänger. Übrigens ist der Bildungs*trieb* an sich ja schon die Hauptsache. Du wirst reisen, sehen, lernen, und die Bücher, die Dein Interesse begehrt, werden Dir, als Buchhändler, ja niemals fehlen.

Ich lese augenblicklich ausschließlich französisch, was ich endlich gründlich lernen muß, und ich kenne schon jetzt kaum einen feineren Genuß, als die Lektüre Maupassant'scher Novellen, dieser kleinen wagehalsigen Geschichten, die unübersetzt und unübersetzbar sind. Auch Bourget ist ja im Original etwas unvergleichlich Anderes! Und dann eröffnet sich einem eine ganze, neue Litteratur, die Schule von 1830 z. B., die man bislang nur aus seinem Brandes kennt, Balzac, Mérimée, Stendhal; und die großen Kritiker! – –

– Dein wildes Toben wider die Gemeinheit und Falschheit

dieser Welt wirkt – ich muß es Dir noch einmal ausdrücken – wirklich *nur* erheiternd. Schimpfen, mein Freund, kann Jeder. Dem Psychologen steht es wahrlich besser an, zu *verstehen*, zu *erklären*. Verurteilen zeugt *immer* von Verständnislosigkeit und psychologischem Nichtvermögen. Comprendre c'est sourire, Monsieur. –

– Also die Manuskripte bekomme ich, nebst einem schönen Brief, *sehr* bald zurück!

Mit herzlichem Gruß   Dein Thomas Mann.

München d. 2. 2. 96

Lieber Grautoff.

Du wartest gewiß schon mit Sehnsucht darauf, Dein Manuskript zurückzuerhalten; aber ich war in den letzten Tagen durch ein niederträchtiges Zahnleiden an jeder Thätigkeit gehindert. Du hast dergleichen ja wohl auch kürzlich durchgemacht und weißt, wie es thut. Meines war eine Wurzelhautentzündung allerschlimmster Art, und die gräßlichen Nächte, die ich durchwachte, bevor im wehevollen Busen der grause Entschluß gereift: zum Zahnarzt zu gehen – ach! und bevor es zur Ausführung gelangt – ich möchte sie für ewigen Dichterruhm nicht noch einmal erleben! – Zahnschmerz war immer der Wurm, der an den Wurzeln meines Optimismus tückisch nagt, und oft habe ich grübelnd dabei der Frage nachgesonnen, ob nicht der schaffende Wille edler und feiner gehandelt hätte, würde er dem Menschen, der doch seine Geistigkeit nur vor den Tieren voraushat, alles körperliche Leiden erspart haben; denn wahrlich: das geistige allein hätte vollauf genügt ... Man denke sich einen Philosophen mit gemeinem Bauchweh! – Es ist psychologische Thatsache, daß physisches Leiden von der Geistigkeit als Hohn und Schmach empfunden wird. – – Entschuldige diesen Abschweif. Du siehst, ein wirklich kontemplativer Mensch macht sich auch über Zahnschmerz noch seine Gedanken. –

Heute Abend ist Gesellschaft bei uns, und bevor ich mich in Schwarz werfe, um als Tänzer und Causeur mich schauspielerisch zu versuchen, danke ich Dir für Deinen letzten Brief, der Deine allzu höfliche Meinung über meine Novellen enthielt. Der »Wille zum Glück« allerdings macht mir Ehre. Er ist nunmehr von Herrn Langen für den »Simplicissimus« angenommen und wird sogar bezahlt werden, was auf dem vornehm gedruckten Formular ausdrücklich versichert wird. »Eigentlich sei« so schrieb mir dazu Herr Langen, »die Geschichte zu lang für den Simpl. Aber weil es eine ernsthafte und kluge Arbeit sei, so . . . Anbei solle ich mich zwingen, meine Kunst fester und intensiver zu gestalten.« – Die erste Nummer wird übrigens erst im April erscheinen. –

Für Deine Aufnahme bei Herrn Langen scheint mir wenig Aussicht zu sein. Er arbeitet lediglich mit einem Herrn Sven Lange zusammen, einem jungen schwedischen Schriftsteller, dessen Novellenband ›Engelke‹ ebenfalls bei Langen erschien. Kennst Du das Buch? Es ist recht hübsch. –

Deine neueste Arbeit: »Auf dem Hügel« habe ich mit Vergnügen gelesen. Der Ausdruck bessert sich, wird gewandter, treffender, durchsichtiger – mehr kann ich wieder nicht sagen. Ich wünschte, daß Du nun auch mal einen kleinen *Einfall* haben mögest. Für alle diese gräßlich tiefen Nachtspaziergangsgedanken hättest Du ja eigentlich Dein Tagebuch; dort, finde ich, wären sie sehr gut aufgehoben. Zum *Novellisten* fehlt Dir eigentlich noch Alles, vor allem die *Erfindung*, die *Fabel*. Versuche doch einmal, ob Du nicht eine *Geschichte* erzählen kannst, irgend einen äußeren Vorgang, in dem verschiedene Menschen handeln und sprechen. Von Dialogführung hast Du auch noch keine Ahnung. Ein Vergleich zwischen uns Beiden kann kaum stattfinden, denn wir entwickeln uns unter zu verschiedenen Bedingungen. Aber mit 19 Jahren (und Du hast ja wohl bald 20?) schrieb ich »Gefallen«. Darin ging doch wenigstens etwas vor, darin war doch wenigstens etwas Handlung, Bewegung, Dialog, Gesten, Anfang, Höhepunkt, Schluß, – was alles nicht ausschloß, daß auch ein wenig Stimmung und Psychologie darin war: Alles neunzehnjährig natürlich; aber es war doch da. – Solltest Du dergleichen nicht auch einmal versuchen können? –

Ich weiß nicht, wieso Du mir vorwirfst, daß ich Deine Briefe nicht *beantworte*. Habe ich irgend einer der Fragen, die Du an mich gerichtet hast, z. B. der nach Lektüre letzthin, die Antwort verweigert? Zwar, heute wirst Du nun wohl erwarten, daß ich Dir auf Deine Auslassungen über Christen und Christenthum antworte – und da muß ich Dich wirklich enttäuschen: darauf ist schlechterdings nichts zu entgegnen. Du weißt nicht recht, was Metaphysik ist, und Du weißt nicht recht, was Christentum ist, aber Du gebrauchst diese Wörter mit Zuversicht. Erlasse mir es bitte, Dich darüber aufzuklären. Du wirst das Alles ganz unmerklich und von selbst lernen und erfahren; jetzt kannst Du über dergleichen Dinge noch nicht mitreden. Verzeih mir die Thatsache. –

Ich bin wirklich neugierig, wann wir uns wieder mündlich werden unterhalten können, was anno 97 aus Dir werden wird. Weißt Du, Dich hier in München einige Tage zu ernähren, dazu würden denn doch wohl meine Privatmittel kaum ausreichen – »*Das* nimm mir nicht übel!« Ein Eisenbahnbillet könnte ich Dir, wenn Du in der Nähe bist, jedenfalls »spendieren«, aber für Wohnung und Essen müßtest Du, wenigstens größten Theiles, selber aufkommen. Das Beste wäre entschieden, wenn Du überhaupt hierher kämest; was doch garnicht schwer sein kann. Es giebt hier so viele Sortimentbuchhandlungen, daß es mit der Elster zugehen müßte, fändest Du nicht irgendwo einen Unterschlupf. Ich weiß ja nicht, wann ich 97 aus Italien zurückkommen werde; aber es würde mich freudig bewegen, wenn ich Dich dann hier als wohlbestallter Buchhändler vorfände. Ich würde natürlich sofort Deinen Prinzipal zu meinem Lieferanten ernennen; dabei wird der Mann reich werden. –

Ich vernehme mit Genugthuung, daß Du Deine Frau Mutter ein wenig über mein Sein und Wesen »aufgeklärt« hast. Es ist mir manchmal ein unangenehmer Gedanke, daß man meiner Weltanschauung in Lübeck nur den tiefsten Grad von Frechheit, Gemeinheit und Niedertracht zutrauen zu müssen glaubt. – Ach, welcher Mensch kennt und versteht einen anderen überhaupt jemals wirklich! Warum ist der Gottgedanke schön? Für mich nur, weil er der Gedanke an ein Wesen ist, das einen bis in die letzten Tiefen *versteht*. Das giebt es auf Erden nicht. Jeder ist allein, ganz allein ... Lies Maupassants »Sollicitude«. – –

– Auch Dein Herr Bruder, scheint es, ist nicht verstanden worden. Als er das Gymnasium korrekt und gedankenlos absolviert hatte, begann er den braven, vernünftigen und bescheiden strebsamen Carrièremenschen, dem alle Windbeutelei fremd und zuwider, mit Geschick zu markieren. Nun stellt sich heraus, daß Deine Frau Mutter für ihre alten Tage auf *Dich* vielleicht eher rechnen darf, als auf ihn. – So geht's. – –

– Für Donnerstag, zum »Künstlerkonzert« (gestatte die Anführungsstriche) wünsche ich Dir viel Vergnügen. Frau Sucher ist nachgrade wohl ein bischen passée und will sich deshalb in unverwöhnten Provinznestern frische Lorbeeren holen. Jedenfalls wirst Du dergleichen noch nicht gehört haben. Erzähle mir, was sie gesungen hat, und wie es war. –

– Morgen will ich Herrn Langen meinen Besuch machen. Ich muß ihn warm halten; er soll später meinen Novellenband verlegen. Der »Simplicissimus« soll übrigens eine Art »Gil Blas« werden, mit Illustrationen. Jedenfalls wird er amüsanter als der »Pan«, der mich nachgrade mit seiner kindischen Manieriertheit anekelt.

– Du schreibst mir natürlich sehr bald.

Besten Gruß!   T. M.

München d. 17. 2. 96

Lieber Grautoff.

Besten Dank für Deinen Brief, für den ich heute Vormittag freundlich lächelnd 30 Pfennige bezahlte.

Schlimmer als Zahnweh ist der einjährige Dienst höchst wahrscheinlich nicht; aber ich glaube garnicht, daß Du die Probe wirst zu machen brauchen. *Ich* habe bis jetzt die Sache *so* gemacht: Im Januar 1895 ging ich mit meinen Schulzeugnissen, auf ein angeschlagenes Plakat hin, in die »Ersatz-Commission« und ließ mir »auf Grund« meiner Papiere meinen Berechtigungsschein zum einjährigen Dienst von der Militärbehörde ausstellen. Auf eben diesem Schein steht gedruckt, daß ich bis zum 1. Oktober 1898 von der Aushebung zurückgestellt bin. Ich *kann* schon vorher eintreten, was ich aber unterlassen werde. Fürs erste bin ich also in dieser Beziehung sorglos. 98 kommt dann die Untersuchung, die Entscheidung, ob ich tauglich bin oder nicht. Aber wenn man auch schon genommen ist, kann man sich – ich kenne hier ein Beispiel – doch noch so untauglich benehmen, daß sie einen wieder fort schicken. Das »Abreißen« hast Du ja gelernt. Turnen ist übrigens wohl nicht die Hauptsache dabei, sondern exercieren, schießen und andere ritterliche Übungen. Wenn Du aber den Berechtigungsschein von der Militärbehörde noch nicht hast, so wird es wahrscheinlich höchste Zeit, daß Du ihn Dir besorgst. Denn vor Ablauf des 20ten Lebensjahres, d. h. bevor man seinen 20ten Geburtstag feiert, muß man ihn, glaub' ich, besitzen. Erkundige Dich bei Leibe zur rechten Zeit, sonst mußt Du am Ende 2 Jahre dienen und wirst à la paysan behandelt.

Dein Gesundheitszustand nimmt mich nicht Wunder. Ich rathe Dir, regelmäßig eine *bestimmte* Anzahl von Stunden zu schlafen und jeden Morgen den ganzen Körper kalt zu waschen. Letzteres thut mir sehr gut. Außerdem schränke das Cigarettenrauchen ein und verwende Dein Geld lieber für reichliche und kräftige Nahrung. Im Übrigen hoffe ich, daß Du jetzt geschmackvoll und mit Dirselbst im Einverständnis lebst. Das Ausrotten eines schlechten Triebes geschieht allerdings nicht plötzlich mit einem moralischen Aufraffen; das bedeutet garnichts, und man ist bei einem unvermeidlichen Rückfall nur desto verzweifelter. Es ist ein langsames, behutsames Schwächen und Abdorrenlassen des Triebes nötig, wobei alle möglichen intellectuellen Kunstgriffe mithelfen, die einem der Selbsterhaltungsinstinkt suggeriert. Schließlich ist man viel zu sehr homme de lettres und Psycholog, als daß man nicht nebenbei seine überlegene Freude an solcher Selbstbehandlung haben sollte. Irgendwelches Verzweifeln wäre in Deinem Alter unsinnig. Du hast Zeit, und der Trieb zur Ruhe und Selbstzufriedenheit wird die Hunde im Souterrain schon an die Kette bringen. –

Was Dein Herkommen betrifft, so glaube ich doch, daß sich die Sache ohne Schwierigkeiten einfädeln lassen wird. Du inserierst Anfang 97 in den »Münchener Neuesten Nachrichten«: »Junger Buchhändler, der seine Lehrzeit beendet hat, sucht Stellung als Commis in einer Münchener Buchhandlung.« Es sollte mich wundern, wenn Du darauf hin nicht wenigstens *ein* Anerbieten bekommen solltest.

Wenn Du aber auch nicht grade nach München gelangst, so wirst Du jedenfalls in einer größeren Stadt leben, vielleicht

sogar in Berlin, wirst nicht mehr als »merkwürdiger Laden-
schwengel« auffallen (denn in großen Städten giebt es immer
noch viel »merkwürdigere« Existenzen), wirst freiere Bewegung und etwas zu sehen haben u.s.w.

Vielleicht wird Dich das Alles dann auch zum *Fabulieren*
anregen. Daß Du Deine Erlebnisse hast, weiß ich; aber vielleicht hast Du ein bischen Phantasie? – Übrigens bin ich
ganz einverstanden damit, daß Du fürs erste das Schreiben
einstellen willst; allein schon, damit Du genügend Schlaf
hast, finde ich das räthlich. –

Wenn Du für den »Simplicissimus« 1,50 M. *übrig* hast, d. h.
wenn Du keine alten Semmeln dabei schlucken mußt, so
kannst Du ja abonnieren. Sonst genügt es ja auch, daß Du
Dir einzelne Nummern kaufst. Ich glaube, sie werden nur
10 Pf. kosten. Das Blatt wird jedenfalls recht hübsch. Es soll
eine Art Gil Blas werden, illustriert, chic und litterarisch,
d. h.: Kitsch und Familiengenre ausgeschlossen.

– Das Concert-Programm hat mich interessiert. Ich schicke
es Dir zurück, weil Du es Dir wohl zum Andenken aufheben
wirst.

– Bekommen sollst Du mein Bild. Aber ich habe mich noch
immer nicht entschließen können, die Prozedur vornehmen
zu lassen. Gedulde Dich noch etwas; über Kurz oder Lang
werde ich mich ja aufraffen.

– Hoffentlich fällt Dich das »physische Leiden« nicht so bald
wieder an. *Mir* geht es in letzter Zeit viel besser. Ich habe
ein bischen vom Fasching mitgemacht und lebe jetzt wieder
ganz ruhig, zurückgezogen und beschaulich dahin. Die guten Bücher sind doch das Beste auf der Welt! Neulich las
ich auch Fontanes neuen Roman »Effi Briest«, der ganz vortrefflich ist. Jetzt beschäftige ich mich mit Bourgets »Physiologie de l'amour moderne«. Bei Bourget fällt mir ein: Im
nächsten Monat kommt mein Bruder hierher, worauf ich

mich sehr freue. Der Sommer wird mir in Gemeinschaft mit ihm viel schneller vergehen, und im Herbst geht es wieder nach Italien, – was mich mit Entzücken erfüllt. Oh mein Rom! Sähe ich erst Deine Säulen wieder! Und Deine *Menschen* ...

– Übrigens: Ich habe es dieser Tage bei mir ganz besonders warm. Ich verbrenne nämlich meine sämmtlichen Tagebücher – ! – Warum? Weil sie mir lästig waren; räumlich und auch sonst ... Du findest es schade? – Aber wo sollte ich sie auf die Dauer lassen, z. B. wenn ich für lange Zeit verreise? Oder wenn ich plötzlich sanft hinüberschlummerte? Es wurde mir peinlich und unbequem, eine solche Masse von geheimen – *sehr* geheimen – Schriften liegen zu haben. Deine sämmtlichen Briefe und einige uralte Novellen zweifelhafter Art, darunter sogar der unschuldige »B...l« haben ihre chemischen Hauptbestandtheile ebenfalls zum Schornstein hinaus geschickt. Ich empfehle Dir, eine ähnliche Säuberung vorzunehmen. Mir hat sie ordentlich wohl gethan. Man ist die Vergangenheit förmlich los und lebt nun wohlgemuth und unbedenklich in der Gegenwart und in die Zukunft hinein.

– Zum Schluß: Glaube janicht, daß dieser Brief kurz ist! Er ist wohl länger als Dein letzter.

Schreibe mir bald wieder.

Thomas Mann.

[Anfang März 1896]

[...]

selbst nach Zürich übersiedelt, und daß ich im Herbst werde allein nach Italien gehen müssen. Man hält es für rätlich, daß ich vor Allem einige Zeit in *Paris* lebe; aber Rom und Neapel locken mich unvergleichlich viel mehr, und Paris

möge nachher kommen. – Meiner Mutter geht es, gottseidank, gut. Sie hat vom Fasching, der nun vorüber ist, in den
höheren Regionen etwas mitgemacht, – was man in Lübeck
gewiß mit Grausen vernehmen würde, denn ist sie nicht vor
4 ½ Jahren Wittwe geworden? – Der Kleine, der schon ein
ganz großer Junge ist, singt, schreit, hat mit Altersgenos-
sen Turnunterricht bei einem Herrn »Scherschanten« (Ser-
geant) und spielt mit einem Finger das Siegfried-Motiv auf
dem Klavier. Diese süblime Vervollkommnung seiner Erziehung verdankt er natürlich mir. – Die jüngere Schwester geht
zur Schule und liest Romane wie alle Backfische, und die Ältere, die ein Jahr lang in einer Karlsruher Pension war,
hat bei einem fürchterlichen Privatlehrer *lateinischen* Unterricht, – ein neues Décadence-Merkmal in unserer kleinen
Familie, die Pastor Ramke mit dem weniger litterarischen
Beiwort »verrottet« zu bezeichnen beliebte. –
Das wäre wohl schon beinahe Alles, was ich Dir auf Deinen
Brief zu erwidern habe. – Das Programm, das Du mir diesmal zeigst, ist allerdings weniger interessant, als das vorige;
aber Bungert ist doch auch recht hübsch. Ist eigentlich in
Brandenburg auch ein Theater?
Auf die Novelle, die Du – nach der beschlossenen Ruhepause
doch wohl? – zu schreiben denkst, bin ich aufrichtig ge-
spannt und wünsche Dir viel Glück dazu.
Wie ich das überhaupt thue.

T. M.

München d. 19. III. 96.

Lieber Grautoff.

Hier ist es Frühling geworden, beinahe schon Sommer; man
hält die Fenster offen, die Vögel zwitschern, und vom blaß-
blauen Himmel weht eine so erschlaffend süße und weiche

Luft, daß man am liebsten im Sessel die Augen schließen, die Hände falten und in dumpfe Betäubung versinken möchte, ohne zu denken, ohne zu träumen, wohl auch ohne etwas zu fühlen. Ich habe denn auch in den letzten Tagen nichts Anderes gethan, als ein wenig an meinem Tagebuch gearbeitet, und wenn ich heute überhaupt ein paar Buchstaben malen will, so sehe ich mich genötigt, Dir wieder einmal einen Brief zu dichten: mag daraus werden, was da will. –

Dein schätzenswertes Schreiben vom siebenten, achten und zehnten Tage dieses lauen Märzmondes hat mich natürlich, trotz der neckischen Introduction ganz ungemein erfreut, denn ich habe nicht genug gute Laune übrig, um mich über alles schlechte Französisch zu ärgern, das trotz der sehr, sehr erhebenden »nationalen Bewegung« noch immer in Deutschland geschrieben und gesprochen wird. Das Deutsch, das Dein Brief enthält, ist schon ein wenig besser, die Psychologie Deines Herrn Chefs hast Du glänzend geliefert, und das märkische Landschaftsbild, das Dein Pinsel mir schuf, ist schlechterdings poëtisch zu nennen. Kurz gesagt, auch alles Übrige hat mich aufs Angenehmste unterhalten, und unklar bleibt mir allein, warum Du bei dem folgenschweren Schritt zum Abonnement auf den »Simplicissimus« nicht das Pseudonym »Joáchim Pamps« bevorzugt hast? »Uhlmann« klingt mir – ich gestehe, daß ich nicht weiß, warum – wie der Name eines steckbrieflich verfolgten Raub- oder Lustmörders. Aber das thut ja garnichts . . .

Also Schleiermacher und Fichte haben Deinen Beifall nicht? Nun, das schadet niemandem. Aber dann ist Dein nationales Empfinden doch wohl noch nicht hinreichend erstarkt, denn damit darf man an holprigem Stil keinen Anstoß mehr nehmen; das ist ganz, ganz unpatriotisch. Lies tüchtige Reichstagsreden, lege Dir recht heilige Überzeugungen zu, wirf

Deinen guten Geschmack und Deine Skepsis in die Havel und schließ' ans Vaterland, ans teure, Dich mit ganzem Herzen an, wie der Dichter so ungewöhnlich treffend singt. Aber vielleicht verlange ich zuviel? . . .

Ach Gott, wie sind Deine Zukunftsträume doch so veredelnd schön! Lübeck – Potsdam – Berlin – Sachsenwald – Hamburg – Leipzig – Nürnberg – München – *Rom* – – ja, ja! Gott wandle Dein Wünschen in Wirklichkeit. – Und wie klug und brav Du gehandelt hast, Deinem Herrn Vetter, ohne meine Antwort abzuwarten, von unserer freudigen Bereitwilligkeit, ihn hier bei uns aufzunehmen, Mitteilung zu machen! Es ist nicht zu ermessen, wie weit wir Alle, Alle die Arme öffnen werden, ihn zu empfangen, und wenn ich sage, daß wir ihn auf Händen tragen werden, so ist dies Wort erbärmlich schwach. –

Verzeih, meine Müdigkeit nimmt stetig zu, ein dumpfer Druck beherrscht den Kopf, die Lider sind schwer, träge versagen die Glieder den Dienst, und ein Liter herrlich germanischen Biers hat mir vollens den Blick getrübt. Ach, wenn ich des Chianti gedenke, des dunkel glühenden, mit dem man in Italiens Trattorien das Glas mir füllte! Daß dieser Sommer, der langsam erst naht, schon vorüber wäre! Daß ich mich schon in den Eilzug werfen könnte, um Österreich gelind zu verschlafen und, gleich Fausten, in »lieblicher Gegend« zu erwachen, wo schöne Menschen zum Überfluß mir noch ihr »Buon giorno« zurufen!

Denn dies München – habe ich es noch niemals gestanden? – wie herzlich bin ich seiner überdrüssig! Ist es nicht die *unlitterarische* Stadt par excellence? Banale Weiber und gesunde Männer – Gott weiß, welche Fülle von Mißachtung ich in das Wort »gesund« versenke! Und das letzte »Ereignis« – Du befiehlst, daß ich seiner erwähne – die frischfromm-fröhliche Turner-Attitüde, mit der die »*Jugend*« auf

der Bildfläche erschien: war es nicht wirklich ein wenig de-
goûtant? Vielleicht, dachte ich mir, ist die zeichnerische De-
koration weniger unbeträchtlich, als der Text? Aber Maler
sagen mir . . .

Wollen wir nicht lieber von etwas Anderem reden? Da ist
zum Beispiel der Titel, den Du nunmehr für Deine Novelle
ersonnen hast: »Gelüste der irdischen Sphinx« – er hat
mich tagelang beschäftigt. Giebt es auch noch himmlische
Sphinxen? Und können Sphinxen überhaupt »Gelüste« haben? Aber so zu fragen, ist wohl fürs Erste anmaßend, und
ich kann nichts sagen, bevor ich die Novelle selbst gelesen
habe, die ja auch schließlich die Hauptsache ist. – Titel, im
Allgemeinen, scheinen Deine Schwäche zu sein, und ich halte
es nur Deiner philosophischen Unbildung zu gute, daß Du
meinen »Willen zum Glück« in einen »Willen *des* Glücks«
veränderst. Davon abgesehen aber würde ich recht gern in
Deinem nächsten Brief alles das hören, was Du über die Novelle noch zu sagen hast und was [. . .]

München d. 23. v. 96

Mein sehr edler Gönner, –

nun bist Du wohl endgültig tot? Das ist eigentlich schade.
Wenn Du mir irgend eine Besthätigung Deines persönlichen
Fortbestehens zukommenlassen könntest, so würde mich
das recht hoch erfreuen.

Ernstlich geredet: Dein Schweigen ist durchaus beängstigend.
Du schriebst mir einst, drei Wochen lang etwa müsse ich ohne
einen Brief von Dir meine Stunden vertrauern; allein das
sind in Wahrheit sehr dehnbare Wochen . . .

Mir geht es – ich weiß, wie innig Dich das interessiert –
recht gut. Seit einiger Zeit ist mein Bruder hier, ich helfe ihm
feuereifrig, sein Blatt redigieren und schreibe außerdem an

einer neuen, gänzlich psychopathischen Novelle. Was ich lesen soll, weiß ich nicht mehr – ein solcher Platzregen von Recensionsexemplaren ist über mich hereingebrochen. Ich lese immer bloß die ›Waschzettel‹ und schreibe dann, je nach Laune, eine wohlwollende oder höhnische Note. Fürs Juni-Heft habe ich sogar ein paar längere Artikel gedichtet, die ebensogut von Herrn Harden sein könnten, und die ich Dir vielleicht schicken werde: natürlich nur, wenn Du aufhörst, mich in dieser geringschätzigen Weise zu behandeln.

In erholsamen Mußestunden machen mein Bruder und ich Reisepläne für den Herbst. Wir wollen dieses Mal schon in Genua aussteigen und zu Schiff nach Corsica gehen, um uns in *Ajaccio* einige Zeit aufzuhalten . . . (denkst Du nicht an Willri Timpe?) Von dort wollen wir nach Sizilien schiffen, vielleicht einen Abstecher nach Afrika machen und dann langsam über Neapel, Rom etc. wieder in die Höhe steigen. Dann wird wohl für mich die französische Schweiz, Genf etwa oder Lausanne, an die Reihe kommen, und das mit Recht so überaus hoch geschätzte Vaterland werde ich wahrscheinlich vorm Jahre 98 nicht wiedersehen: Dann freilich harrt meiner, wenn nicht der Stabsarzt ein menschlich Rühren empfindet, der gräßliche Moloch des »Militarismus«. Aber mit dieser Vorstellung beschäftige ich mich nicht gern, und sie hockt, als pluderäugiges Untier, grau und scheußlich hinter den bunten, lieblichen Spielen der nächsten Zukunft.

Ich habe eigentlich nichts mehr zu sagen, und überhaupt bin ich ja garnicht »dran«, sondern schreibe bloß aus erstaunter Gutherzigkeit.

Ich könnte Dich noch fragen: Hast Du bestimmtere Aussichten in Betreff Deiner Zukunft? Wirst Du nach München kommen? – ferner: Wie geht es dem Werk, von dessen Werden Du mir Kunde gabst? Werde ich's bald genießen dürfen?

Nun höre ich auf. Ich erwarte mit voller Bestimmtheit, daß mir in den allernächsten Tagen ein Brief von Dir zugehen wird und verbleibe in dieser Zuversicht
jetztund und immerdar
ganz der Deine.   Thomas Mann.

[Postkarte]   Unterach ª/Attersee, Salzkammergut
                               Hotel zur Post
                               d. 29. Juli 96.
Lieber Grautoff,
hast Du meinen letzten Brief aus München (mit »Carmen«) und meine Karte aus Salzburg bekommen? Ich hätte gern einmal wieder Nachricht von Dir, sei's auch nur eine Postkarte.
Besten Gruß.   T. M.

                               München d. 27. September 96.
Mein lieber Grautoff,
bevor ich wiederum, und dieses Mal wohl für lange Zeit, Deutschland verlasse, möchte ich Dich noch einmal kurz und freundschaftlich begrüßen, damit die Unterbrechung, die unsere Korrespondenz bedauerlicher Weise erlitten hat, sich nicht allzu lange hinschleppt.
Ich wage dabei vorauszusetzen, daß Du noch am Leben und noch nicht in einer »Anstalt« bist, – welche Perspektive Du mir ja schon verschiedene Male eröffnet hast. Ich bitte Dich, meinen Ton nicht als gemeine Frivolität aufzufassen, sondern ihn Dir aus meinem allgemeinen Überlegenheits- und Gleichgültigkeitsgefühl gegenüber der »ganzen Geschichte« zu erklären. Wenigstens ist der gute Wille zu solchen Gefühlen vorhanden, und er kann nicht wirksamer bestärkt werden,

als indem man die stilistische Federfertigkeit, die der sehr, sehr liebe Gott einem verliehen hat, dazu benutzt, sich über die »ganze Geschichte« zu moquieren.

Leider bin ich erfolglos bestrebt gewesen, von diesem guten Willen ein wenig auf Dich zu übertragen. Ich habe versucht, Dich aus Deiner traurigen Verzweiflung mit etwas Philosophie aufzurütteln, gegen Dein Leiden das überlegen Geistige in Dir aufzurufen – (daß dabei mein Bruder die Hand im Spiele gehabt hat, ist ein Irrtum; mein Bruder ist ein sehr kluger Mensch, aber an diese Dinge *denkt* der nicht . . .) – Du hast mir nicht nur nicht dafür gedankt, Du hast mich sogar dafür gescholten, und das, muß ich gestehen, hat mich ein wenig verstimmt und enttäuscht. Das ist vorüber, und heute bitte ich Dich einfach, mir zu glauben, daß meine Absicht gut war. –

Neulich war ein Freund meines Bruders bei uns zu Besuch, ein kluger und liebenswürdiger Mensch. Das brachte acht Tage lang etwas Bewegung, denn natürlich mußte ihm München produziert werden; im Übrigen aber sind meine letzten Wochen, seit ich aus Österreich zurück bin, sehr ruhig verflossen: zu ruhig, denn meine Nerven verlangen Abwechslung, und ich freue mich, daß meine Münchener Tage gezählt sind. Es sind kaum noch 14.

Ich weiß nicht, ob ich Dir die Reiseroute schon ungefähr mitgeteilt habe? Sie führt zunächst nach Zürich, wo einen Tag Station gemacht werden muß, weil mein Bruder dort geschäftlich zu thun hat. Die Wintermonate, für die ursprünglich Corsica ausersehen war, werden wir wohl in nicht zu teuren Orten an der Riviera verbringen; dann wird die Reise möglichst weit nach Süden fortgesetzt. (Kürzlich drang aus Lübeck die Sage zu mir, ich säße längst in »Afrika«; bist Du vielleicht der Urheber dieses Gerüchtes?)

Was meine Arbeit betrifft, so habe ich nach dem »Willen

zum Glück«, der wie Du weißt, im »Simplicissimus« erschienen ist, eine längere Novelle »Der kleine Herr Friedemann« geschrieben, die Geschichte eines Buckligen; ich weiß noch nicht, wohin ich sie schicken werde. Außerdem habe ich, als der »Simplicissimus« ein Preisausschreiben von 300 Mark für die beste Erzählung erließ, in der die »sexuelle Liebe« keine Rolle spielt, eine kleine Tagebuchnovelle »Der Tod« eingereicht und hoffe nun dreist auf den goldenen Lorbeer. – Hin und wieder schreibe ich auch für das »Zwanzigste Jahrhundert«. –

– Holm, nebenbei erzählt, ist noch immer in München. Er liebt diese einfältige Stadt von ganzem Herzen und wird wohl immer hier bleiben. Am 15ten Oktober tritt er in die Redaktion des »Simplicissimus« als Volontär ein. –

– – Du wirst mir nun hoffentlich sehr bald Nachricht über Dein Befinden und auch Deine letzte Reise nach Berlin zum Arzt geben, von der Du in Deinem letzten Briefe sprachst. Ich bleibe, wie gesagt, noch 14 Tage hier und hoffe, daß ich noch vor meiner Abreise einen Brief von Dir bekommen werde. Über meine spätere Adresse werde ich Dich natürlich immer auf dem Laufenden halten.

Ich begrüße Dich aufs herzlichste und wünsche Dir Mut und Humor. Thomas Mann.

Napoli. Via S. Lucia 28^{II}
8. November 96.
Nachmittags

Mein lieber Grautoff,
ich habe das Vergnügen, Dir mitzuteilen, daß Dein nach Venedig gerichteter Brief über Rom glücklich in meine Hände geraten ist. Ich habe ihn selbstverständlich mit dankbarem Vergnügen gelesen, obgleich er stellenweise ein wenig wahn-

sinnig war. Ich meine zum Beispiel die erstaunliche Passage von der gleißenden Hoffnung, dem Totenglöcklein, dem Philisterdrang und dem Strebertum ... Ich bitte um Verzeihung, daß ich mich aus dieser irren Deklamation nicht habe vernehmen können. Du weißt, daß mich Deine Gedanken, Gefühle und Stimmungen stets ungemein interessieren; aber könntest Du sie mir nicht ohne dieses verrenkte Pathos mitzuteilen versuchen? Ich würde Dir dankbar sein ...

Andererseits finde ich, daß das Gedicht, welches Du dem Briefe anfügtest, nicht schlecht ist. Es ist dieselbe Stimmung, die den Grundton meiner Novelle »Der kleine Herr Friedemann« ausmacht, die Sehnsucht nach neutralem Nirwana, Frieden und der Untergang im Geschlechtlichen. Kein Zweifel, daß sich das in Versen viel inniger noch und wirksamer behandeln ließe. Aber es ist nicht schlecht, durchaus nicht schlecht. –

Was mich betrifft, so habe ich Venedig am 1ten des Monats verlassen, bin zu Schiff nach Ancona und von dort nach Rom gegangen. Ich habe dort mit einem tiefen Enthusiasmus die Stätten wiedergesehen, die vor einem Jahr den stärksten Eindruck auf mich gemacht. Aber es litt mich auch dort noch nicht. Nach allen ermüdenden und strapaziösen Erlebnissen, in die ich mich mit einer bedauerlichen Energie vertieft habe, wie ich sie meiner Jugend zugutehalten muß, war in mir ein großer Instinkt und Trieb stark: mich so weit nämlich wie nur immer möglich aus deutschem Wesen, deutschen Begriffen, deutscher »Kultur« in den fernsten, fremdesten Süden auf- und davonzumachen ... Ich bin, während mein Bruder in Rom blieb, nach Neapel gegangen, von dem ich mir eine ausgesuchte Mischsensation aus Rom und Orient versprach.

Ich bin nicht enttäuscht worden. Die orientalische Note klingt hier vernehmlich mit, – was freilich die stolze Vornehmheit beinahe ausschließt, die für Rom charakteristisch ist, – diese majestätische Stadt par excellence. Neapel ist pöbelhafter, – aber von einer naiven, lieben, graziösen und ergötzlichen Pöbelhaftigkeit. Es hat nicht das kühne und hoheitsvolle Cäsarenprofil Roms, es hat eine Physiognomie mit etwas aufgestülpter Nase und etwas aufgeworfenen Lippen, aber sehr schönen, dunklen Augen ... Ich betrachte sie seit vier Tagen aufmerksam diese Physiognomie; ihre sinnliche, süße, südliche Schönheit ergreift mich mehr und mehr.

Die Via Santa Lucia, an der ich wohne, hat vielleicht das urwüchsigste und ungenierteste Volksleben. Das ist nicht mehr Europa, – endlich nicht mehr Europa! ... Jenseits der Bucht beginnt, während ich schreibe, der Vesuv zu erglühen.

Ich sehe allem zu, still, nachdenklich und ein wenig müde vor Einsamkeit. Meine Gedanken gleiten hin und wieder, gleich jenem Licht auf dem Wasser, das auf der dunklen Fläche etwas zu suchen scheint. Ich denke an mein Leiden, an das Problem meines Leidens. Woran leide ich? An der Wissenschaft ... wird sie mich denn zu Grunde richten? Woran leide ich? An der Geschlechtlichkeit ... wird sie mich denn zu Grunde richten? – Wie ich sie hasse, diese Wissenschaft, die selbst die Kunst noch zwingt, sich ihr anzuschließen! Wie ich sie hasse, diese Geschlechtlichkeit, die alles Schöne als ihre Folge und Wirkung für sich in Anspruch nimmt! Ach, sie ist das *Gift*, das in aller Schönheit lauert! ... Wie komme ich von der Wissenschaft los? Durch die Religion? Wie komme ich von der Geschlechtlichkeit los? Durch Reisessen? – –

Abends.

Ich habe diniert und in der Galleria Umberto den Kaffee getrunken. Was für ein Leben! Musik, Gedränge, Geschrei: Cerini! Giornali! Ein paar zerlumpte Jungen versammeln sich um meinen Tisch und flehen beinahe fußfällig um meinen Zucker. Und als sie ihn bekommen, welch ein Glück! Grazie tanto, tanto, signore! Sie beißen und schlucken mit Wollust. Aber nun ist großer Auflauf, denn ein Bersaglieri und ein Civilist sind mit Messern an einandergeraten. Es hilft nichts, man muß sie arretieren. Die Musik jubelt und schmettert dazu.

Und draußen auf dem »Toledo«! Wagen und Menschen, Wagen und Menschen. Hier und da, unter tausend anderen Verkäufern, schlau zischelnde Händler, die einen auffordern, sie zu angeblich »sehr schönen« Mädchen zu begleiten, und nicht nur zu Mädchen ... Sie lassen nicht ab, sie gehen mit und preisen ihre Waare an, bis man grob wird. Sie wissen nicht, daß man beinahe entschlossen ist, nichts mehr als Reis zu essen, nur um von der Geschlechtlichkeit loszukommen! ...

Den Vorzug der Billigkeit hätte es auch, das Reisessen, denn was denkst Du eigentlich über meine »pekuniären Verhältnisse«? Daß ich preisgekrönt werde, ist doch viel mehr, als zweifelhaft; wenn der Simplicissimus meinen »Tod« einfach ankäuft, so will ich mich freuen, und wenn Fischer 50 Mark für den kleinen Herrn Friedemann bezahlt, so ist das viel. Woher sollen die »vielen Hunderte« kommen? Mit wenig mehr, als 400 Franken soll ich noch volle zwei Monate leben. Sei also wirklich so gut, Deine Briefe auch fernerhin zu frankieren. Es geht nicht anders, und ich sehe ja, *daß* es geht.

Übrigens beklage Dich nicht immer über die Kürze meiner Briefe. Wenn ich vier Seiten schreibe, so ist das immer noch mehr, als wenn Du sechs schreibst. Nein, bitte: auch quantitativ!! –

Ganz der Deine.   T. M.

[Postkarte]

Roma d. 3. XII. 96.

Lieber Grautoff,
ich wohne hier *Via del Pantheon 57^{II}*, woselbst ich sehr bald
einen Brief von Dir erwarte. Hoffentlich hast Du meinen
letzten bekommen. Befolge in der äußeren Form Deines Briefes die Ratschläge, die ich Dir gab. Verzeih meine Kürze und
die Schrift. Ich schreibe im Restaurant nach Genuß verschiedener Weine.

Besten Gruß

T. M.

[Postkarte]

Rom d. 16. XII. 96.

Lieber Grautoff,
ich wohne Via del Pantheon 57^{II}, warum schreibst Du mir
nicht? Hast Du meinen letzten Brief aus Neapel nicht bekommen? Und auch von hier aus habe ich schon eine Karte
an Dich abgehen lassen. Hoffentlich bist Du nicht krank?
Wenn nicht, so wecke mir nicht mit noch längerem Schweigen
unnütze Befürchtungen.

T. M.

[Rom, Winter 1896/97]

[...]

Sensationell! – Wie wir aus bester Quelle vernehmen. wird
die Novelle »*Walter Weiler*« unter einem anderen Titel und
in gänzlich verändertem Arrangement (wahrscheinlich in
Tagebuchform) einer gründlichen *Umarbeitung* unterzogen
werden, und dürfte das Publicum diesem litterarischen Ereignis mit großer Spannung entgegensehen.

Dröhnerich Lama.

[Postkarte]

Rom d. 4. I. 97

Lieber Grautoff,

so spät leider und vorläufig so kurz meinen besten Dank für
Deine Karte und die beiden Briefe. Ich bin, weil ich mich bei
Fischer nicht in Vergessenheit bringen darf augenblicklich genötigt, wirklich mal ein bischen zu arbeiten und muß mich
des Briefschreibens, das mir eigentlich viel lieber wäre, für
einige Zeit enthalten. Über den Inhalt Deiner Briefe kann ich
mich auf dieser Karte ja nicht äußern. Ich kann vorläufig
nichts thun und nur sagen: Es wird sich schon Alles entwik-
keln und entwirren. Zum Leben sind drei Dinge nötig: Geduld, Geduld, Geduld.
Nochmals Dank für Deine Mitteilungen und nachträglich
die besten Wünsche für das Jahr 97.   T. M.

Rom d. 13. I. 97.
Via del Pantheon 57^{II}

Mein lieber Grautoff,

es ist eigentlich garnicht angenehm, wenn einen plötzlich,
mitten in einer mühseligen Novelle, die Mutmaßung über-
fällt, daß das Ganze ja wohl im Grunde falsch angelegt ist,
und daß man, will man aus dem Stoff etwas machen, von
Vorn wieder beginnen kann. Aber man kennt solche kleinen
Découragements, und wenn dieses schnell wieder verschwinden wird, so will ich auch jetzt nicht böse sein, denn es läßt
mich dazu gelangen, Dir endlich ein wenig ausführlich für
Deine letzten Briefe zu danken. Ich habe sie nicht eben »mit
Vergnügen gelesen«, das ist wahr, denn Erfreuliches enthielten sie ja kaum; aber mein lebhaftes Interesse haben, wie
alle Deine Mitteilungen, auch sie erweckt. Du forderst mein
»Urteil« über Deine Expedition nach Berlin und ihre Folgen,

aber Gott weiß, was da zu urteilen ist. Herr Moll ist ein behender Mann, der sich die Gelegenheit nicht hat entwischen lassen, auf sozusagen beinahe ehrliche Art ein Trinkgeld zu »verdienen« – ich weiß nicht, worüber Du Dich wunderst?

Was aber die hypnotische Behandlung betrifft, (mit der Du wohl schon begonnen hast?), so mußt Du in dieser Hinsicht natürlich vollkommen das thun, was Du für nötig und möglich hältst; auf welche Weise man zur Ruhe und Selbstzufriedenheit gelangt, ist ja gleichgültig. Vielleicht ist der Weg, den Du einschlägst, der einzig richtige, – besonders da ich glaube, (und weiß) daß Du eine beinahe ungewöhnlich suggestible Natur bist, die schon für jede Wachsuggestion sich empfänglich zeigt, und der ein einigermaßen starker Hypnotiseur alles Nötige wird ein- und ausreden können. Eine andere Frage freilich ist die des Geldes, in der ich Dir, wie ich schon auf meiner Karte andeutete, in der That nicht beistehen kann. Ich habe Dir oft genug gesagt, daß ich mich, abgesehen von gelegentlichen, kleinen Honoraren, mit nichtswürdigen 600 Frs. vierteljährlich durchschlagen muß; das mag Dir viel erscheinen, ist aber für meine Verhältnisse sehr, sehr wenig. Ich habe eine Weile lang Deine Briefe bezahlt und Dir für Deinen ersten schweren Gang zum industriösen Herrn Moll ein paar Pfennige »zufließen« lassen. Ähnliches mag sich gelegentlich wiederholen; darüber hinaus aber ist meine Kunst zu Ende, und wenn ich Dir augenblicklich wirksam helfen sollte, würde es sich doch um beträchtlich größere Summen handeln. Nach einiger Überlegung kann ich Dir nur den Rat erteilen, Dich ruhig in die Behandlung des hypnotisierenden Arztes zu geben (den Dr. K. Dir jawohl empfohlen hat?) und die Rechnung hernach Deinen Lübecker Verwandten zugehen zu lassen, die die Sache dann wohl oder übel in Ordnung bringen werden; denn wenn Dir ärztliche Behandlung nötig ist, können sie ja nichts dagegen sagen. – Was mich persönlich von allem am meisten beunruhigt, ist der Umstand, daß Deine Manuskripte – (was für Manuskripte sind das eigentlich?) – noch immer nicht wieder in Deinen Händen sind. Haben diese betriebsamen Herren in Berlin vielleicht die Absicht, sie als Dokumente für ein neues psychiatrisches Werk zu benutzen? In Deiner Stelle würde ich mit aller Schroffheit auf die Rückgabe meines Eigentums dringen. Die Sache ist mir umso unheimlicher, als der Verdacht nahe liegt, daß Du auch *mich* in den Schriften gelegentlich kompromittiert, meinen Namen, Äußerungen von mir erwähnt hast etc. etc. Ich bitte Dich dringend, mir in Deinem nächsten Brief über diesen Punkt volle Aufklärung zu geben. – –

Mein Leben in Rom ist noch das relativ angenehmste, das ich leben kann, zumal meine litterarische Verbindung mit Deutschland nicht abgebrochen ist und die interessanten Bücher und Journale mir zugänglich sind. Glücklich? ach nein, glücklich bin wohl auch ich nicht, sondern im Gegenteil bis zu einem hinlänglichen Grade gereizt, verdüstert und müde; aber zu reich gleichwohl noch immer an Moquerie und objektiver Überlegenheit, als daß ich imstande wäre, eine gewisse Art von larmoyanten Briefen mit »mein teurer Freund« und »Dein unglücklicher Freund« zu schreiben ... aber das ist kein Vorwurf! – Gewöhnt übrigens daran, das Pantheon vor der Hausthür zu haben und vom Pincio über die majestätische Stadt nach Sankt Peter blicken zu können, ängstige ich mich wie vor einem bösen Schicksal davor, im nächsten Jahre in Münchens Schwanthaler-Öde zurückzukehren, – auf die Gefahr hin, zwischen den Leistungen dieses furchtbaren Bildhauers in blau- und rotem Rock, wenn der Stabsarzt mich acceptiert, einhermarschieren zu müssen. –

Wir haben hier, solange die Tramontana anhält, verhältnismäßig kaltes Wetter bei blauem Himmel gehabt; nun wird der Scirokko wohl bis Ende Februar die Herrschaft behalten, denn im März beginnt ohnehin der Frühling, – der erste Frühling, den ich in Italien erleben werde: also der erste, den ich überhaupt erlebe. Im Sommer muß man für ein paar Monate die Stadt verlassen; wir werden wohl wieder nach Palestrina gehen, vielleicht auch nach Neapel und Umgegend. Aber darüber ist noch nichts entschieden. –

Ich hoffe, daß Du mich so bald wie möglich aufs Neue über den Verlauf Deiner Angelegenheiten unterrichtest. Mit den besten Wünschen für Dein Wohlergehen

Dein T. M.

[Postkarte]   Rom d. 22. 1. 97
                                               Via del Pantheon 57^{II}

Lieber Grautoff,

schicke den Brief (in kleinem Couvertformat, auch wenn er aus mehreren Bogen besteht) nur getrost ab: ich freue mich sehr darauf. Mit der Novelle aber warte lieber noch etwas, weil die Sache mich sonst wirklich zu sehr angreift.

Ich weiß nicht, ob Du noch auf den Simplicissimus abonniert bist? Zur Sicherheit und weil ich einige Belegexemplare besitze, schicke ich Dir die vorletzte Nummer, in der etwas von mir steht, was Du noch nicht kennst. Es war das Letzte, was ich in München schrieb.

Besten Gruß und Dank für Deine Karte.   T. M.

[Postkarte]

                                               Rom d. 28. 1. 97

Lieber Grautoff,

ich habe mir Deinen Brief – nicht ganz wohlfeil – gekauft wie man sich ein düsteres und leidvolles Buch kauft, das den

Blick übt, ins Dunkle zu sehen. Ich bevorzuge solche Lektüre aus dem Grunde, weil ich mich mehr und mehr daran gewöhne, mich im Dunklen zu Hause zu fühlen ... ich verfehle nicht, Dir zu danken. – Andererseits kann ich einen Vorwurf nicht unterdrücken und ihn auch nicht zurückhalten, bis ich dazu kommen werde, Dir ausführlicher zu schreiben. Ich habe mich schon wiederholt darüber geärgert, daß Du in Deinen Briefen gewisse Anfragen meinerseits einfach übergehst und mit Schweigen beantwortest, Gott weiß, ob aus Bequemlichkeit, Tücke oder Fahrlässigkeit. Du wirst Dich erinnern, daß ich in meinem letzten Briefe sehr eindringlich die Frage an Dich richtete: Ist in den bewußten Manuskripten mein Name enthalten?« Wird in ihnen meine Person in irgend einer Weise kompromittiert, oder auch nur genannt? Wie ich beinahe erwartet hatte, unterschlägst Du die Frage einfach und hast nicht den Tact, zu empfinden, daß mich Dein Schweigen nur noch mehr beunruhigen muß. – Ähnlich verhält es sich mit der Nummer des »Simplicissimus«, die ich an Dich abgeschickt habe. Du erwähnst diese kleine Aufmerksamkeit gleichfalls mit keinem Worte, obgleich der Anstand verlangt, daß man wenigstens den Empfang von Sendungen bestätigt, – und auch Kranke haben noch auf Anstand zu halten. Ich muß Dich aufs Bestimmteste ersuchen, *sofort* eine Postkarte an mich abgehen zu lassen, auf der Du diese beiden Punkte erledigst. T. M.

Rom d. 6. IV. 97.
Via del Pantheon 57^{II}

Es scheint mir, mein lieber Grautoff, als wäre es wieder einmal an der Zeit, ein Wörtlein von mir hören zu lassen? Du möchtest sonst, fürchte ich, in Deiner ganz und gar falschen und mir so unendlich fern liegenden Auffassung der Dinge, am Ende vermeinen, das Entsetzliche sei nun eingetreten, und ich hätte mich »in Abscheu und Ekel« von Dir »gewandt« und Dich »verlassen« … bei Gott! ich kann nicht eindringlich genug betonen, wie fremd mir diese Anschauungsweise ist; und daß sie in Deinen letzten Briefen in allzu widerwärtiger Deutlichkeit ausgeprägt erschien, darin allein bestand der Grund für mein langes Schweigen. Mein Befinden erlaubte mir nicht, mich in diese Auffassung zu vertiefen. Dieses scheußliche Gewinsel von »Elender«, »Erbärmlicher«, »Abscheu«, »Ekel« und Ärgerem fiel mir auf die Nerven und empörte meinen schlichten und trotzigen Stolz, welcher weiß, daß die ganze Welt unschuldig und sieben mal unschuldig vor der Notwendigkeit dasteht. Was *meine* Anschauungsweise betrifft, so habe ich wenig Sinn für Moral und wenig Sympathie für Wissenschaft; (für diejenige des Herrn Moll am wenigsten). Ich sehe die Welt und michselbst weder mit moralischen noch mit ärztlichen, sondern mit artistischen Augen an, und begreife nicht, warum ich ausgemacht *Dich* plötzlich mit den Augen eines Landpfarrers ansehen und Dich »verachten« sollte! Du bist für mich ein Mensch, der sehr, sehr gut über das Unglück Bescheid weiß, und der ein gutes Stück in die mystische, traurige und interessante Niederträchtigkeit des Siebentagewerks hineingesehen hat – und weiter nichts. Ich wüßte nicht, aus welchem Instinkte mir »Abscheu und Ekel« vor Dir erwachsen sollte. – Ich hoffe, daß Du mich endlich verstehst, daß Du endlich Dich auch zu dieser Auffassung (der einzigen, die Du auf die Dauer ertragen kannst) bekehrst, daß Du endlich aufhörst, Dich zu beschimpfen und Dich zu wundern, daß ich in diese Beschimpfungen nicht einstimme! – Moralischen Leuten mag diese wohlgemeinte Ermahnung schlecht und falsch erscheinen; aber ich weiß, was ich sage. Ich weiß, daß es bei Leuten

Deiner Art darauf ankommt, sie wieder zu dem nötigen bischen Selbstzufriedenheit und Selbstachtung kommen zu lassen, und das kann man, ohne zu lügen, nur indem man ihnen sagt: Du bist *unschuldig*! Und Du bist infolge Deiner Erfahrungen *wissender* als manch' Anderer! –

Damit aber wäre ja wohl die Beantwortung Deines ganzen Briefes eigentlich schon erledigt? Von Novellen, wenn ich mich recht erinnere, sprach er noch, die Du geschrieben hast, und die ich ungeheuer gern lesen würde, wenn Du es übernehmen könntest, sie auf Deine Kosten herzuschicken; mit meiner Kasse ist es allzu mittelmäßig bestellt. Übrigens kannst Du Dir die Sache billig einrichten, indem Du die Papiere nicht in einem geschlossenen Umschlag, sondern mit ein paar Zeitungsblättern zusammen als offenen Kreuzband schickst, nachdem Du darauf geschrieben hast: »Drucksachen u. Manuskripte«; Du wirst dann, glaube ich, nur 10-20 Pfennige zu bezahlen haben.

Was meine litterarische Thätigkeit betrifft, so habe ich vor einiger Zeit die Um- und Neuarbeitung des ehemaligen »Walter Weiler« unter dem Titel »Der Bajazzo« beendet; aber ich kann nicht sagen, daß ich besonders zufrieden bin. Ich habe dieses Mal mehr Stil, Überlegenheit und Geschmack dabei entfaltet, aber es scheint mir, daß die ganze Anlage und Composition ehemals künstlerischer war. – Da der »kleine Herr Friedemann« wahrscheinlich im Maiheft der »Neuen Deutschen Rundschau« erscheinen wird, so habe ich nun endlich Herrn Fischer die Zusammenstellung meiner fünf letzten Arbeitchen für seinen Buchverlag vorgelegt – nämlich: »Der kleine Herr Friedemann« (als Titelstück), »Der Tod«, »Der Wille zum Glück«, »Enttäuschung«, »Der Bajazzo«; (Herr Langen hat mir bereits die Erlaubnis erteilt, die beiden im »Simplicissimus« erschienenen Stücke in Buchform wiederzuveröffentlichen.) – Vielleicht also kommt ein schmales

Bändchen zu Stande, vielleicht auch noch nicht – ich weiß eigentlich nicht einmal, ob ich darauf hoffen soll. Es würde gewiß eine Ermunterung für mich bedeuten, aber eine andere Frage ist, ob es meinem guten Ruf vorteilhaft sein würde, denn meine bisherigen Schreibereien erscheinen mir doch alle grau und langweilig im Vergleich mit den seltsamen Sachen, die ich im Kopfe habe . . .

Wahrhaftig, mir ist, als dürfte ich meinen zukünftigen Werklein mit Lust und Zuversicht entgegensehen. Mir ist seit einiger Zeit zu Mute, als seien irgendwelche Fesseln von mir abgefallen, als hätte ich jetzt erst Raum bekommen, mich künstlerisch auszuleben, als wären mir jetzt erst die Mittel gegeben, mich auszudrücken, mich mitzuteilen . . . Seit dem »Kleinen Herrn Friedemann« vermag ich plötzlich die diskreten Formen und Masken zu finden, in denen ich mit meinen Erlebnissen unter die Leute gehen kann. Während ich ehemals, wollte ich mich auch nur mirselbst mitteilen, eines heimlichen Tagebuches bedurfte . . . Ja, ich glaube, daß ich demnächst etwas sehr Sonderbares schreiben werde – aber ach! schon die verhältnismäßig zahme Romantik des »Todes« im »Simplicissimus« schien bei manchen Leuten Anstoß zu erregen. Mein Freund Vitzthum, zum Beispiel, schrieb mir vollkommen stupéfait und mochte die Sache garnicht leiden. Übrigens hast Du sie ja gelesen aber mir noch nie ein Wort darüber geschrieben, – woraus ich schließen muß, daß Du sie keines Wortes würdig gefunden? –

– Hier ist jetzt schon ganz warmer Frühling, und neulich habe ich bereits mit meinem Bruder (der übrigens in diesen Tagen bei Langen ein Novellenband »Das Wunderbare« herausgiebt) einen mehrtägigen Ausflug in die Berge und ans Meer gemacht. Jetzt in dieser Zeit des Wartens – auf den Korrekturdruck des Kl. H. Fr., auf den Entscheid über das Buch – beschäftige ich mich hauptsächlich damit, den Augias-

Stall meines Gewissens ein wenig zu kehren – denn es hilft nichts, man *hat* ein Gewissen, und bestehe es auch nur in dem unabweisbaren Bedürfnis, sichselbst zu gefallen … Ich stehe zeitig auf, gehe viel spazieren, wozu sich hier reichliche und schöne Gelegenheit[en] bieten, schränke das Cigarettenrauchen ein und suche auf alle Weise, meinen verwahrlosten Nerven ein wenig aufzuhelfen.

Schreibe mir bald, ob Du noch am Leben bist, wie es Dir geht, und wie Deine Angelegenheiten verlaufen sind; Ich hoffe, daß unsere Korrespondenz nun wieder in den ehemaligen stolzen Fluß kommen wird.

Herzlichen Gruß! T. M.

Rom d. 23. IV. 97.

Mein lieber Grautoff,

nimm den besten Dank für Deinen letzten Brief, aus dem ich mit Freude ersehe, daß Du Dir ein bischen mehr geistige Contenance zu verschaffen gewußt hast. Aber derselbe bleibst Du doch immer! So ruhig und würdig Dein Schreiben gehalten ist – Redensarten wie: »bis eine Ohnmacht meine Sinne umfing« kannst Du niemals unterdrücken, wenn Du auch wohl verzeihen wirst, daß ich jedes Mal dabei zu lachen anfange. Du wirst das verstehen, wenn Du Dir das so schöne Wort, das ebenso lächerlich wäre, wenn es auf Wahrheit beruhte (was ich aber einfach nicht glaube) mit der Betonung des Herrn Brüning untermischt mit derjenigen des Herrn Drege laut vorsprichst. Mir fiel wieder einmal die berühmte, gräßliche Depesche dabei ein: »Komme sofort. Deinen Brief erhalten. Mutter hat der Schlag gerührt.« – Aber nichts für ungut! Ich will Dir Deine Lyrik nicht verweisen. Ich amüsiere mich immer königlich dabei. Singe nur ruhig weiter.

Ernster, und zwar mit Kopfschütteln, las ich von den Maß-
regeln, die Du zur Stärkung Deiner Gesundheit getroffen
hast. Einige, wie die gymnastischen Übungen, sind ja sicherlich von Nutzen; aber »Thee, viel Thee« ist doch eine of-
fenbare Verkehrtheit, denn Getränke wie Thee und Kaffee
regen die Nerven auf, wie allgemein bekannt. Ich wundere
mich, daß Du so wenig Instinkt hast für das, was Dir not-
thut! Oder hat Dir vielleicht einer der Herrn Psychiater den
Thee empfohlen? Dann bescheide ich mich natürlich, obgleich
mein beschränkter Laienverstand Milch und Eier für richtiger
hält. – Eine unverantwortliche Albernheit aber ist es, daß Du
jetzt noch immer die Nächte hindurch aufsitzest und – gleichviel ob mit oder ohne »aufzusehen« – »arbeitest«. Auf
solche Weise kann man leben, solange man noch gesund genug ist, um sich in seiner Décadence zu gefallen und damit
zu kokettieren. Wenn mir aber die Sache über den Kopf
wächst und Ohnmachten meine Sinne umfangen, so habe
ich mich zu beeilen, eine gesunde Lebensweise zu beginnen.
Es ist jetzt bei Gott nicht Deine Sache, Novellen zu dichten,
sondern Deine Nerven zu stärken, was nicht ohne einen ge-
regelten Schlaf geschehen kann. Gehe um 10 Uhr zu Bette,
stehe um 7 Uhr wieder auf, halte diese Zeit mit peinlicher
Genauigkeit inne, auch wenn Du anfangs nicht schlafen
kannst, und Dir wird das nützlicher sein, als der Saft aus
Chinas sämmtlichen Theeanlagen.

Wenn Du außerdem Zeit findest die Litteratur mit Werken
der Schönheit zu bereichern, so wird Dir das deutsche Volk
das sicherlich von Herzen danken. Es hat mich sogar sehr
interessiert, daß Du eine humoristische Novelle schreibst oder
zu schreiben gedenkst. Sollte das vielleicht etwas viel Les-
bareres werden, als die tragischen mit den gräßlichen Depe-
schen? – Mein »rastlos suchender Geist« (bitte, sprich Dir
auch dieses Dein Dichterwort in der oben angegebenen Weise

vor!) sinnt gleichfalls auf allerhand bunte Sachen. Die Korrektur des »kleinen Herrn Friedemann« habe ich neulich schon erledigt. Hoffentlich bekomme ich Freiexemplare, damit ich Dir eins schicken kann. –

Aber ich eile zur Beantwortung der Fragen, die Du mir am Schlusse Deines Briefes vorlegst. Was zunächst meinen Bruder betrifft, so ist, wie Du weißt, das xx. Jahrhundert bereits im Jahre 1896 selig entschlummert, womit er, der das ziemlich einfältige Blättchen stets mit einigem Widerwillen und nur um Geld zu verdienen dirigierte, recht einverstanden ist. Er hat nun seine Muße dazu benutzt, bei Langen einen Novellenband »Das Wunderbare« herauszugeben; ist er Dir schon zu Gesichte gekommen? Es ist ein wunderhübsches kleines Buch und außerordentlich billig: 1 Mark, in Leder 2 Mark. – Meine Familie in München, der es im Allgemeinen gut geht, kennst Du ja zu wenig, als daß Dich Einzelheiten interessieren könnten. Der kleine Victor, von dem ich Dir hie und da erzählte, geht seit einiger Zeit zur Schule und schrieb mir neulich bereits einen wundervollen Brief. »Liber Ommo! Nuhn kan ich nicht mer. Dein Vicco« – so ungefähr. – Graf Vitzthum ist augenblicklich in Lausanne und amüsiert sich. Nächsten Winter wird er, wie er mir schrieb, nach München kommen, um dort sein »Studium« fortzusetzen. – Holm ist nach wie vor in der S.-Redaktion und denkt auch nicht daran, auszutreten, da er sich, wie er versichert, sehr wohl dort befindet. Wie kommst Du übrigens auf die Vermutung, daß der »S« eingehen wird? – Ja, in der That: Das ist mein berühmter Feind, Herr Ludwig Ewers, der in Dessau, wo er an einem Blättchen schreibt, ein Feuilletonbändchen »Kinderaugen« herausgegeben hat. Er schickte es meinem Bruder, und ich sah es mir an. Höhere Literatur ist es nicht; aber recht liebenswürdig.

– Verzeih mir, wenn Du diesen Brief zu kurz finden solltest.
Ich verfalle immer mehr darauf, meinen Schreibetrieb dazu
zu verwenden, berühmt zu werden und Geld zu verdienen.
Vier-Bogen-lange Briefe schreibt man doch nur solange einen
noch niemand druckt. Überdies ist es ein ganz wundervolles
Wetter. Der Himmel ist schon tiefblau, und die Wärme
übersteigt diejenige unseres Juli schon ganz beträchtlich.
Aber man ist durch einen ebenso südlichen Winter darauf
vorbereitet und leidet nicht darunter. Man geht in die Cam-
pagna hinaus und trinkt in einer Osteria einen Wein, der
süß ist wie Malvasier; oder man setzt sich, ist man dazu zu
träge, vor ein Café am Corso, trinkt einen Vermouth mit
Selters, raucht eine Cigarette, sieht den Menschen zu und ist
imstande, sich für 10 Minuten einzureden, das Leben sei
eine grundhübsche Sache.
Schreibe mir bald und erzähle mir z. B. was es heißt, daß
Deine »Verhältnisse sich sehr verwickelt haben und einem
traurigen Ausgang zugehn«? Das ist hoffentlich auch bloß
Poesie, wie die umfangende Ohnmacht und der rastlos su-
chende Geist?   T. M.

[Postkarte]   Rom d. 6. VI. 97
                                          Café Nazionale
Lieber Grautoff,
besten Dank für Deine verschiedenen Karten; Ich bitte um
Verzeihung, daß dieser Dank so spät kommt; ich war in
letzter Zeit sehr in Anspruch genommen durch den Besuch
von Vitzthum. Ich mußte ihm Rom zeigen und war auch mit
ihm in Neapel und Umgebung.
– Übrigens hast Du ja den letzten Brief von mir und schreibst
mir hoffentlich mal wieder ausführlich. – Wie hübsch, daß

Du wieder einmal in unserem guten alten Lübeck bist! Ob ich den Marien-Kirchturm in meinem Leben wohl noch einmal wiedersehen werde? Es muß sich an der Trave doch allgemach manches verändert haben. Im Hause meiner Großmutter z. B. soll sich neuerdings ein Restaurant befinden. Vielleicht kennst Du das Haus in der Mengstraße. Fischer bringt meinen Novellenband in seiner kleinen Bibliothek. Ich habe mir bei einem mir bekannten Münchener Maler eine Umschlagzeichnung bestellt. Mit dem Druck ist kaum begonnen; ich weiß nicht, wie lange sich die Fertigstellung durch Correkturen etc. hinziehen wird. Jedenfalls erhältst Du ein Exemplar. Lies den kl. H. Friedemann mal, wenn Du ihn bekommen kannst. Er wird Dich interessieren.
Herzl. Gruß T. M.

Rom d. 21. Juli 97.
Via del Pantheon 57^{II}

Mein lieber Grautoff,
ich glaube wahrhaftig, daß ich seit langer Zeit nicht mehr einen so unterhaltenden Brief bekommen habe, wie Deinen vom 11ten, (der mir von Palestrina zurückgeschickt wurde, denn wir sind, weil mein Bruder noch beim Arzte zu thun hat, noch immer nicht abgereist.) Ich hätte mit Dir in Lübeck zusammen sein mögen; aber jetzt, nach der Lektüre Deines Briefes, bin ich eigentlich so gut wie in Wirklichkeit dort gewesen. Ich habe alle diese Leute in erheiternder Lebendigkeit vor mir gesehen, und wie gar Fräulein Unflath das Wort ›Texas‹ auspricht, das höre und sehe ich zum Entzücken deutlich. Auch die Nachrichten über Deinen Bruder waren mir sehr interessant, und ich bedaure nur, noch nie etwas von ihm gelesen zu haben, obgleich ich z. B. die Kölnische Zeitung doch beinahe täglich zu Gesichte bekomme.

Er muß ja in der That ein kluger Herr geworden sein, trotz dem peinlichen Eindruck, den ich neulich von ihm bekam: Durch die Karte nämlich, die Ihr mir aus dem Lübecker Ratskeller sandtet, und auf der er sich ›Grautoff, Zeitgenosse‹ unterzeichnet hatte. Du verstehst, – das sollte so etwas ein ... Das sollte mir einen guten Begriff von seiner ›Modernität‹ geben ... Du kennst mich – ich zog mich ein bischen zusammen und legte die Karte vorsichtig bei Seite ... Wenn diese Unterschrift charakteristisch für ihn ist, so – – aber er hat »ein Urteil über« Nietzsche! Allen Respekt!

Was ich mir gedacht hatte, scheint mir Dein munterer Brief zu bestätigen: Daß nämlich der Aufenthalt in Lübeck und der Ortswechsel überhaupt Deinem Befinden zuträglich gewesen ist. Wie lebst Du denn nun? Wie füllst Du Deine Mußestunden aus? Liest Du? Schreibst Du? Was habe ich in der letzten Zeit nicht Alles an bedeutsamen Büchern gelesen! Ich fange nicht erst mit dem Aufzählen an! Augenblicklich bewundere ich Eckermanns »Gespräch mit Goethe« – welch ein beschämender Genuß, diesen großen, königlichen, sicheren und klaren Menschen beständig vor sich zu haben, ihn sprechen zu hören, seine Bewegungen zu sehen! Ich werde garnicht satt davon, und ich werde traurig sein, wenn ich zu Ende bin. Ähnlich erging es mir vor kurzem mit einem sehr anderen, uns Verfallsmenschen verwandteren Geiste, E. T. A. Hoffmann nämlich, diesem sonderbaren und kranken Menschen mit der Phantasie eines hysterischen Kindes, von dem ich Alles mir Erreichbare gelesen habe.

Was mein eignes Dichten und Trachten betrifft, so ist es leider noch nicht so weit, daß ich Dir mein Novellenbändchen, das Du mit Sehnsucht zu erwarten scheinst, schicken könnte. Zwar ist die Umschlagzeichnung, um die ich einen mir bekannten Münchner Maler gebeten hatte, schon bereit; aber weil die längere Schlußnovelle ›Der Bajazzo‹ (›Walter Weiler‹

in der neuen Form) vorher in der ›Neuen Deutschen Rundschau‹ abgedruckt werden soll, wird sich die Herausgabe des
Buches wohl bis zum Winter, vielleicht bis Weihnachten ver-
zögern. Unterdessen habe ich, sozusagen, schon einen zweiten Band begonnen, und zwar mit einer Novelle namens
›Luischen‹, die ich auf eine Aufforderung hin, zunächst der
›Jugend‹ geschickt habe, – einer sonderbaren und häßlichen
Geschichte, wie sie meiner jetzigen Welt- und Menschen-
anschauung entspricht. Wie ich Dir wohl schon einmal
schrieb: Seit einiger Zeit ist es mir, als hätte ich die Ellen-
bogen frei bekommen, als hätte ich Mittel und Wege gefunden, mich auszusprechen, auszudrücken, mich künstlerisch
auszuleben, und während ich früher eines Tagebuchs bedurfte, um, nur fürs Kämmerlein, mich zu erleichtern, finde
ich jetzt *novellistische*, öffentlichkeitsfähige Formen und
Masken, um meine Liebe, meinen Haß, mein Mitleid, meine
Verachtung, meinen Stolz, meinen Hohn und meine Ankla-
gen – von mir zu geben ... Das begann glaube ich, mit
dem ›Kleinen Herrn Friedemann‹. Neuerdings passiert es sogar, daß ich bei passender Gelegenheit den Gang der Handlung unterbreche und anfange, mich im Allgemeinen zu äußern, wie z. B. in ›Luischen‹, wo ich eine kurze, ernsthafte
Rede gegen den gecken- und mimenhaften Typus des kleinen
modernen »Künstlers« halte. Und ich finde neue Formen,
um noch mehr zu sagen – und ich *habe* etwas zu sagen!
Du wirst hören von diesen Sachen, die ich demnächst zu machen gedenke, und auf die ich Dich ein wenig neugierig zu
sein bitte: ›Tobias Mindernickel‹ und ›Antilocho IX‹ ...
Ich spreche unverschämt lange von meinem bischen Literatur; aber willst Du nicht, daß ich Dir von mir erzähle? Und
ich habe stets als Deinen großen Vorzug geschätzt, daß Du
zuhören kannst ...
Vor ein paar Tagen ist es hier heißer gewesen, als in Ägyp-

ten, wie Reisende versichert haben. Man lebt sehr ruhig und vorsichtig dahin, und hört dennoch nur ganz selten auf, zu schwitzen. Deinen nächsten Brief hoffe ich nun wirklich in Palestrina (Casa Bernardini) zu empfangen, wo wir drei Herren in dem [...]

Palestrina b/Rom d. 20. August 97.
Casa Bernardini

Mein lieber Grautoff,
ich gedenke, in jeder Beziehung feurige Kohlen auf Dein Haupt zu sammeln, indem ich nämlich erstens Deinen Brief aufs Prompteste beantworte, was nicht eben Deine Gewohnheit ist, und indem ich zweitens sogar die zur Lektüre beigefügte Drucksache einer Erwähnung würdige, was Du gleichfalls nicht zu thun pflegst; dies bezeugt Dein letztes, höchst schätzbares Schreiben, mit dem ich gleichzeitig meine Notiz über ›Wagner in Rom‹ dankend zurückempfing.

Ich saß gestern grade beim Abendessen, beim Nachtisch, einem erstaunlichen Aufwand von Früchten, als man mir Deine Post überbrachte – »Signo', c'è una stampa per te« ... Ich war ganz erstaunt, Deine so drollige Handschrift auf einer großen Drucksache zu erkennen. Ich sagte zu meinem Bruder: »Mein Gott, sollte er eine Novelle gedruckt haben? Man weiß niemals, was aus einem Menschen wird ...« Er jedoch, der eben an einer *Melone* arbeitete, wie es solche nur hier giebt, verzichtete darauf, eine Hypothese aufzustellen; und ich öffnete ...

Ich bin Dir aufrichtig dankbar für die Zusendung der unterschiedlichen – Lübeckischen Anzeigen –, die mich von Anfang bis zu Ende interessiert haben. Ich ersehe daraus mit Freude und Erstaunen, in welchem Grade Lübeck sich herausmacht ... ich traue meinen Augen nicht! Im Wilhelm-

Theater spielt man ›Klein Eyolf‹, wenn auch wohl ein bischen schwach. In der Domkirche giebt man Liszt- und Wagnerkonzerte, wenn auch wohl ein bischen schlecht. Und Herr Ferdinand Grautoff schreibt hochpolitische Aufsätze, – wenn auch wohl leider ein bischen langweilig.

Das heißt – allen Respekt! Die Artikel sind, soweit ich mich darin vertieft habe, sicherlich voll von Fleiß und Wissen, und sie sind, im Sinne eines ernsten, patriotischen und praktischen Mannes, ohne Zweifel zum Verwundern gut und tüchtig – woraus zwingender Weise folgt, daß sie in den Augen – und Ohren! – eines Menschen, wie ich es bin, voll von Schnitzern und Geschmacklosigkeiten sind. Ich spreche hier *nicht* einmal vom Stile – von der Stillosigkeit. Aber es ist, zum üblen Beispiel, zum Erbarmen einfältig, von der spanischen »Kultur« in Anführungsstrichen zu reden, – während man heute billig wissen sollte, daß, wie man auch immer über Europa und europäische Kultur denken möge – und nicht jeder denkt freundlich darüber! – das eigentliche Europa und die intensivste Kultur erst bei den romanischen Ländern beginnt. Frankreich, Italien, Spanien – das ist Europa. Deutschland – von Rußland zu geschweigen! – ich kann mir nicht helfen: diese vage Tiefe ... das Unsalonmäßige, Ungehobelte, Stumme, Ernste und Einsame der dortigen Kulturart – ist das nicht überhaupt mehr Asien?! Ich liebe es beinahe dafür ...

»An die Stelle des staatlichen Raubbaues trat die auf ehrlichen Erwerb ausgehende Arbeit des niederländischen Kaufmanns.« Ich für mein Teil würde sagen: »Die stolze, herrische, kriegerische und üppige Nation der Spanier unterlag am Ende dem zähen, betriebsamen, farblosen und poesiearmen Krämertum der Holländer« ... Du siehst, das ist eine wesentlich andere Anschauung, eine ästhetische nämlich im Gegensatz zu einer politischen und unausstehlicher Weise auch moralischen. »Spanien, dessen Bevölkerung die Gold-fluth sittlich zu Grunde gerichtet hatte« – das ist mir ein Schlag ins Gesicht. Es heißt: »Spanien, dessen alte Kultur goldig-überreif, wundervoll süß und damit notwendiger Weise auch morsch und reif zum Abfallen geworden war« ... und es ist heute höchstens noch dem Präsidenten eines alldeutschen Vereins gestattet, bei solchen Gelegenheiten den Mund voll Sittlichkeit zu nehmen. – Aber genug und zu viel bereits! Ich darf, um Einiges wieder gut zu machen, hin-zufügen, daß mein Bruder die Artikel gleichfalls mit großem Interesse gelesen hat und Deinem Bruder seinen Glück-wunsch aussprechen läßt. –

– Es geht Dir entschieden besser jetzt, als in Brandenburg? Deine Briefe wenigstens haben einen anderen Ton, als da-mals, als Du beständig auf Dich selbst einschimpftest. Wie beschäftigst Du Dich in Deinen Mußestunden? Liest Du? Du schreibst wohl nicht mehr. Denkst Du überhaupt nicht mehr daran?

Mein »Bajazzo« wird nächsten Monat in der ›Neuen Deut-schen Rundschau‹ erscheinen; darauf kann das Bändchen herauskommen. Kürzlich habe ich zwei neue Novellen ge-schrieben, »Luischen« und »Tobias Mindernickel«, wovon ich die eine ebenfalls Fischer, die andere dem ›Simplicissimus‹ gegeben habe. Das Neueste ist, daß ich einen Roman vor-bereite, einen großen Roman – was sagst Du dazu? Fischer, der sich von meiner Produktion ein kleines Geschäft zu ver-sprechen scheint, sprach mir in seinen Briefen wiederholt den Wunsch aus, ein größeres, zusammenhängendes Prosawerk von mir zu verlegen; auch könne er ein solches Buch weit besser honorieren, als den Novellenband. Ich selbst hatte eigentlich bislang nicht geglaubt, daß ich jemals die Courage zu einem solchen Unternehmen finden würde. Nun aber habe ich, ziemlich plötzlich, einen Stoff entdeckt, einen Entschluß gefaßt und denke nächstens, nachdem ich noch ein bischen kontempliert, mit dem Schreiben zu beginnen. Der Roman, der etwa »Abwärts« heißen [...]

[Postkarte]   Rom d. 11. XII. 97
                               Via Torre Argentina 34^{III}
Lieber Grautoff,
ich weiß bei Gott schon längst nicht mehr, wem die Schuld an dieser langen Unterbrechung unserer schönen Korrespondenz eigentlich zufällt. Hoffentlich bist Du sowohl noch am Leben, als in Stettin und der Wollweberstraße, sodaß Dich diese Zeilen erreichen; es würde mich *aufrichtig* freuen, wieder einmal Nachricht von Dir zu bekommen. Ich bin viel leidend gewesen, so wohl was die Nerven im allgemeinen als im Besonderen die Zahnnerven betrifft; aber ich bin erstaunlich fleißig, schreibe schon am 15ten Kapitel meines Romans und bin trunken von Novellenstoffen. Mein erstes Buch erscheint nicht vor Januar, da noch ein neues Stück hinzugefügt worden ist. –
Also bitte, erzähle mir ein bischen, wie es Dir geht, was Du treibst, etc! Ich kenne Dich: Du hörst immer aus irgend einem »Feingefühl« zu schreiben auf, das aber wirklich ganz deplaciert ist.
Besten Gruß!   Dein T. M.

[Postkarte]
                               Rom d. 29. XII. 97.
Lieber Grautoff,
Herzlichen Glückwunsch zum neuen Jahr und vielen Dank für Deinen Brief, in dem mich Alles, besonders das Ausstellungsprojekt interessiert hat. Aber bitte, erwarte noch keine

eingehende Antwort. Diese Neujahrsbriefe reiben mich auf, und ich ärgere mich, daß ich darüber zu nichts Anderem komme. Mein Novellenband ist jetzt fertig und präsentiert sich sehr anständig; er kommt aber erst Februar in den Handel. Vielleicht schicke ich Dir aber schon nächstens ein Exemplar.

In Eile   Dein Thomas Mann.

[Postkarte]

München d. 9. Mai 98.

Lieber Grautoff, ich danke Dir sehr für Deine Karte, die auf einigen Umwegen zu mir gelangt ist. Ich hatte gleich nach meiner Ankunft in München die Absicht, Dir meine Adresse mitzuteilen, hatte aber selbst die Deine vergessen und glaubte auf eine Bücherkiste warten zu müssen, die mir von Rom aus folgt und Deinen letzten Brief enthält. Deine Karte enthebt mich des Wartens. Ich wohne *Theresienstraße No. 82 part. rechts* und zwar recht angenehm. Aufs Dringendste hoffe ich, daß Du Deine Absicht ausführst und mir demnächst einen Brief schreibst. Den Dank für Deine Gedichte hast Du, wie ich ebenfalls hoffe, richtig empfangen. – Ich bin froh, meine Bibliothek wieder einmal beisammen zu haben und fühle mich mit meinem Hunde, meinen Bildern, meinem Flügel und meiner Geige recht wohl in meinen vier Wänden ... so weit sich ein armer Neurastheniker wohlfühlen kann. – Übrigens bin ich schon deshalb neugierig auf Deinen Brief, als ich daraus zu erfahren hoffe, ob Du Aussicht hast, hierher zu kommen. – Mein Novellenband wird, zusammen mit fünf anderen Novitäten aus der »Collection Fischer«, erst Ende dieses Monats versandt werden. Es ist eine rechte Bummelei.

Herzlichen Gruß von Deinem   T. M.

Lieber Grautoff,

Dein Brief vom elften erheischt rasche Antwort, und Du wirst
es verzeihen, wenn diese Antwort darum nur kurz ausfällt.

Es ist ja auch nur ein einziger Punkt in Deinem Schreiben,
der einer Erwiderung bedarf, und es thut mir aufrichtig leid,
Dir sagen zu müssen, daß ich die zagenden Zweifel, mit denen Du selbst mir den bewußten Wunsch vortrugst, nicht mit
milder Hand zerstreuen kann. Nein, ich bin keineswegs in
der Lage, Dir 2000 Mark vorzuschießen, ich könnte sie selbst
ganz wundervoll gebrauchen, aber in meinem jungen Leben
ist mir noch nicht das Glück zutheil geworden, so viel Geld
beieinander zu sehen.

Es scheint, daß Du Dich über die Machtbefugnis, die mir
über mein Vermögen zusteht, schönen aber unwirklichen
Vorstellungen hingiebst. Die Hinterlassenschaft meines Vaters wird zu Lübeck von dem ehrenfesten und in jedem Betrachte ausgezeichneten Herrn Krafft Tesdorpf »verwaltet« –
insofern sie nämlich nicht durch die Tölpelhaftigkeit eben
desselben Herrn (an dem ich in meinem Roman subtile Rache
zu nehmen gedenke) zum Teufel gegangen ist. Herr Tesdorpf schickt meiner Mutter vierteljährlich die Zinsen, und
diese giebt uns unseren Antheil davon. Vom Kapital aber
darf unter keinen Umständen ein Pfennig entfernt werden,
behauptet Herr Tesdorpf, obgleich ein solcher Paragraph des
Testamentes jedem normal konstruirten Menschenauge ent-
geht. Mein Bruder hat den Verwalter, der, ganz nebenbei
bemerkt, 2 Prozent vom Ganzen bezieht, um Kapital gebeten; ich habe um etwas Kapital gebeten, als ich meine Mutter, im Falle daß ich dienen müßte, über die Equipirungs-
kosten trösten wollte: Wir sind mit milder aber ernster Zu-
rechtweisung abschlägig beschieden worden, und wie es mit

der Mitgift meiner Schwestern werden wird, wenn sie sich verheiraten sollten, das steht bei Gott. Kurz, Du siehst, ich würde ganz überflüssiger Weise 10 Pfennige Porto ausgeben, wenn ich diesen grimmen Mann um 2000 Mark ersuchen wollte.

Ist denn übrigens der Kunstgewerbe-Verein in Lübeck, in dessen Interesse Du doch thätig bist, so arm, daß *er* seinerseits die Caution nicht aufbringen kann? Außerdem bin ich überzeugt, daß Du, da ja keinerlei Risico damit verbunden ist, die kleine Summe bei Deinen Lübecker Verwandten oder z. B. bei Deinem Vormund Herrn Stolterfoht ohne Schwierigkeiten wirst auftreiben können. Die Leute werden sich nicht weigern, Dich ganz ohne etwas zu wagen, in Deinem Berufe zu fördern.

Jedenfalls versichere ich Dich nochmals, daß ich es sehr bedaure, Dir in dieser Sache nicht behülflich sein zu können.

Knut Hamsun's »Mysterien« habe ich, wie auch manches Andere desselben Schriftstellers, vor längerer Zeit mehrere Male mit wahrem Genuß gelesen und nehme das Buch noch manchmal zu Hand. Es ist eine in seltenem Maße witzige, poesievolle und rührende Komposition, aber die Wirkung, die sie auf Dich ausgeübt hat, verstehe ich nicht. Mich hat die Lektüre erquickt und, wie alles Witzige und Poesievolle, durchaus heiter gestimmt. Man muß dergleichen nicht allzu viel ernster nehmen, als es gemeint ist.

Herzlichen Gruß von Deinem   Thomas Mann.

München-Schwabing d. 25. x. 98
Marktstraße 5^{III}

Lieber Grautoff,
verbindlichsten Dank für Deinen Brief sowie für die Nummer der »Dresdener Zeitung«, die mich interessiert.

Du bist also nun in Dresden, und ich bin neugierig, wohin Du es in der Welt noch bringst. Du scheinst Dich wahrhaftig nicht ohne Geschick in den Buchhandel eingelebt zu haben, besitzest Verbindungen in der Presse, weißt das Geschäftliche hübsch mit dem Schriftstellerischen und Kunstverständigen zu verbinden, und diese Spezialität mit den Plakaten kleidet Dich sehr gut. Spezialität ist heute, glaub' ich, die Hauptsache, und wer sich als Spezialist irgendwie auszeichnet, kommt unschwer an die Oberfläche. Wie lange bist Du denn eigentlich in Dresden engagirt? Du könntest, wenn Du Dir Mühe giebst, doch ebenso gut einmal hier einen Platz finden. Und ich hoffe dringend, daß im Sommer Deine Reise nach München und Wien zustande kommt.

Von mir habe ich Dir nicht viel Neues zu vermelden: ausgenommen etwa, daß, wie Du dort oben siehst, meine Adresse wieder einmal gewechselt hat, daß ich meine theure Bourgeois- und Banquierwohnung mit zwei kleinen Räumlichkeiten hier draußen in Schwabing vertauscht und mich mit eigenen Möbeln viel amüsanter und vortheilhafter eingerichtet habe. Ich wohne in der Nähe meiner Mutter, sodaß ich zu den Mahlzeiten nur einen kurzen Weg zurückzulegen habe, fahre viel auf meinem Velociped spaziren; lese allerhand – mit besonderer Liebe Turgenjew, der seit langen Jahren (seitdem ich nämlich nicht mehr ausschließlich für Wiener »Kunst« und Eitelkeit schwärme) meinem Talent immer wieder neue Anregung gegeben hat – und arbeite ziemlich fleißig an »Buddenbrooks«. Es melden sich immer wieder neue Schwierigkeiten, und hie und da sind sogar historische Studien nothwendig, denn ich stecke noch in den 50ger Jahren: Der Roman spielt von 35 bis 77. Aber ich hoffe das Buch, das 5 bis 600 Druckseiten bekommt bis zum nächsten Jahre glücklich zu beenden. Dann kommt wieder ein Novellenband, von dem schon zwei Stücke fertig sind.

Freilich »Wer schaffen will, muß fröhlich sein«, wie der wundervolle alte Fontane, dessen Romane wir uns jetzt abends immer im Familienkreise vorlesen, gesagt hat, und so ist es nicht unwichtig, daß ich mich in letzter Zeit recht gut, ziemlich gut befinde. Mit etwas Philosophie und versöhnendem Spott kommt man schon durch, und – jugendlichere Kräfte, als diese, sind ebenfalls noch immer im Spiele, denn Du weißt, daß neben dem Träumer Iwan Sergewitsch Turgenjew noch immer wie zur Zeit, als Doctor Bäthge mich zu erziehen versuchte, der Sieger Napoléon (übrigens neu eingerahmt) auf meinem Schreibtisch steht, – und da giebt es mancherlei Hoffnung und Stolz und Ehrgeiz . . . Im Übrigen will ich an dieser Stelle, weil er's schöner kann, den edlen und klugen August von Platen reden lassen, den immer wieder zu lesen ich Dir dringend empfehle:

»Wenn ihr suchet ohne Wanken,
Was das Leben kann erfrischen,
Bleiben jung euch die Gedanken;
Weil sie ewig jung nur zwischen
Hoffen und Erfüllen schwanken.«

»Abgründe liegen im Gemüthe,
Die tiefer, als die Hölle sind.

Du siehst sie, doch Du fliehst vorüber,
Im glücklichen, im ernsten Lauf,
Dem frohen Tage folgt ein trüber,
Doch Alles wiegt zuletzt sich auf.

Und wie der Mond im leichten Schweben,
Bald rein und bald in Wolken steht,
So schwinde wechselnd Dir das Leben,
Bis es in Wellen untergeht.«

»Vermöcht' ich doch gelind zu träufen,
In deine Brust, wenn Schmerz und Wuth
Sie oft vergeblich überhäufen,
Nur wen'ge Tropfen leichtes Blut!

O suche ruhig zu verschlafen
In jeder Nacht des Tages Pein.«

»So ward ich ruhiger und kalt zuletzt,
Und gerne möcht' ich jetzt
Die Welt, wie außer ihr, von Ferne schaun:
Erlitten hat das bange Herz
Begier und Furcht und Graun,
Erlitten hat es seinen Theil von Schmerz,
Und in das Leben setzt es kein Vertraun;
Ihm werde die gewaltige Natur
Zum Mittel nur,
Aus eigner Kraft sich eine Welt zu baun.«

Diese virtuosen Verse geben mit einer solchen Schönheit,
Klarheit und Knappheit meinen jetzigen Zustand wieder, daß
ich, anstatt jeder sonstigen Ausführung, nicht die Mühe ge-
scheut habe, sie Dir abzuschreiben.

Um die Dresdner Tannhäuser-Aufführung beneide ich Dich.
Ich bin hier noch nicht viel im Theater gewesen, habe aber
neulich doch eine außerordentlich imposante Darstellung des
»Wallenstein« (Lager und Piccolomini) gesehen und werde
heute Abend Gounod's »Margarethe« hören, eine von den
zwei oder drei Opern alten Stiles, die ich noch ertragen
kann.

Schreibe bald einmal wieder.   T. M.

Albert Langen
Verlag für Litteratur und Kunst
Paris Leipzig München

München, den 22ten XII. 1898.
4 Schack-Strasse

Lieber Grautoff:

besten Dank für Deinen letzten Brief, in dem wieder inter-
essante Dinge standen. Du thust, als ob ich von der Assi-
stentenangelegenheit schon etwas gewußt hätte. Keineswegs!
Du hattest mir das letzte Mal nur den Namen des Professors
K. genannt, nichts weiter. Aber es wäre wahrhaftig aller
Ehren werth. K. Bibliotheksassistent! Gehören dazu nicht
überhaupt »studirte« Leute? Ich bin schon lange erstaunt und
erfreut über Deine Entwicklung. Auch Deine »Vorträge«,
Dein »Buch« etc. machen mir starken Eindruck. Hast Du
Dich etwa auch äußerlich so verändert? Wahrscheinlich hast
Du einen großen Backenbart und eine goldene Brille?

Ich habe keine Ahnung, welches Blatt Herr Ernst Hardt
eigentlich redigirt, aber ich bin sehr gespannt auf die Rezension, die Du mir hoffentlich gleich schickst. Auch könntest
Du den bewußten Broschüren, die ich an *mich*, Schwabing,
Herzogstraße 3^I, zu adressiren bitte, ein Probeheft der
»Blätter für die Kunst«, Volksausgabe, beilegen; ich bekomme sie hier nicht zu sehen und interessire mich dafür.

Hattest Du das Gedicht, das schöne Momente hat, für den
Simplicissimus berechnet? Ach, dazu ist es zu melancholisch
und zu persönlich. »Wir« brauchen aufgeweckte und überlegene Sachen ... was aber »mich« nicht hindert, ebenfalls
hie und da Verse zu schreiben, wie die, welche ich Dir, trotz
ihrer Unfertigkeit, vielleicht beilegen werde.

Mit meiner Prosa geht es mir besser. Fischers Rundschau
bringt nächstens wieder einmal eine Novelle von mir, und

auf jeder Karte »erwartet« Dr. Bie »in voller Spannung« meinen Roman. Sein Wohlwollen und Interesse rührt mich ganz einfach, und ich kann ihn nur bitten, es nicht erlahmen zu lassen, denn er muß sich noch gedulden; es fehlt noch etwa ein Drittel des Buches. Gestern Abend habe ich übrigens einen neuen Abschnitt im Familienkreise vorgelesen.

Schicke die Sachen, die ich erwarte und schreibe oft.

Wann kommst Du nach München?

Herzlich   Dein Thomas Mann.

Bei dieser Gelegenheit gleich die besten Wünsche für das neue Jahr!

Nur Eins

Wir, denen Gott den trüben Sinn gegeben
Und alle Tiefen wies, wo Scham und Graun,
Sind ewig fremd den Fröhlichen im Leben,
Die harmlos auf des Daseins Spiele schaun.

Und weil der Menschen Seele zu ergründen
Hohnvoll auch mich der Drang gefangen hält,
Will ich es euch mit schwerem Worte künden:
Erkenntnis ist die tiefste Qual der Welt.

Denn Eines ist es, was in allem Leiden
Uns stark erhält und aufrecht fort und fort,
Ein trostreich Spiel voll höchster, feinster Freuden
den Unglückseligsten: Es ist das *Wort.*

THOMAS MANN.   München, den 11. VII. 1900

Lieber O. G., bitte, rufe mir die Adresse des »Kunstwart«
ins Gedächtnis zurück; ich habe sie längst vergessen und
möchte gern einen gelegentlichen Zufluß von Energie benutzen, um meine Galoschen abzuholen.
Der »Hamlet« von gestern Abend liegt mir noch in allen
Nerven, Sinnen, Gedanken, Gliedern. Höchstens an Wagner-
abenden habe ich sonst einen so tiefen Eindruck aus dem
Theater mit fortgenommen. Ich bin so persönlich berührt und
getroffen wie wohl noch [nie] von der Bühne aus. Die Kritiken sind empörend oberflächlich. Grimm ist wenigstens
enthusiastisch; aber Max Mal sei hiermit zum Nashorn ernannt.
Bis zum Oktober bleibe ich nun doch noch »Redakteur«.
Also mit collegialem – oder nein, doch lieber nicht. Mit herzlichem Gruß   T. M.

Postscriptum: Das Verhältnis meines Schwagers zu Dir hast
Du bitter verkannt. Er ließ sich neulich über Deine Persönlichkeit in fast inniger Weise vernehmen.

THOMAS MANN.   München, den 18. VII. 1900

Lieber!
Heute habe ich die letzte Zeile meines Romans geschrieben.
Die Durcharbeit wird mich wohl bis zum Oktober vollauf in
Anspruch nehmen, da ich es kommen sehe, daß am Anfang
ganze Kapitel, die mir jetzt widerlich dumm erscheinen, werden umgearbeitet werden müssen. Aber ich hätte Dich doch
schon heute Abend zu einer kleinen Feier der Schlußstein-
legung abgeholt, wenn ich nicht gestern bei Holms gewesen

und wieder so lasterhaft gut verpflegt worden wäre, daß ich einen verdorbenen Magen habe. Am Ende dieser oder am Anfang der nächsten Woche würde ich gern einen Abend irgendwo und irgendwie mit Dir verbringen. Obgleich Deine jetzige Stellung Dir ja eine gewisse Exclusivetät zur Pflicht macht, willigst Du vielleicht aus Leutseligkeit darein. Jedenfalls ist es an Dir, das Datum zu bestimmen.

Da ich nicht gewillt bin, uns Beide zu blamieren, kann ich Deine Bitte um lyrische Beiträge für die »Jugend« leider nicht erfüllen.

Hochachtend! Der Obige.

Thomas Mann. München, den 2. VIII. 1900

Lieber,

wir sind ein bischen einsam in der Herzogstraße, da meine verlobte Schwester auf mehrere Tage verreist ist (nach dem Bade Deines Oheims) und auch Löhr darum nicht kommt. Willst Du uns nicht mal Gesellschaft leisten? Du bist freundlichst gebeten, morgen d. 3ten abends 7 Uhr bei uns zu essen, nur mit meiner Mutter, Carla, Vicco und mir. Ich könnte nachher den Schluß von »Buddenbrooks« vorlesen. *Hast nicht auch Du was vorzutragen?!*

Ergebenst T. M.

Thomas Mann. München, den 13. VIII. 1900

Lieber:

Ich schreibe noch einmal, weil es unsicher geworden ist, ob ich Donnerstag zu Hause sein kann. Meine Mutter ist mit dem Kleinen auf ein paar Tage nach Starnberg gegangen, und vielleicht möchte ich sie dort auf einen Tag besuchen. Das kann aber wohl nur am Donnerstag sein, denn am Mittwoch bin ich, wie Du gleich sehen wirst, verhindert, und am Freitag werden sie wohl schon zurückkehren. *Hättest Du nicht Lust, Donnerstag mit mir zu fahren?* Du kannst Dich ja sicher frei machen. Wenn es ganz unmöglich sein sollte, so giebst Du mir wohl einen anderen Tag zur Zusammenkunft an.

Was den Mittwoch betrifft, so weißt Du, daß ich keine »Tristan«-Aufführung versäume. Dies Mal werde ich im zweiten Rang sein, links, Loge 3. Dies zur Erinnerung und Beherzigung.

> Bricht mein Blick sich
> wonn'-erblindet,
> erbleicht die Welt
> mit ihrem Blenden :
> die nur der Tag
> trügend erhellt,
> zu täuschendem Wahn
> entgegengestellt
> selbst – dann
> bin ich die Welt . . .

Willst Du Dich an dieser kleinen Abendunterhaltung nicht wieder betheiligen?

Eben habe ich mich, beim Versiegeln meines Romans, gräßlich mit Lack verbrannt. Schreiben kann ich solch Buch wohl; aber es nach Berlin zu schicken, ist eine Kunst für sich. Antworte umgehend!

T. M.

THOMAS MANN. München, den 30. VIII. 1900

Lieber, wie geht es Dir seit Deinem Theatercoup von neulich
– ich meine Dein kleidsames Nichterscheinen zum Cham-
pagnerfest nach der »Walküre«? Es konnte mich nur sehr
vorübergehend verdrießen. Ich weiß ja, daß das Bedürfnis,
Dich hie und da durch eine subtile Edelherzigkeit interessant
zu machen, in Deiner Natur begründet ist. Zwischen uns
können solche Mätzchen ja eigentlich nur komisch wirken,;
aber wenn sie Dir Spaß machen, das heißt, wenn Du Dir
darin gefällst, so bin ich der Letzte, Dich darin stören zu wollen. Daß man sich gefällt, ist ja wohl die Hauptsache.
Übrigens ist es gut, daß wir nicht Champagner getrunken
haben; ich würde sonst heute nach all den Festivitäten wohl
noch müder sein. Bei dem Souper gestern, mit Fischers, ist
natürlich nichts Positives herausgebraten. Das Beisammen-
sein verlief so nichtssagend wie nur immer möglich, und
höchst wahrscheinlich wäre es, wie immer, viel besser gewesen, wenn er mich und ich ihn niemals zu Gesichte bekommen hätte. Ich werde ihm noch schreiben, um meine litterarische Persönlichkeit in seiner Phantasie wieder hervortreten zu lassen und die körperlich-gesellschaftliche (was immer nöthig ist) ein wenig vergessen zu machen. Was aus
meinem Roman werden wird, das ist ein finsteres Problem.
Wie ist es denn nun mit den Finanzen? Du brauchst wohl
nichts mehr, da sich ja schon der Letzte d. M. selig über die
darbende Menschheit senkt. Komme doch gelegentlich zu mir
oder laß sonst von Dir hören. Ich muß mich in diesen Tagen ruhig halten, da ich ziemlich erschöpft bin; auch habe
ich den 1ten Sept. endgültig als Tag des Kasernenbesuches
angesetzt.
Mit besonderer Hochachtung für alle Deine feinen und feinsten Eigenschaften T. M.

Lieber, bist Du bei diesem Wetter wirklich auf dem Lande? Ist doch wohl nicht die Möglichkeit!

Das Bild sowie die Briefkarte, in der Du meinem inferioren Charakter wieder einmal einen scharf geschliffenen, unbestechlichen Spiegel entgegenhältst, habe ich ehrerbietig in Empfang genommen. Was das Bild betrifft, so ist die Widmung jedenfalls das Beste daran. Es mißfällt mir im höchsten Grade die im Vordergrunde lagernde ungeheure Hand; manchmal bringt sie mich geradezu auf.

Ich vergaß, zu sagen, daß ich auch die 6 Mark 45 Pfennige richtig bekommen habe. Wie Du selbst andeutest, stimmt die Rechnung natürlich keineswegs; aber wie ein »Postauftrag« in Scene zu setzen wäre, davon fehlt mir jede Vorstellung, und ein Gerichtsvollzieher befindet sich nicht in meinem Freundeskreise. Ich muß also wohl schweigen und dulden.

Ja, Martens und Holitscher sind wieder da. Der Erstere besuchte mich vorgestern, den Anderen traf ich gestern auf der Straße. Sieht man Dich in »Über unsere Kraft« oder im »Fiesko« oder im »König Lear«? Vielleicht giebt die liebe Natur Dir mal ein bischen Urlaub. Übrigens hätte ich nicht übel Lust, mich Dir nächste Woche irgendwohin anzuschließen, denn ich langweile mich. Wann und wohin gehst Du? Andererseits würde ich Dir rathen, doch demnächst einmal bei mir vorzusprechen. Ich würde Dir ein Buch zeigen (vielleicht auch zu lesen geben), einen Roman der *eigensten* Art, der dabei nicht einmal schlecht ist und mir von dem Verfasser, einem Herrn Geron Pernauhm mit einer handschriftlichen Widmung übersandt wurde. Was sagst Du dazu.

Gestern war ich in der Leibkaserne (sehr elegant gekleidet) und wurde auf morgen *zur nochmaligen Untersuchung* wiederbestellt. Ich gehe aber *nicht*. Ich habe mich besser besonnen und will das mit dem Infanteriedienst verbundene *Tur-nen*, vor dem auch Martens mir Angst machte, als übelrie-chend und blamabel um jeden Preis umgehen. Ich will die Schramm-Stunden, trotz Willri so ungefähr das Widrigste, was ich bislang erlebt, nicht wieder heraufbeschwören. Ich gehe zur Feldartillerie; gegen Reiten und Schießen habe ich nichts einzuwenden. Hoffentlich haben sie dort noch Platz.

Also, ernstlich geredet: Komme baldmöglichst nachmittags zwischen 4 und 6 Uhr. Wir müssen für die nächste Woche durchaus Verabredungen treffen. T. M.

THOMAS MANN. München, den 3. IX. 1900

Lieber!

Von Stuben-*Griesgram* ist in Deinem gestrigen Schreiben mehr zu spüren, als in irgend einem von den meinen; was aber die Psychologie betrifft, so hast Du mir wieder einmal bewiesen, daß ich »an jeder Stelle, wo ich steh'«, sei es nun in der Stube oder auf der Zugspitze, Dir darin überlegen bin. Wenn Du wirklich nicht glauben willst, daß Dein Benehmen von neulich zum guten Theil aus der Märtyrerpose und der Vornehmthuerei hervorgegangen ist, die ich in meinem Brief mit Gleichmuth feststellte, die Du Dir aber mir gegenüber ersparen könntest, so bist Du wirklich schlecht über Dich unterrichtet. Mein Respect vor dem Hunger ist groß, und er wäre noch größer, wenn es nicht Dinge gäbe, die mit einem Beefsteak *nicht* zu kuriren sind. Aber wenn Du in einer Stadt hungerst, wo ein »zehnjähriger Freund« (hm, hm!) von Dir lebt, so ist das ausschließlich Deine Schuld. Wenn Du nichts zu essen hast, so weißt Du, daß Du von mir, sobald Du den Mund aufthust, Aushilfe bestimmt zu erwarten hast. Wenn Du, statt mir nur immer nachträglich in Briefen Deine

Hungerqualen möglichst poetisch zu schildern, mir ein einziges Mal im Nothfalle sagen würdest: »Du mußt mir etwas geben, ich habe nichts zu essen«, so würdest Du etwas bekommen. Das weißt Du selbst sehr gut. Daß Du es nicht thust, kann nur daran liegen, daß entweder der Hunger nicht so groß ist oder daß Du es vorziehst, Dir als Märtyrer und Verächter meiner satten Unwissenheit zu gefallen. Von »fünfundzwanzig mal bitten & flehen«, von »Seufzern« und »Ermahnungen« kann jedenfalls nicht die Rede sein. Solche bewußten Übertreibungen und Verzerrungen der Thatsachen sind, mit Verlaub, das letzte und ordinärste Mittel einer untergeordneten Dialektik. Ich »seufze« nicht über Geld, das ich fortgebe, und in die Rolle des Ermahners kann ich mich nicht einmal in der Phantasie einen Augenblick versetzen. Wenn Du mich vom Theater abgeholt hättest, würde ich so gut wie den Sekt auch wohl noch das Bier und das Butterbrodt bezahlt haben; Geld genug hatte ich für alles Mögliche mitgenommen. Aber Du zogst es vor, arm aber vornehm zu Hause zu bleiben – tant pis pour vous! Das Eine aber wäre höchst wünschenswerth: daß Du endlich mit den Versuchen aufhörtest, mir die Rolle des leichtfertigen und unwissenden Glückskindes aufzudrängen. Sie sind gar zu läppisch! *Mir* gegenüber mit Leid- und Lebenskenntnis zu prahlen und dabei auf nichts zu pochen, als auf gelegentliche Geldcalamitäten am Ende des Monats – wenn Du das endlich als lächerlich erkennen wolltest, so dürfte ich Dich loben. Zu welchem Zwecke Du Nietzsche gegen mich ins Gefecht führst, (und in welcher Beziehung) ist mir nicht ganz klar geworden. Er machte den Feldzug mit, weil er damals culturelle Hoffnungen an die Einigung Deutschlands knüpfte. Aber welche Nutzanwendung ergiebt das für mich? Vielleicht hat er den Zarathustra *nicht* in seidenen Unterbeinkleidern gedichtet, daß er überhaupt welche dabei angehabt hat, halte ich aber für noch wahrscheinlicher. Zugegeben sei übrigens, daß das Gelingen des Buches mit dem Unterzeuge des Autors nicht in unmittelbarem Zusammenhange gestanden haben mag. Daß ich auch fernerhin morgens ein paar Tropfen Eau de Cologne auf mein Taschentuch thue, wirst Du wohl oder übel gestatten müssen. Wohlüberlegt, ist das keine luxuriösere Gewohnheit, als diejenige, hie und da nach dem Essen noch einen Spaziergang zum Conditor zu unternehmen. Genug! Ich bin wenig aufgelegt, witzig zu sein. Ich bin ziemlich verstimmt, weil ich heute morgen von der reitenden Artillerie wegen Platzmangel zurückgewiesen bin, und mir ist beständig, als ob ich nun doch bei der Infanterie schließlich noch untauglich befunden werden werde. Verdammte Ungewißheit, ob ich das starke, frische Leben, für das ich wieder einmal eine perverse Verliebtheit hege, nun eigentlich schmecken soll oder nicht! –

Bis auf Weiteres   Dein T. M.

Thomas Mann.   München, den 6. ix. 1900

Lieber,

Du wirst entrüstet sein über den Vorwurf, mit dem ich diesen Brief beginne, wirst mich einen frivolen, frechen, unmoralischen Aestheten nennen und wer weiß, auf was für Ausdrücke Du nicht in Deinem Zorne verfällst, – aber ich kann nicht anders: Deine letzten Zeilen sind schlecht, sie sind viel zu schlecht, sie sind, ihre Eigenschaft als »letzte«- und Abschiedszeilen in Betracht gezogen, geradezu empörend schlecht geschrieben! Ich darf das sagen, weil ich weiß, daß Du es besser gekonnt hättest. Ein Brief, an dessen Anfang ein sprachliches Gebilde wie »bewußte Unwissenheit« und an dessen Ende die unerforschlich unsinnige Schlußformel »bis auf Längeres und Längstes« steht, ein Brief, der die Periode enthält: »*Was* Du als Verzerrung der Tatsachen und ordinärstes Mittel einer untergeordneten Dialektik mir preist (!!), *so* (!!!) ist meinerseits eine Verzerrung der Thatsachen nicht vorgenommen«, woran sich alsbald, in häßlichem Reigen, *drei* mit »aber« konstruirte Sätze hintereinander schließen, – das ist kein letzter Brief, das ist kein Brief, mit dem man etwas so Wichtiges und Feierliches wie die Kündigung einer alten Freundschaft bewerkstelligen dürfte, das ist ein Barbarismus und zuletzt eine Beleidigung des Empfängers, besonders, wenn dieser Empfänger ein so zärtlicher Philolog ist wie ich! Schon dies wäre ein zureichender Grund, unseren Verkehr noch ein wenig fortbestehen zu lassen, gesetzt wirklich, die Gründe, die Du da*gegen* angiebst, wären nicht gar so hinfällig, wie sie es in Wirklichkeit sind. Du bist sehr empfindllch, bist sehr gereizt, und ich würde das verstehen, selbst wenn ich Deinen Zustand nicht aus Erfahrung kennte; nur soll man sich, quand même, ein wenig Humor und Gerechtigkeitssinn bewahren – (wahrhaftig, der Humor scheint in der Stubenluft besser zu gedeihen, als im Freien!) Du schriebst mir, Du könntest nur durch fünfundzwanzigfaches Bitten und Flehen Geld von mir erlangen und auch dann nur unter Seufzern und Ermahnungen meinerseits. Ich antwortete Dir, ein solches Übertreiben der Thatsachen ins Groteske sei das letzte und ordinärste Mittel einer untergeordneten Dialektik, das heißt, ich widerrieth Dir eine so gewöhnliche Taktik als unwürdig. Was thust Du? Was ist Deine Art? Du liest statt »einer Dialektik«: »*Deiner* Dialektik«, nimmst die Sache, beinah wie eine Dame, *persönlich* und erwiderst mir in genau dem selben Style: »Wenn *ich* aber in Deinen Augen (und Gottseidank ja nur in Deinen Augen) wirklich ein so ordinäres, untergeordnetes *Wesen bin*, das sich in den lächerlichsten Märtyrerposen gefällt (und?) *außerdem noch ein Dutzend anderer ekelerregender Eigenschaften* hat, dann – –« Genau dieselbe tadelnswerthe und nicht redliche Methode! Wo ist es, dieses »Dutzend«? Zähle es doch auf! Ich weiß von keinem »Dutzend«! Ich weiß von keiner einzigen! Denn ich habe niemals gesagt, daß Deine Liebhaberei, Dir hie und da in einer Leidensattitüde zu gefallen, etwas Ekelhaftes sei. Sagen was ist: das ist meine Sache; urtheilen ist mir fremd. Gut und lebhaft zu sagen, was ist: das ist mein Bemühen. Ausdrücke ein wenig aggressiver Natur sind in meinem Styl und meinem Wirksamkeitstrieb begründet, und es ist nicht wohlgethan, meine Äußerungen mit höhnischen Zwischenbemerkungen wie »Wenn das nicht sitzt!!« und »Sehr gut!« zu versehen. Ohne Zweifel, was ich schreibe, *soll* auch »sitzen«: nicht in persönlich zänkischem, sondern in sachlichem Sinne. Ich würde jedes Wort, das nicht »säße« als unnütz und talentlos verloren geben. »Wohl frisiert« ist für eine auf das Wirksame und Lebhafte ausgehende Schreibweise wohl das unpassendste Beiwort; *die* Wirkung aber, die mein letzter Brief auf Dich ausgeübt hat, muß ich betrauern. Du betheuerst zwar, er habe Dich »erheitert«; allein Ton und Inhalt Deiner Entgegnung beweisen mir ja zu meinem *aufrichtigen* Bedauern das Gegentheil, – und dieses »aufrichtig« enthält keine Spur von Ironie! – Genug von meinem Styl! Du zwangst mich, ein Wort über ihn zu sagen. Wenn aber er keine Nummer in dem »Sündenregister« bildet, das Du mir vorgehalten haben willst, wo sind sie denn, all die Nummern, aus denen es sich zusammensetzt? Immer nur die Stubenluft? Immer nur die Thatsache, daß ich zuviel in der Stube sitze? Ich gebe sie ja zu, diese Thatsache, gebe sie ja so vollkommen zu, wie Du nur verlangst! Aber die psychologische Erklärung für die Lebensweise meiner letzten Jahre sollte, das muß ich hinzufügen dürfen, Deinem

Scharfsinn doch nicht so ganz unzugänglich sein. Es waren meine gekränktesten, scheuesten, einsamsten Jahre, die hinter mir liegen. Als Künstler war ich nicht unthätig in ihnen; persönlich konnte ich nichts thun, als möglichst allen Demüthigungen aus dem Wege gehen, mich möglichst eingezogen und unauffällig verhalten und *abwarten*. Ich halte das Abwarten für die weiseste Handlungsweise der Welt. Solange man ganz jung ist, noch jünger als wir, hält man jede Lebensweise, jede Lebensperiode, in der man sich gerade befindet, für etwas Dauerndes und Endgültiges und glaubt, verzweifeln oder plötzlich und gewaltsam eingreifen zu müssen. Das ist ganz falsch; ich weiß darüber längst besser Bescheid. Es gilt in aller Stille und Geduld abzuwarten, bis Alles wieder, leicht und von selbst, ganz anders wird – und das thut es, zuverlässig, zu seiner Zeit. Verfrühte Vorwürfe und Ermahnungen reizen nur die Opposition, wie Du wissen solltest und wahrscheinlich auch weißt. Denn hast Du irgendwelche Erfolge von Deinen Ermahnungen erwartet? Ich kann nichts dafür, wenn auch ihnen gegenüber wieder der Psycholog in mir hervorspringt und, nicht ohne Spott, auf ihre inneren Triebfedern weist. »Was kümmert es Dich eigentlich«, frage ich Dich, »wenn ich in der Stube sitze?« und Du antwortest mir: »Ich möchte so gern, daß Du ein bischen gesünder würdest!« Aber das ist ganz einfach nicht wahr. Meine Gesundheit ist Dir in hohem Grade gleichgültig, denn Du bist ja ein Egoist, so gut wie ich, so gut wie jeder Zerrissene und Kranke, und bist viel zu sehr mit Deiner eigenen Gesundheit beschäftigt. Aber die Sache ist diese: Durch die Betonung des Gegensatzes zwischen Deiner und meiner Lebensweise, der so scharf, wie Du beständig thust, ja garnicht besteht, möchtest Du Dich so recht in Deiner – herrlich gesunden Lebensweise bestärken und Dirselbst darin gefallen. Du weißt – oder fühlst wenigstens –, daß Du durch das vorwurfsvolle Hervorkehren dieses Gegensatzes mich nur gewaltsam noch mehr in die Rolle des Stubenhockers hineintreibst; aber Du willst mich beschämen und Dirselbst schmeicheln. Das ist es. Ich empfehle Dir herzlich, dies Aperçu nicht wieder als »Fußtritt« und etwas, das »sitzen« soll, aufzufassen. Ich stelle die Dinge nur ganz objektiv fest, ebenso wie ich etwa das an Dir feststelle, was ich »Selbstzerfleischung als Rache« nenne – siehe das »Dutzend ekelerregender Eigenschaften«, sowie auf jenen anderen typischen Fall, wo Du das Novellenmanuskript, das ich ohne zu heucheln nicht gut heißen konnte, in meinen Papierkorb warfst, dann aber zum Schluß es doch nicht lassen konntest, mich darauf aufmerksam zu machen, erstens, um mich durch Deine grause That zu erschüttern und zweitens, daß ich das Manuskript rettete. Auch dies ist kein Fußtritt. Ich sage, was ist. Was ich anstrebe, ist Einsicht, Wissen und Gerechtigkeit. Dieses Streben solltest auch Du ein wenig mehr zu dem Deinen machen, und alsbald würdest Du weniger wild mit zänkischen Gemeinplätzen um Dich schlagen. Auf das, was Du über Eau de Cologne, Friedrich Nietzsche, Unterhosen und andere eng zusammengehörige Dinge verlauten ließest, war in gar keinem anderen Ton zu antworten als in dem, den ich anschlug. Du empfandest diesen Ton als einen Versuch, Dich die »Macht« meiner »geistigen Überlegenheit« fühlen zu lassen – aber kann ich dafür, wenn meine Erwiderungen besser sind, als Deine Angriffe? Denn der Angreifende bist längst Du, wenn Du auch immer nur traurig allgemeine, düstere und unzugängliche Redewendungen wie »die gegen Dich zeugenden Thatsachen« ins Feld führst, – streng und dumm wie ein Richter, wie ein Staatsbeamter! Gleichviel! Es ist ja nun wohl zu Ende, nicht wahr? Es ist ja nun wohl »besser, wir brechen unsern Verkehr ab«. Aber ich kann mich damit nicht zufrieden geben! Ich verlange durchaus, daß wir noch eine Flasche Champagner auf unsere hingetretene Freundschaft mit einander leeren oder irgend einen anderen Schlußakt veranstalten, würdig und formvoll wie die Sache es erheischt; sonst behauptest Du wieder, ich suchte mich aus Geiz um Festlichkeiten herumzudrücken. Auch wiederhole ich meine Einladung, mich nachmittags einmal zu besuchen, allein, weil ich Dir einen neuen Roman zu lesen geben möchte, der mir auf Herz und Sinne starken Eindruck gemacht hat. Ich wäre schon in diesen Tagen einmal abends zu Dir gekommen, wenn ich nicht befürchten müßte, wegen »geistiger Überlegenheit« von dem nackten Mädchen hinausgeworfen zu werden. Übrigens mache ich vielleicht gerade daraufhin den Versuch.

Ich habe gestern eine mäßige Aufführung des »Fiesko« gesehen und bin heute beim Leib-Infanterie-Regiment *ohne* nochmalige Untersuchung *angenommen* worden. Wohlan! – Morgen ist die Björnson-Première im Schauspielhaus und übermorgen »Lear« im Hoftheater. Machst Du irgend etwas mit? Meinetwegen brauchst Du Dich nicht abhalten zu lassen. Wir können uns ja immer höhnisch lächelnd vorübergehen, wenn wir uns begegnen. Also bis auf Weiteres! Das heißt: bis auf den nächsten Brief und das nächste Zusammentreffen. »Bis auf Längeres und Längstes« schreibe ich lieber nicht, weil es bedeuten würde: »Bis auf einen noch längeren Brief, als diesen, und dann den allerlängsten.«
Unentwegt   T. M.

Thomas Mann.   München, den 9. IX. 1900

Lieber,
Dank für Deine beiden Briefe, die ex-libris-Proben und die Jugend-Nummern. Die Aufsätze von Hirth sind wirklich all-

zu einfältig, besonders der nichtsnützige Nietzsche-Nekrolog. Der gute alte Mann weiß nicht, wie abstoßend ordinär er mit seinem ewigen Gehirnrindengeschwätz wirkt.

Ich erhielt die beiden Briefe zusammen gestern Morgen und erfuhr also zu spät, daß Du mich zum Schauspielhaus begleiten wolltest. »Über unsere Kraft« hat sehr starken Eindruck auf mich gemacht. Auch der »Lear« gestern Abend war nicht übel. Aber heute muß ich mir einen Ruhetag gönnen, da ich mich für morgen Abend bei Holms angesagt habe, um mir von ihm in Betreff der Equipirung (Wäsche u.s.w.) Rathschläge geben zu lassen. Ich weiß noch garnicht, wann ich werde zu Dir kommen können, denn in diesen Tagen erwarten wir ja auch meinen Bruder.

Nach dem Björnson war ich im Hofbräuhaus mit einer ganzen Heerde von litteratoribus zusammen: Frank Wedekind, Martens, Gumpenberg, Holitscher, v. Scholz, Graf Kayserling u. A. Um Mitternacht ging ich, worauf wohl eine prachtvolle Analyse meiner Persönlichkeit stattgefunden hat.

Mir trocknet die Tinte ein, und ich verlerne das Schreiben, weil ich garnichts mehr thue. Ich finde jetzt natürlich keine Ruhe mehr, obgleich ich allerlei zu machen hätte. Laß den Brief aus Aalsgard nur nicht verloren gehen; ich werde ihn später noch gebrauchen.

Könntest Du mich nicht morgen, Montag, abend um 7 Uhr oder auch früher besuchen und mich dann zu Holms begleiten?   T. M.

Thomas Mann.   München, den 22. ix. 1900

Lieber!

Nun bin ich gestern Abend weder in den »Tannhäuser« noch in die Mühlstraße gelangt. Man schwatzt sich abends im

Wohnzimmer beim Bier und bei der Cigarre fest und läßt die ehrenwerthesten Entschlüsse dahinfahren. Morgen ist ja Sonntag und wohl kein Ausflugwetter. Könntest Du nicht nachmittags ein wenig zu mir hereinblinzeln, damit man doch wieder einmal von einander hört?

Gruß! T. M.

Bringe mir, wenn Du kommst, meinen *Kneifer*, das Heft der *Wiener Rundschau* und das der *Neuen Deutschen R.!*

3. XI. 1900

Lieber,

da säße ich wieder, gänzlich unwissend über mein nächstes Schicksal. Ich bin heute Mittag vom Lazaret abgefahren und – *mit schon wieder stärker schmerzendem Fuß* – hier eingetroffen. Jetzt ist es gegen 2 Uhr, und es hat sich eigentlich noch niemand um mich gekümmert. Ich höre, daß um 3 Uhr der Arzt kommen soll; dann wird es sich wohl entscheiden, ob ich auch morgen noch den ganzen Tag hier herumliegen muß. Sprich doch jedenfalls morgen im Laufe des Tages hier vor, am besten nachmittags. Findest Du mich aber *nicht*, so stürze, eile, fliege nach Schwabing, um mich unter menschlichen Umständen zu begrüßen. Das Leben, das man mich seit 4 oder 5 Wochen zu führen zwingt, ist lächerlich und abscheulich; es ist Zeit, daß es ein Ende nehme. Mein Fuß schmerzt, wie gesagt, schon jetzt wieder stärker. Verschlimmert er sich in sieben Tagen, auch ohne Dienst, durch das bloße Gehen, noch mehr, so werde ich darauf dringen, einen Zivil-Arzt und Spezialisten zu Rathe zu ziehen und ernstlich beginnen, meine Freilassung einzuleiten.

Ich will mit dem Absenden des Briefes warten, bis ich dem Arzt vorgestellt bin. Viellleicht kann ich Dir noch einigermaßen günstige Nachricht geben.

Später: Ich bin allen möglichen Verhören unterzogen worden, weiß aber noch nichts Sicheres. Jedenfalls muß ich diese Nacht hier schlafen.

Gruß! T. M.

Sonnabend Mittag [4. 11. 1900]

Lieber,

meine Bitte, gestern, ist abschlägig beschieden worden. Ich »habe« hierzubleiben, und von Montag an »habe« ich zur Probe wieder zu exerciren. Wenn es dann wieder nicht geht, werde ich wohl wirklich ausrangirt werden, wenn auch vielleicht, wie ich höre, nur für dies Jahr. Nächsten Oktober beginnt dann eventuell der Fang von Neuem.

Dies ist (wer hätte dergleichen je von mir gedacht?) das schönste Briefpapier, das ich besitze, ein trauriger Beweis dafür, wie schnell und tief ein Mensch zu sinken vermag. Wann ich Gelegenheit haben werde, diese Zeilen abzuschikken, weiß ich nicht; aber hoffentlich läßt Du mich morgen, auch ohne sie schon bekommen zu haben, nicht im Stich. Der Sonntag ist immer das Traurigste.

Gruß. T. M.

THOMAS MANN. München, den 12. XI. 1900
Feilitzsch-Str. 5^{III}

Lieber!

Nur auf zwei Worte. Ich bin furchtbar müde nach Hause gekommen und habe mich eben mit einem einstündigen Violin-Spiel vollends erschöpft.

Deinen Brief fand ich in meinem Briefkasten. Was ist das nun wieder! Du willst englische Vorträge halten? Gott sei mit Dir, aber eine englische Grammatik und ein englisches

Wörterbuch habe ich nicht, und so viel ich weiß, ist auch in der Herzogstraße nicht dergleichen. Aber solche Bücher kannst Du in Deiner Stellung doch wohl leicht auftreiben. Wie ist es: kostet es 25 M. Entrée oder bekommst Du 25 M.? Ich bin neugierig auf die Einzelheiten dieses neuen Abentheuers.

Ich möchte morgen* Mittag gern mit Dir essen. Sei doch ja um 1/2 1 Uhr vor der Kaserne, denn ich bin mir über das Lokal noch nicht im Klaren.

Gruß.   T. M.

* Dienstag.

THOMAS MANN.   München, den 13. XI. 1900

Lieber, ich sehe, ich werde mich gewöhnen müssen, mittags der knapp bemessenen Zeit wegen in der Stadt zu essen, und zwar so zwischen 3/4 12 und 1 Uhr. Das ist früh, aber wir sollten trotzdem dabei zusammen halten. Ich war heute im Heck und es hat mir ganz gut gefallen. Iß doch in den nächsten Tagen auch um 12 Uhr dort. Es wird mit meinem Fuß wohl so wie so nicht mehr lange dauern.

Dank für Brief und Drucksache. Der Aufsatz ist hübsch geschrieben, das kann ich sagen. Über die Vorträge mußt Du mir noch mündlich erzählen.   T. M.

THOMAS MANN.   München, den 1. Dezember [1900]
                                                     abends.

Lieber,

Du wirst freundlichst gebeten, morgen, Sonntag, mit uns in der Herzog-Straße ein Stück belegtes Abendbrodt zu essen. Es wäre mir lieb, wenn Du schon vorher, um 5 oder

¹/₂ 6 Uhr zu mir in die Feilitzsch-Str. kommen könntest.
Den Nachmittag mit dem guten Holitscher zu »verbringen«
bin ich gar nicht aufgelegt. Wenn Du ihn siehst, sage nur,
daß ich mich unwohl fühle, was ja nicht gelogen ist. Übrigens werde ichselbst ihm noch schreiben.
Gruß.   T. M.

THOMAS MANN.   München, den 3. XII. [1900]
                                             Abends.

Lieber,
ich bin dies Mal nicht ins Revier »aufgenommen« worden,
vielmehr hat man mir anbefohlen, den Fuß nachts mit feuch-
ten Umschlägen zu behandeln, tags aber »Dienst zu machen«.
Ich muß nur abwarten, was Hofrath May für mich thun
kann und wird. Morgen werde ich wegen Zeitmangels vor
Abend die Kaserne nicht verlassen können; aber sei doch
übermorgen, Mittwoch, ungefähr ³/₄ 1 Uhr im »Gisela«.
                                                                       T. M.

THOMAS MANN.   München, den 19. XII. 1900

Lieber,
ich schreibe Dir »nur so . . .«, aus Freiheitsübermuth, um Jemandem einen gut gelaunten Gruß zu senden und weil ich ja,
so viel ich weiß, die Zeit dazu habe, nicht wahr! Zur Erinnerung an die Kaserne bewahre ich einen biderben Schnupfen,
der nicht wanken und weichen will; sonst aber bin ich guter
Dinge, esse, schlafe, gehe spazieren, spiele Geige, lese und
denke dies und das und kaufe mir, weil ich so artig bin, Eins
oder das Andere, was ich gern haben möchte.
Diese Woche ist vorzugsweise dem Theater gewidmet. Freitag werde ich »Rosenmontag« und Sonnabend »Hedda Gab-

ler« sehen. Ich werde jetzt oft in junge Stücke gehen müssen, um die dramatischen Fähigkeiten, die daraus sprechen, mit denen zu vergleichen, die ich mirselbst zutraue, und mir auf solche Art hoffentlich Muth zu holen. Gestern Abend freilich war ich mit Paul Ehrenberg, der mich überredet hatte, unnöthiger Weise in »Margarethe« von Gounod. Es waren ganz liebe Stunden. Ich saß, neben diesem rechtschaffenen, ungetrübten, kindlichen, ein bischen eitlen aber unbeirrbar treuherzigen Kameraden, auf meinem Polster und lauschte ohne allzu viel Erregung und anstrengende Betheiligung einer sanften, süßen, unschuldvollen und friedlichen Musik . . . Dieser Gounod ist ganz sicherlich auf irgend eine Art ein heimlicher Germane gewesen. Er besitzt viel Grazie, gewiß, und hie und da sogar ein klein wenig Pariser haut goût; aber er entbehrt – Ehre ihm! – jeder romanischen »Schwunghaftigkeit« und Coulissen-Leidenschaft, während ihm die Hauptingredienzen der deutschen Musik, das Religiöse und das Sentimentale, so sehr im Blute liegen, daß man an seiner Rasse-Reinheit zweifeln darf. Übrigens ist sie mir unvergleichlich gleichgültig.

Ich faulenze, wie gesagt, so ziemlich; denn das geduldige Warten, das um die Stoffe herumschleichen, sie liebevoll betasten, die stumme, heimliche Pflege, die man ihnen zutheil werden läßt, die ersten behutsamen Entwirrungs- und Gestaltungsversuche und Alles, was dann kommt, die ganze Arbeit ohne Feder, wagt man ja leider niemals »Arbeit« zu nennen. Vom »König von Florenz« sind bis jetzt eigentlich nur der künstlerische Grundwille – dieser sehr stark und klar –, ein paar psychologische Pointen und ein verworrener Traum vorhanden; Alles Übrige muß noch kommen. Novellenstoffe drängen herzu. Eine, wohl die nächstliegende, wird – was sagst Du dazu? – Herrn Holitscher zum Helden haben. Du darfst es ihm auch im Heck erzählen. Schließlich die alte Klage: Eine gute Nachricht von Fischer würde mich so herrlich fördern! – Lektüre: Mit außerordentlichem Vergnügen: »Was der Tag mir zuträgt« von Altenberg.

Neulich, in meinem Brief an Tesdorpf, habe ich doch einen Fehler gemacht, indem ich nämlich schrieb, er habe das von dem »Lumpen« einer mir nahe Verwandten gegenüber geäußert. Nun höre ich, daß meine Tante Elisabeth nur dabei zugegen gewesen ist, daß er es aber zu Dir gesagt hat. Stimmt das?

Schreibe mir, bitte, wann Du morgens zu sprechen bist; ich möchte gern den Secessions- und Museumsbesuch mit Dir verabreden. Nächstens sollst Du abends wieder einmal bei mir essen.

T. M.

Thomas Mann.   München, den 30. XII. 1900

Lieber, das mit dem zwiefachen »Ja« habe ich nothdürftig in Ordnung gebracht; es hatte ziemlich peinlich gewirkt. Aber Du sollst *deshalb* durchaus nicht gebunden und verpflichtet sein, morgen Abend zu kommen; das soll ich Dir sagen. Du bist willkommen wie immer, wenn Du mit uns die paar harmlosen Stunden verbringen willst; aber niemand verübelt es Dir, wenn Du unter den obwaltenden Umständen Dich ausschließt. Gieb mir jedenfalls bald Nachricht, wie es um Dich steht.

T. M.

Thomas Mann.   München, den 3. I. 1901

Lieber,

Deine beiden Briefe – auch die Karte – bekam ich *heute* Morgen, am Sylvesterabend wußte kein Mensch, ob Du nun eigentlich kommen würdest oder nicht. Auch das war nicht gerade gut und schön so, und wenn Du überhaupt noch Werth auf den Verkehr bei meinen Angehörigen legst – ich verstände es ja, wenn es nicht mehr der Fall wäre – so wirst Du Dir wohl ein wenig Mühe geben müssen, die verschiedenen Sünden wieder gut zu machen.

Dein Schreiben aus der Neujahrsnacht, das Dir hoffentlich Erleichterung gewährt hat, sagte mir ja eigentlich nichts Neues. Ich glaube Dir gern Alles aufs Wort, aber ich kann – gottseidank! denn ich wüßte nicht, ob ich hindern oder fördern sollte – ja nichts in der Sache thun und muß abwarten, wie sie verläuft. Wenn ich ungläubig bin, so gilt mein Unglaube weniger Dir, als der Sache. Du bist ja, was das Leben betrifft, viel tüchtiger und menschlicher ausgestattet, als ich, abgehärteter und weit weniger entwöhnt von aller Realität. Statt »kuriren« sage auch ich lieber »erlösen«, ich bin doch kein Veterinär! Und item, – bist Du »erlösungsfähig«, »erlösungs*bedürftig*, so lasse Dich in des dreieinigen Gottes Namen »erlösen«. Wahrscheinlich ist Dir Dein Weg viel klarer und solider vorgezeichnet, als mir, der ich mir eigentlich einen Shawl um den Hals binden, mich in den Rinnstein legen und mit Paul Verlaine singen sollte:

> Je suis un berceau
> qu'une main balance
> au creux d'un caveau . . .

Bist Du Familienvater, so bekomme ich zweifelsohne auch die neunzig Mark zurück, oder wenigstens die fünfzig, die Du Dir, wohl nur im Scherz, zum Bücherkaufen liehst. Auch solche Unbedenklichkeiten zeugen von einer beinahe renaissancehaften Lebenstüchtigkeit . . . wohlgemerkt! Was ich da sage, ist nicht Bosheit, sondern nur gute Laune: Beweis dafür, daß gute Laune auch ohne »Erlösung«, ja just ohne sie möglich ist.

Wann darf ich Dich bei mir erwarten?

Besten Gruß!   Dein T. M.

<small>THOMAS MANN</small>   München, den 8. Jan. 1901

Lieber: Ich habe mit Vergnügen gehört, daß Du meine Mutter besucht und »in netter Weise« (diese Wendung ist Paul Ehrenbergs eigenstes Eigenthum) mit ihr Rücksprache genommen hast. Das war so vernünftig gehandelt, wie ich es eigentlich, nach der Art wie Du mich noch tags zuvor im Residenztheater tractirtest, garnicht mehr von Dir erwartet hatte. Zwar hättest Du nicht gerade zu behaupten brauchen, ich hätte Dich in einem »boshaften« Schreiben aufgefordert, meine Mutter um »Verzeihung« zu bitten; aber das habe ich richtig gestellt, und nun hoffe ich aufrichtig, daß wieder Alles sein wird wie zuvor. Siehst Du: *Wir* beide stehen ja so zu einander, daß ein ernsthaftes Zerwürfnis zwischen uns unmöglich ist, und es wäre doch einfach burlesk, wenn *wir* wie die Philister, wie die »unbewußten Typen«, wie die wichtigen »Leute« dauernd mit einander schmollen wollten; aber Du begreifst, daß mir den Anderen gegenüber ein so wunderliches und räthselhaftes Verhältnis wie es zwischen Dir und uns entstanden war, peinlich sein mußte. Ich habe Dich bei uns eingeführt, Du giltst als mein Freund, ich bin gewissermaßen verantwortlich für Dich und mir ward fatal zu Sinn, wenn Löhrs und Ehrenbergs in letzter Zeit, kam die Rede auf Dich, sich in Schweigen zurückzogen, wie Leute, die fürchten, auf Unannehmlichkeiten zu stoßen, wenn sie fragen. Und warum? Nichts lag vor. Und doch gewann es mehr und mehr den Anschein, als läge etwas Schauerliches in der Luft. So durfte es nicht weiter gehen, und darum freut mich der Besuch, den Du meiner Mutter gemacht hast, und darum hoffe ich, daß Du nicht länger den Philister spielst, der durchaus recht ernst genommen werden möchte – (das ist Dein Hauptfehler) sondern daß Du ein wenig Souveränität und Humor wiederfindest, *unseren* Humor, der Dir in letzter Zeit so arg abhanden gekommen war. Ich weiß ja nicht, wie Deine Angelegenheiten stehen. Ich glaube kaum, daß es da Neuigkeiten giebt, und wenn es welche gäbe, so wäre ich wohl nicht würdig, sie zu erfahren. Aber wie dem auch sei: wenn Du in dieser oder der nächsten Woche einmal zu uns geladen wirst, so komm und sei wie sonst! Leiden, mein Lieber, ist eine gute und feierliche Sache; aber es giebt kein Leiden, das uns berechtigen könnte, ein paar Abendstunden voll Unschuld, Freundschaft und Musik hochmüthig zu verschmähen.   Dein T. M.

THOMAS MANN   München, den 24. Jan. 1901

Lieber:

Ich muß meinem Briefe von gestern gleich noch eine Zeile nachsenden. Nämlich morgen, Freitag, Abend paßt es mir nun doch nicht – und Dir, denke ich, auch nicht, denn ich würde Dir sehr empfehlen, ebenfalls in den Akad. dram. Verein zu gehen, wo, wie ich gestern bei Martens hörte, Herr Lind unter Anderem den 1. Akt von Wedekinds »Frühlingserwachen« lesen wird. Das macht Spaß und kostet nichts. Ich gehe nachher sofort nach Hause, d. h. höchstens noch mit Dir in ein Café. Unser Festmahl bei mir soll nur ganz wenig verschoben sein.   T. M.

Lieber G.:

Besten Dank für das Börsenblatt mit Deinem artigen Aufsatz. Ich werde mich aber besinnen, ob ich Paul Ehrenberg
damit ennuyiren soll; ich fürchte, all diese anspruchsvolle
und graue Theorie würde ihn nur verwirren und kopfscheu
machen. *Laß* ihn aus! Er wird schon in netter Weise etwas
Hübsches zustande bringen. Was er ungefähr machen soll,
muß er *sehen*; das Dociren ist da nicht am Platze. Übrigens
will ich ihn fürs Erste nicht mahnen, sondern warten, bis er
von selbst auf die Sache zurückkommt.

Nein, meine Laune war nicht schlecht, als ich gestern nach
Hause ging. Ich hielt es kurz nach 11 Uhr nur vor Müdigkeit nicht länger aus und verabschiedete mich. Übrigens hatte
ich Dich ja auf mein Verschwinden vorbereitet. Ich war lange
Zeit mit Ehrenbergs, Junghans und den Amerikanern zusammen. Junghans ist ein sehr angenehmer Mensch: das
Genre Paul Ehrenberg, soweit ich gesehen habe, nur viel
stiller. Bist Du schließlich noch einmal mit Ehrenbergs zu-
sammengetroffen? Ich konnte mich bedauerlicher Weise nur
von Carl verabschieden, der am Tische saß, während Paul,
den ich vergebens gesucht hatte, sich gerade auch seinerseits
auf der Suche nach mir befand. Ich habe den Musikanten beauftragt, ihn von mir zu grüßen und ihm Bescheid zu sagen,
was er hoffentlich ausgeführt hat, weil sonst der gute Kerl,
nach den Erfahrungen, die er mit mir gemacht hat, wohl geglaubt hätte, es sei irgend etwas nicht in Ordnung.

Herr Gott, nein, ich verachte Dich nicht! Wie kommst Du
darauf! Wenn Du mir einen großen Gefallen thun willst,
so sprich nur von dem pfiffigen kleinen Geschöpf, das von
Deinem schönen Herzen Besitz ergriffen hat, nicht mehr als
von »Deinem Mädel«. Denn erstens ist diese Bezeichnung

ja nicht zutreffend und zweitens wirkt sie auch gar zu zu-
sammenziehend. Im Übrigen bin ich überzeugt, daß Du Dich
kolossal falsch benommen hast. Die Franzosen sagen: Wenn
der Deutsche graziös sein will, so springt er zum Fenster hinaus. Etwas Ähnliches gilt meistens auch von »uns Todten«,
wenn wir »erwachen«, d. i. wenn wir einmal Menschen sein
möchten. Meistens! Es gehört sehr viel Geschmack und Stil-
gefühl dazu, da nicht zu outriren, sich nicht zu verzerren.
Na, Stil . . . es weiß eben nicht Jeder, was das ist: nicht einmal alle Mitarbeiter des Börsenblattes für den deutschen
Buchhandel. Ehrlich: (und Du weißt das ja auch) Du machst
mich nervös, wenn Du Fasching spielst, und schon darum
bin ich froh, daß der Fasching vorüber ist. Nervös machtest
Du mich zum Beispiel (und augenscheinlich nicht nur mich)
durch das blöde Gekreisch, mit dem Du gestern im Café L.
Paul Ehrenberg empfingst. Es ist dumm und roh, zu glauben, daß dies, selbst in der Fastnacht, die richtige Art ist, ihm
zu begegnen. Dir kann es ja gleichgültig sein, was er von
Dir denkt, da hast Du Recht. Ich fürchte nur, daß er manchmal nicht weiß, was uns – Dich und mich – eigentlich verbindet. –
Nichts für ungut übrigens! Wir haben schließlich Ascher-
mittwoch. Und damit, daß am Sonntag der Carneval bei
meiner Schwester noch ein kleines Nachspiel haben soll, bin
ich durchaus einverstanden. Auf Wiedersehen bis dahin!

T. M.

THOMAS MANN   München, den 22ten II. 1901

Lieber,
da ich heute schon zwei Seiten mit ganz hübschem Dialog
bedeckt habe, kann ich Dir vorm Schlafengehen noch ein
paar Zeilen widmen. Gleichzeitig mit diesen erhältst Du

den Brief meines Bruders zur Lektüre und umgehenden Rücksendung. Ich hätte die größte Lust, ihn sofort ausführlich zu beantworten und meinen ganzen Roman zu beichten. Aber ich habe jetzt keine Zeit dazu und fürchte mich außerdem etwas vor der Wirkung dieser schriftlichen Confession und Recapitulation, denn ich habe die Erfahrung gemacht, daß die Mittheilung in diesem Falle nicht erleichtert sondern Alles nur vertieft und sogar übertreibt. Andererseits habe ich natürlich wieder eine wahre Sehnsucht, das Ganze breit auseinander zu rollen und mich eingehend zu erklären. – Heute Vormittag hatte ich eine böse Stunde. Fischer erinnerte mich daran, daß er seine kleine »Collection« ja überhaupt nicht mehr fortsetzt. Und für einen gelben Novellenband ist mein Vorrath natürlich noch viel zu gering. Im Übrigen bäte er um »Tristan« für die Rundschau und hoffe mich Mitte März in München zu sehen. – Im ersten Augenblick dachte ich: So! Das ist der Gnadenstoß. Denn ich kann augenblicklich wahrhaftig kein Mißgeschick vertragen. Aber dann erwies es sich, daß ich im Grunde doch eigentlich das reine Stehaufmännchen bin. Schon nach fünf Minuten stand ich wieder aufrecht und zwar kraft des Entschlusses, sobald »Tristan« fertig ist, mit den fünf Sachen in aller Stille zu *Langen* zu gehen. Für ein Bändchen der kleinen Bibliothek müssen sie ja reichen, und Fischer darf sich dann nicht beklagen. Ich brauche Geld für Florenz, ich muß vorm Herbst noch etwas ans Licht bringen und vor Allem: die Widmung! Diese Widmung ist allmählich zur fixen Idee bei mir geworden; ich bin mit Leidenschaft darauf versessen. Es ist der selbstverlorene Wunsch, etwas zu thun, etwas zu opfern, ihm irgend etwas darzubringen: ein Genuß, zu dem einem das poesielose Leben gerade dann keine Gelegenheit bietet, wenn man ihn am sehnlichsten ersehnt. Vielleicht auch ein wenig der Wunsch, ihn meine Macht sehen zu lassen, ihn ein wenig zu beschämen, indem ich seinen Namen »prangen lasse« ... Es ist verrückt und lächerlich! Ich schreibe schon nur noch »er« und »ihn« und »sein«, und es fehlt bloß noch, daß ich es groß schreibe und golden einrahme, so ist die Aera »Timpe« in Glanz und Gloria wieder heraufgezogen. Aber glaube mir: Merkwürdiger Weise immer nur gerade Dir gegenüber gestalten sich mir die Dinge in diesem tertianerhaften Styl. Im Grunde verhalten sie sich doch bei Weitem weniger knabenhaft, bei Weitem schlichter und männlicher, und nur die verfluchte Nervenschwäche bringt immer wieder das Leidende und Sehnsüchtige hinein. – – – Wenn ich nur wüßte, wie es mit Florenz, mit Dir, mit meinem Bruder wird! Thu' ja Alles, daß Du im April reisen kannst! Mein heimlicher Wunsch ist natürlich, daß wir erst Anfang Mai fahren. Aber es geht nicht, es wäre zu blamabel! Wie gesagt: Thue *Alles*, damit die Sache Anfang April zustande kommt. Ich wäre sonst rathlos, und Rathlosigkeit kann in meinem jetzigen Gemüthszustand unmittelbar gefährlich für mich werden. –

Holitschers »Knotenbock« ist nicht schlecht, aber ich kann es besser.

Fischer schreibt, daß ich »wegen des Romans in allernächster Zeit von ihm Näheres hören und auch alle Vorschläge geschäftlicher Art unterbreitet bekommen soll.« Es werden nette Vorschläge sein!

Das Börsenblatt behalte ich noch für alle Fälle.

Gruß. T. M.

Thomas Mann München, d. 6. XI. 1901
Feilitzsch-Str. 5III
Lieber O. G.!
Ich denke mir, daß Deine Ankunft in Florenz sich wohl ein bischen verzögert haben wird; wenn aber diese Begrüßungs-

zeilen am Arno eintreffen, werden sie Dich hoffentlich dort vorfinden.

Ich beneide Dich. Du weilst an den Stätten, um die mein Geist jetzt fast unaufhörlich sinnend streicht: denn man muß mit Kraft das Ganze erfassen, wenn man auch nur einen kleinen Ausschnitt, ein winziges Kulturbildchen nachzuschaffen und mit eigenem Leben und Denken zu durchtränken sich sehnt. Dich grüßt die bunte Herrlichkeit des Doms, die verführerischen Wunder der Uffizien, des Bargello und des Palazzo Pitti sind Dein, und von San Marco zum Signoren-Palast führt Dich, wie einst meinen düsteren Helden, die schöne Straße ... denke zuweilen an mich in »Fiorenza«, meiner erhabenen Bühne, dem Schauplatz meiner Symbole. Es könnte sein, daß Du mir mit einer oder der anderen örtlichen Einzelheit dienlich sein könntest. Ich habe es zum Beispiel versäumt, die Villa Medici in *Careggi* zu besuchen, wo, was ich damals noch nicht wußte, Lorenzo gestorben ist, und deren Inneres die Scene des Aktes bildet, an dem ich forme. Was es von der Villa an Photographieen giebt, besitze ich, aber es sagt mir nicht viel. Wenn Du dort bist, so mach' Dir doch ja Notizen über das Intérieur; Du könntest mir möglicher Weise damit sehr nützlich sein.

Hier beginnt, unter Nebel und Frost, der Herbst in den Winter überzugehen. Die Concerte, die Premièren setzen ein. Für mich im Besonderen markirt sich der Wiederanfang der »Saison« durch das Wiedersehen mit Paul Ehrenberg, das neulich gelegentlich eines Mittagessens bei Bekannten sich ereignete. Und gestern Abend, bei uns, habe ich auch sein Geigenspiel wiedergehört. Er ist der Alte ... Auch ich bin der Alte: Noch immer so schwach, so leicht verführt, so unzuverlässig und wenig ernst zu nehmen in meiner Philosophie, daß ich des Lebens Hand ergreife, sobald es mir sie lachend entgegenstreckt. Sonderbar! Alljährlich, um die Zeit,

wenn die Natur erstarrt, bricht in die sommerliche Ver-
eisung und Verödung meiner Seele das Leben ein und gießt
Ströme von Gefühl und Wärme durch meine Adern! Ich lasse
es geschehen. Ich bin Künstler genug, Alles mit mir geschehen zu lassen, denn ich kann Alles gebrauchen. Übrigens hatte Bruder Girolamo einen Freund, der ihn verehrte
und den er liebte, Giovanni Pico von Mirandola, den blonden
Humanisten . . .

In der That, die »Saison« ist da; ich fühl's. Inzwischen bin
ich gezwungen, mich verabredeter und versprochener Maßen,
nachdem die Winterfrische meiner Seele schon begonnen,
noch in eine verspätete Sommerfrische zu begeben, nämlich
nach Riva. Bis etwa zum 20ten dieses Monats habe ich meine
Abreise freilich verschieben müssen, denn auf den 18ten ist
jetzt mein Vortragsabend im Akad. dramat. Verein festge-
setzt worden. Ich werde zwei neue Novellen und vielleicht
auch ein Stück aus »Buddenbrooks« lesen. Alle Welt geht hin.
Kannst Du nicht auch zum Abend des 18ten wieder hier sein?
Ich würde mich sehr freuen, Dich im Auditorium begrüßen
zu können. – Von der Vorlesung verspreche ich mir einigen
Erfolg, auch eine Erhöhung des Interesses für meinen Roman.
Er ist erschienen, und Schüler sagte mir, daß er ihn gut verkauft. In der »Münchener« stand schon eine sehr wirksame
Notiz darüber: T. M., der bekannte Mitarbeiter des Simplicissimus, veröffentlichte soeben bei S. Fischer in Berlin
einen großen zweibändigen Roman etc. Das Buch wird »ein
Roman im großen Stile, ein echtes deutsches Dichtwerk« genannt. Das ist beinahe Alles, was ich hören will . . . Überhaupt: der Ruhm scheint sich mir nicht völlig versagen zu
wollen, *obgleich* ich ihn begehre. Auch O. J. Bierbaum hat
neulich im Litterarischen Echo von mir gesprochen. Und Kurt
Martens arbeitet schon an seinem Aufsatz über mich für
das selbe Blatt. Excelsior! Bisweilen kehrt sich mir vor Ehr-

geiz der Magen um. Überhaupt scheint es, daß bei mir eigentlich alle Affekte ihren Sitz im Magen haben, weshalb ich ihn jetzt auch kuriren muß. –

Bestätige mir doch gleich den Empfang dieser Zeilen und schreibe mir, ob Du zum 18ten wieder hier sein kannst.

Dein Thomas Mann.

THOMAS MANN   26 XI. 01
                               Riva am Gardasee
                               Villa Cristoforo.

Lieber!

Nur wenige dringliche Zeilen! Ich schreibe und lese hier nur verstohlen.

Es handelt sich hauptsächlich um Kurt Martens' Buch ›Die Vollendung‹: Bitte, laß keinen Anderen für die ›Neuesten‹ darüber schreiben, sondern besprich Du selbst den Roman, wenn auch nur kurz. Es ist dies des Verfassers Wunsch, und ich wünsche herzlich, daß er durch meine Vermittlung erfüllt werde. M. hat dem Litter. Echo einen Aufsatz über mich geschrieben, der mit Porträt veröffentlicht wird, und kommt mir in allen Stücken dienend entgegen. Dies ist die erste Gelegenheit, mich ein wenig zu revanchieren. Büsching oder ein Anderer würde das Buch vielleicht zu lieblos abthun, und es ist immer schädlich, in Eurem Weltblatt herabgesetzt zu werden. Ich bitte nochmals dringend: nimm die Sache in die Hand und empfiehl das Buch aufs Beste, noch vor Weihnachten.

Ein paar Winke noch, *Buddenbrooks* betreffend. Im Lootsen sowohl wie in den Neuesten betone, bitte, den *deutschen* Charakter des Buches. Als zwei echt deutsche Ingedienzen, die wenigstens im II. Bande (der wohl überhaupt der bedeutendere sei) stark hervorträten, nenne *Musik* und *Philoso-*

139

phie. Seine *Meister,* wenn schon von solchen die Rede sein müsse, habe der Verfasser freilich nicht in Deutschland. Für gewisse Partien des Buches sei Dickens, für andere seien die großen Russen zu nennen. Aber im ganzen Habitus (geistig, gesellschaftlich) und schon dem Gegenstande nach echt deutsch: schon im Verhältnis zwischen den Vätern und den Söhnen in den verschiedenen Generationen der Familie (Hanno zum Senator). Tadle ein wenig (wenn es Dir recht ist) die Hoffnungslosigkeit und Melancholie des Ausganges. Eine gewisse *nihilistische* Neigung sei bei dem Verf. manchmal zu spüren. Aber das Positive und Starke an ihm sei sein *Humor.* – Der *äußere* Umfang sei etwas nicht ganz Bedeutungsloses. In der Zeit des »Überbrettls« und der Fünf-Secunden-Lyrik sei es wenigstens ein Zeichen ungewöhnlicher künstlerischer Energie, ein solches Werk zu concipiren und zu Ende zu führen. Es sei dem Verf. gelungen, den *epischen* Ton vortrefflich festzuhalten. Die eminent epische Wirkung des *Leitmotivs.* Das *Wagnerische* in der Wirkung dieser wörtlichen Rückbeziehung über weite Strecken hin, im Wechsel der Generationen. Die Verbindung eines stark dramatischen Elementes mit dem epischen. Dialog.

Damit genug! Mach Deine Sache recht gut und verschiebe sie nicht zu lange.

Meine Vorlesung ist sehr gut, um nicht zu sagen: glänzend verlaufen. Nur Gumppenberg hat mir mit seiner unverständigen und kalten Besprechung einen bitteren Nachgeschmack verschafft.

Nochmals: denke an *Martens!*

Herzlichen Gruß und auf Wiedersehen um Weihnachten. Ich freue mich, Dich von Italien erzählen zu hören.

Dein Thomas Mann.

AN IDA BOY-ED

Thomas Mann. München, den 14. XII. 1903
Konradstr. 11 pt.

Hochverehrte Frau:

Nehmen Sie meinen herzlichen Dank für Ihre lieben gütigen Zeilen! Das Gegenständliche daran war mir fast nebensächlich, so sehr hat der Brief selbst mich erfreut. Ich wußte ja schon durch verschiedene Leute, durch Natalia Kulenkamp und den guten Grautoff, daß Sie mir wohlwollen und zu Hause (mein Gott es bleibt doch immer »zu Hause«!) für mich eintreten. Andere wollten es besser, – schlimmer wissen. Hermione von Preuschen, die ich, Gott straf' mich, für eine ziemliche Gans halte, hat meinem Bruder erzählt, Sie hätten »Buddenbrooks« für einen »Verrath an der Heimath« oder etwas ähnlich Düsteres erklärt. Ich habe abgelehnt, das zu glauben. Und weil Ihr Schreiben mir den Gegenbeweis gibt, ist es mir so werth und wichtig.

Was das Gegenständliche betrifft, so will ich Ihnen nur gestehen, daß Ihr Vorschlag mir nicht so überraschend kam, wie Sie vielleicht glauben. Einmal mußte dergleichen kommen, und ich hatte schon hie und da mit dem Gedanken gespielt. Wäre er mir bei der Lektüre Ihres Briefes ganz neu gewesen, so hätte ich wohl sofort mit Entsetzen »Nein« gesagt; so aber sage ich »Ja« – wenigstens im Princip, wenn auch nicht unbedingt.

Worüber ich mich wundere, ist, daß Sie der Annahme Ihres Vorschlages von Seiten des Vorstandes so sicher scheinen. Sie können das aus der Nähe besser beurtheilen, als ich aus der Entfernung, aber ich habe meine Zweifel; und der Gedanke, Ihr Antrag könnte abgelehnt werden, mit dem heimlichen Verdacht, daß er von *mir* ausgehe, ist mir natürlich sehr zuwider. Aber selbst angenommen, man fügte sich Ihrer Autorität, so würde mir dies doch keine genügende Garantie geben für die Stimmung, die mich erwartet, und so werthvoll Ihre Gegenwart mir wäre, verfüge ich doch nicht über ein hinlänglich naives Selbstvertrauen und ausreichende Nervenstärke, um einer feindseligen und verständnislosen Stimmung die Stirn bieten zu können. Offen gestanden wäre es mir daher lieber, wenn der Vorschlag von einem anderen Vorstandsmitglied ausginge, als gerade von Ihnen, verehrte Frau, die Sie doch eigentlich nur leiblich eine Lübeckerin sind. Und daher sage ich: Warten wir! Warten wir wenigstens bis nächstes Jahr! Dies ist meine Bedingung.

Mehrere Gründe sprechen dafür. Ich habe dies Jahr schon in der Königsberger Litter. Gesellschaft gelesen, habe außerdem meine Schwester in Düsseldorf besucht und bin recht reiseunlustig; auch gesundheitlich nicht ganz bei einander, sodaß ich mich den seelischen Strapazen, die eine Lübeck-Fahrt unvermeidlich mit sich bringen würde, nicht recht gewachsen fühle. Ferner wird nächstes Jahr die Lübecker Litter. Gesellschaft schon ein wenig älter sein; die Häutung, von der Sie sprechen, wird begonnen haben; vielleicht werden Sie den unsympathischen Vorsitzenden dann schon los sein – wer ist es denn eigentlich? Und warum sollten die Produktionen auch gerade mit mir beginnen? Es ist besser, ich füge mich bescheiden in die Reihe der Darbietungen ein, als daß ich sie eröffne. Schließlich: vielleicht ist nächstes Jahr in Lübeck die Ansicht schon verbreiteter als heute, daß ich der Stadt ein Sohn bin, der ihr *nicht* zur Schande gereicht. »Buddenbrooks« haben heute dreizehn Auflagen, – vielleicht werden sie übers Jahr zwanzig haben; und vielleicht kommt dann Emanuel Fehling, Dr. Benda oder ein Anderer der Herren von selbst und ohne Ihre Hülfe auf den Gedanken, mich einzuladen . . . Kurz, habe ich recht?

Wenn nächstes Jahr Ihre Litterarische Gesellschaft mich auffordert, so werde ich kommen und lesen. Es wird ein wunderliches, süßes, traumhaftes Erlebnis sein. Sagen Sie es niemandem: aber ich habe Herzklopfen vor Freude bei dem Gedanken daran!

Ihr ergebener Thomas Mann.

München d. 22. II. 1904
Konradstraße 11 pt.

Verehrte gnädige Frau:

Nehmen Sie herzlichen Dank für Ihren liebenswürdigen Brief und die Übersendung Ihrer Novelle! Sie thaten Unrecht, zu glauben, daß ich noch niemals etwas von Ihnen gelesen hätte. Ich habe schon als Junge Ihre Künstlergeschichten verschlungen und bewahre diesen Stunden eine gute Erinnerung. Nun war allerdings lange Zeit vergangen, daß ich nichts von Ihnen in Händen hielt, und ich bin Ihnen daher besonders dankbar, daß Sie mir Gelegenheit gaben, eine Ihrer neusten Arbeiten kennen zu lernen. Ich verstehe, daß Sie auf die »Pistole« besonderes Gewicht legen. Die kleine Schöpfung erscheint mir als das Muster einer realistischen Novelle. Ich habe sie in einem Zug durchgelesen, beständig in Athem gehalten durch die außerordentliche Kraft der Darstellung und im Banne einer Wirklichkeitsillusion von seltener Stärke. Gegen das Ende wurde ich durch die Art, in der Sie für das Weibliche eintreten, und die Ironie, mit welcher der »Held« angeschaut ist, mehr und mehr an Ibsen erinnert. In der That hat Augustin nicht wenig Verwandtschaft mit dem Wildenten-Hjalmar. Eine Zeitlang war ich versucht, zu behaupten, daß aus der Sache eine gute Komödie hätte werden können, aber das glänzende epische Détail ist eben doch für die Wirkung zu wichtig. Jedenfalls herzlichen Glückwunsch zu dieser Arbeit!

Was Sie mir über Hermione von Preuschen erzählen, hat

mich sehr amüsiert. Genauso hatte ich sie mir vorgestellt, kenne sie aber nicht persönlich. Mein Bruder Heinrich ist vorigen Sommer mit ihr zusammen in Mitterbad gewesen, und sie hat ihm außer dem Geschwätz, das kaum widerlegt zu werden brauchte, auch Gedichte anvertraut, die nicht minder faul gewesen sein sollen. Wären sie gut gewesen, so würde ich ihr wilde Hüte und geringen Seifenverbrauch nachsehen, ohne sie dafür zu loben; aber wie die Dinge liegen, lautet mein Urteil: Zu leicht befunden.

Auch Diederich muß schlimm sein. Aber wenn alle über ihn denken wie Sie, muß es doch möglich sein, ihn los zu werden? Immerhin ist er wohl einfach bloß ein Troddel, und ich sehe in ihm eigentlich weniger ein Hindernis für mein Erscheinen in Lübeck, als in Em. Fehlings Gereiztheit. Sie ist menschlich, geben wir das zu! und wenn sie ernst und von Dauer ist, muß man sie unbedingt respectiren. Ich empfahl Ihnen ja schon in meinem vorigen Brief, die Sache doch Ihrerseits ja nicht, auch im nächsten Jahr nicht, zu forciren. Daß der Gedanke, in Lübeck zu lesen, für mich einen gewissen ängstlichen Reiz besitzt, wußten Sie als guter Psycholog von vorn herein, und ich gebe es zu. Aber lassen Sie den Gedanken, wenn er in Lübeck überhaupt als Wunsch vorhanden ist, aus der Mitte des Vorstandes oder Ausschusses von selbst hervorgehen! Thun Sie nichts dazu! Ich lese gern vor und lese, wenn das Publikum reagirt und sich empfänglich zeigt, auch ganz gut. Aber ich mag die Intimitäten und Confessionen, aus denen meine Produktion besteht, nicht vor einem Saale auskramen, aus dem mir eine gehässige oder kalt abwartende Stimmung entgegenschlägt. Warten wir's ab, wir haben ja Zeit. Vielleicht findet Em. Fehling eines Tages Freiheit genug in sich, von selbst auf den Vorschlag zurückzukommen.

Verzeihen Sie meine Kürze: ich bin nervös und müde. Ich

habe in letzter Zeit meine Berühmtheit in Form von viel Geselligkeit und Menschenzudrang zu fühlen bekommen und befinde mich jetzt in dem netten Fieberzustand geistiger Verdauung.

Wissen Sie, daß Gerhäuser wieder auftritt? Er hat in Augsburg mit völlig frischer Stimme den Siegfried gesungen und macht jetzt eine Tournée durch Rußland. Gott gebe, daß er sich hält! Er war der beste Tristan, den ich kannte.

Darf ich Ihre Novelle behalten? Nochmals herzlichen Dank dafür!   Ihr ergebener Thomas Mann.

Utting am Ammersee d. 19. VIII. 04
Villa Liebein

Liebe, verehrte gnädige Frau:

Gestern empfing ich Ihren Brief (Ihren schönen, reichen, gütigen Brief!) und sage Ihnen herzlichen Dank dafür. Aber Ihre Bemerkungen über meinen in Aussicht genommenen Besuch in Lübeck haben mich stuzig gemacht. Frau Doktor Prieß wußte nicht, daß ich eingeladen sei? Es ist fast kein Vorstandsmitglied in der Sitzung anwesend gewesen? Mir scheint, da stimmt nicht Alles. Fest steht, daß ich eingeladen worden bin. Ich habe die beiden Briefe, die ich in dieser Sache aus Lübeck erhielt, nicht bei mir, aber wenn ich mich recht erinnere, so trugen Sie den Aufdruck: »Litterarische Gesellschaft, Lübecker Leseabend vom Jahre so und so« und waren von einem Herrn *Bade* unterzeichnet. Ich will für den Namen nicht unbedingt einstehen, aber ich glaube mich nicht zu irren. Ich hatte Ihnen ja im vorigen Jahre geschrieben, daß ich, wenn die Lübecker mich, ohne daß Sie die Leute besonders drängten, aus eigenem Antrieb einlüden, die Einladung annehmen würde; und das habe ich nun gethan. Ich habe dem Herrn, der das Wort führte, geantwortet, daß ich am 27sten Oktober in Berlin läse und daß ich mit Vergnügen den Abstecher nach Lübeck machen würde, um dort am 29sten ein paar Kleinigkeiten zum besten zu geben; ich habe (was ich für einen besonders raffinirten Schachzug hielt) in diesem besonderen Falle von jeder Honorarforderung Abstand genommen und einen tiefbewegten Dankbrief dafür erhalten. Wenn nun aber die Gesellschaft, die mich einludt, nicht die rechte und eigentliche Lübecker Litterarische Gesellschaft, sondern eine obskure, ältere, tote, durch eine Tactlosigkeit wieder aufgelebte ist, die sich nicht aus den maßgebenden Leuten zusammensetzt und mir für die Stimmung, die mich in Lübeck erwartet, keine Garantien bietet – dann sage ich ab und komme nicht! Denn man soll nicht sagen, ich hätte durchaus kommen wollen und mich von der minderwerthigen Gesellschaft einladen lassen, weil die andere mich nicht einladen wollte. Ich habe auch noch meinen Stolz in der Brust, möchte ich bemerken! Also über diesen Punkt, liebe gnädige Frau, müssen Sie mich noch aufklären und beruhigen, ehe etwas aus der Sache werden kann.

Für Ihre liebenswürdige Einladung, bei Ihnen zu wohnen, bin ich von Herzen dankbar, denn ich hasse die Hôtels und fürchte sehr, daß man mich in Stadt Hamburg wieder verhaften würde. Ich würde also mit beiden Händen zugreifen, wenn nicht vor einiger Zeit *Kulenkamps* mir geschrieben hätten, daß ich, wenn ich wieder einmal nach Lübeck käme, nicht bei den beiden Löwen, sondern bei ihnen wohnen sollte. Das geschah allerdings ganz im Allgemeinen, noch bevor von einem Vortragsabend die Rede war, und ich weiß nicht, ob die reizende Natalia nun im Ernstfall sich daran erinnern und beim Wort genommen sein möchte. Sie kennen sie ja gut; vielleicht fragen Sie sie gelegentlich, wie sie darüber denkt, und einigen sich mit ihr darüber, wer von

Ihnen beiden mich herbergen soll. Sie sind ja beide zu überlegene Naturen, um sich deswegen ernstlich zu erzürnen!

In Göttingen war es wunderhübsch: die wohlgelungenste
der Kunstreisen, die ich bis jetzt überstanden habe. Ein
mäuschenstilles, überaus gutwilliges Publikum, ein Abendessen in hochgelehrtem Kreise, lauter Professoren und Do-
centen (von denen der Eine sogar eine Rede auf mich hielt,
was gewiß ein bißchen übertrieben von ihm war; aber
wenn es einem zum ersten Male passirt, so ist es ein ganz
eigenthümliches Gefühl) und schließlich, in Gesellschaft von
vier oder fünf Studenten, eine langausgedehnte und behag-
liche Sitzung bei Liebfrauenmilch, in einer altdeutschen
Weinstube mit einem unvergeßlich komischen Wirt namens
Mütze. Im Verlaufe dieser Sitzung wurde die Karte an Sie
geschrieben. Jürgen Fehling hat mir ausnehmend gefallen:
der Prototyp des jungen vornehmen Hanseaten und zwar
mit einer gewissen künstlerischen Bewußtheit, wie schon der
stylvolle Vorname zeigt. Äußerst sympathisch. Übrigens
versicherte er mir, daß sein Vater meinen Roman mit auf-
richtigem Vergnügen gelesen habe. Onkel Hermann dagegen soll wüthend sein – und so ist es in der Ordnung, denn
er ist ein sale bourgeois. Wie denken Sie nun eigentlich über
Indiscretion? Ich schäme mich nicht, ebenso darüber zu denken, wie ganz große Collegen, z. B. Turgenjew und Rousseau, welch letzterer in seinen »Confessions« bemerkt:
»Meine Bekenntnisse sind natürlicher Weise mit denen vie-
ler anderer Leute verbunden; ich spreche die einen wie die
anderen mit der gleichen Offenheit aus, da ich glaube,
daß ich gegen niemanden mehr Rücksichten zu beobachten
brauche, als ich auf mich selbst nehme . . .« Das ist es. Ich
finde, daß Indiscretion jeden Stachel verliert, sobald sie auch
(und in erster Linie) gegen die eigene Person des Autors
gerichtet ist. Ich liefere in meinen Productionen michselbst

mit einer solchen Leidenschaft aus, daß die paar Indiscretionen gegen andere daneben eigentlich kaum in Betracht kommen.

Dieses *Ethos* persönlicher Hingabe (die mit Liebe sehr verwandt ist) fehlt den Schriftstellern, die mit ihrer Kunst weniger auf Erkenntnis, als darauf aus sind, was sie die »Schönheit« nennen, und zu ihnen gehört mein Bruder. Haben Sie geglaubt, daß ich ein Verhältnis zu seinen Sachen habe? Wegen seines letzten Buches haben wir uns beinahe überworfen. Dennoch ist die Empfindung, die seine künstlerische Persönlichkeit mir erweckt, von Geringschätzung am weitesten entfernt. Sie ist eher Haß. Seine Bücher sind schlecht, aber sie sind es in so außerordentlicher Weise, daß sie zu leidenschaftlichem Widerstande herausfordern. Ich rede nicht von der *langweiligen* Schamlosigkeit seiner Erotik, von der geistlosen und unseelischen Betastungssucht seiner Sinnlichkeit. Was mich empört, ist die aesthetisirende Grabeskälte, die mir aus seinen Büchern entgegenweht, und die mir in der selben Weise widersteht, wie die Atmosphäre in Hoffmannsthals »Elektra«. Die Kunst dieser Leute ist agaçant ohne intensiv zu sein, sie geht einem fürchterlich auf die Knochen, ohne einem seelisch das Allergeringste zu hinterlassen ... aber wissen Sie denn nicht, daß man auch mich mehr oder weniger zu ihnen rechnet?! Ich bin ein »kalter Künstler«, es steht in mehr als einer Zeitschrift. Ich habe durch eine übertriebene Anbetung der Kunst jedes Verhältnis zum Gefühl und zum lebendigen Leben verloren ... Wahrhaftig, ich wünsche zuweilen, es wäre so, ich würde dann ein besserer Arbeiter sein und mich nicht jeden Augenblick durch das »Leben« und Gott weiß welche Abenteuer des Gefühls vom Pfade des Schaffens ablocken lassen! Dummheit! Was Ironie ist, und daß sie nicht nothwendig aus einer vereisten Psyche hervorzugehen braucht, das wissen in Deutschland fünf, sechs Leute, mehr nicht. Und wenn Einer zu pointiren und mit seinen Mitteln zu wirtschaften versteht, so stimmen alle guten Leute und schlechten Musikanten das Gewinsel vom herzlosen Charlatan an. Ich habe mich immer gewundert, daß man Richard Wagner nicht längst für einen innerlich verödeten Faiseur erklärt hat, weil er den Liebestod an den Aktschluß setzt ... Aber wie dem auch sei: eine Verwandtschaft, eine gewisse natürliche Familienähnlichkeit besteht trotz aller tiefen Gegensätze zwischen meinem Bruder und mir, übersehen Sie das nicht. Der dualistische Bruch zwischen Kunst und Leben ist bei mir so gut vorhanden, wie bei ihm, – nur daß es bei mir noch Problem und Leidenschaft und bei ihm dies eben nicht mehr ist. Er hat sich entschieden; und zwar für die Kunst. Und man darf nicht zweifeln, daß er als Künstler außerordentlich stark empfindet. Ich habe es aus seinem eigenen Munde, daß er an gewissen Stellen der »Herzogin von Assy« *Thränen* vergossen hat – ich glaube ihm das unbedingt. Er *ist* ein Künstler, in seinem Sinne, das ist gewiß. Ich glaube Sie thäten unrecht, seine Entwicklung nicht weiter zu verfolgen.

Genug, Genug! Ich habe mich schön verplaudert! Ich wollte Ihnen noch von meinem Landaufenthalt und meinem derzeitigen Treiben und Schreiben erzählen, aber es ist zu spät. Leben Sie wohl – und schreiben Sie mir bitte noch in Betreff der Einladung!

Ihr ergebener Thomas Mann.

München d. 28. VIII. 1904
Konradstraße 11

Verehrte gnädige Frau:
Herzlichen Dank für Ihr Schreiben und das Karten-Supplement! Somit denn also auf Wiedersehen am 29ten October!

Hoffentlich werden die Lübecker und vor allem Sie selbst durch meine menschliche Persönlichkeit nicht allzu sehr enttäuscht. Diese ist nicht sehr glänzend und es fehlt ihr oft an der nervösen Elastizität, um liebenswürdig zu sein, – was sie doch sehr gerne sein möchte. Nun Gott befohlen!

Den Abend anlangend: Ihr Vorschlag ist ausgezeichnet und sehr liebenswürdig. Ich nehme ihn dankend an, und habe nun etwas, allen sonstigen Angriffen die Spitze zu bieten.

Ihre weiteren Ausführungen habe ich mit Aufmerksamkeit und Freude gelesen. Rousseau ist ein delikater Fall, mit den Fingerspitzen anzufassen. Während ich die Confessions las, notierte ich darüber:

»Eitelkeit«, das Wort, das man *dagegen* zu gebrauchen pflegt, ist nicht das richtige. Eitelkeit will einfach geliebt sein. Aber die treibende Leidenschaft des Buches ist die, gekannt *und* geliebt zu sein, jener reiche, zärtliche und exhibitionistische Egoismus, der zum Typus des moralischen (moralistischen) Künstlers zu gehören scheint und auch bei Tolstoi feststeht. Sich liebenswürdig machen durch unbedingte Hin- und Preisgabe – die *nicht* Sache des Wahrheitsfanatismus ist. Er ist kein Wahrheitsfanatiker; oder doch lange vorher ein fanatischer *Litterat*. Am Anfang steht die prickelnde Neuheit, das litterarisch Verblüffende eines unbedingten Bekenntnisses. Die ersten vier Zeilen des Werkes sind ausschlaggebend, Er liebt die Wahrheit nicht um ihrerselbst willen; er liebt sie wie Napoleon die Macht liebte: »en artiste« . . .

Und ein ander Mal:

»Wenn dieser Mensch die Wahrheit mehr liebt, als sichselbst, so will ich ein Dummkopf sein. Aber ich bin ihm nicht böse. Ich weiß, was Egoismus ist. Ich kenne diese begeisterte Zärtlichkeit für sichselbst, in deren Dienst man früh schon alles, was einem an Waffen des Talentes und der Kunst gegeben ist, zu stellen beschließt, um eine Welt mit dem zu

beschäftigen, was man ist. Erstens freilich muß man etwas sein. Und zweitens noch daraus etwas zu machen wissen. Übrigens wußte Rousseau nicht viel über sich. Bei der heutigen psychologischen Reizbarkeit hat man viel mehr preiszugeben, viel mehr Möglichkeiten, sich liebenswürdig zu machen ... (Ist Rousseau ehrlich, so bin ich noch ehrlicher!)«
Das heißt, ich bin ein Ironiker und mache mich und den achtbaren Citoyen schlecht mit meinem skeptischen Radikalismus!

Weininger habe ich noch nicht gelesen, aber längst vorgemerkt. Was muß man nicht alles lesen! Und dabei verlangt mich immer nach Zeit, auf das Alte, Liebe, Große zurückzukommen. Ich habe mich vor dem schlechten Wetter in die Stadt geflüchtet; gehe aber im September noch auf 14 Tage nach Berchtesgaden.   Ihr ergebener Thomas Mann.

[Briefkarte]   München d. 7. x. 1904
                                Ainmillerstraße 31^{III}
Verehrte gnädige Frau:
Außer meinem Dank für Ihre gütigen Zeilen habe ich heute noch eine frohe Märe. Seit zwei Tagen bin ich mit Katja Pringsheim, Tochter des hiesigen Universitätsprofessors Dr. Pringsheim, *verlobt*. Was sagen Sie? Haben Sie von der Familie gehört? Von meinem Zustand, der aus Verstörtheit, Seligkeit und Erschöpfung unerhört gemischt ist, machen Sie sich keine Vorstellung. Oder doch? Verstehen Sie auch die Gewissensskrupel, mit denen ich zu kämpfen habe, – das moralistisch-asketische Mißtrauen des Künstlers gegen das ›Glück‹? Gott sei mit uns Allen! Ganz schlecht kann es nicht ausgehen. Ich habe das Mädchen, ein ganz außerordentliches Geschöpf, zu lieb dazu! – Eine weitere minder erfreuliche Nachricht: Ich muß die Vortragsabende in Berlin und

153

Lübeck um mindestens vier Wochen verschieben. Durch die absorbirenden persönlichen Erlebnisse bin ich mit meiner neuen Arbeit, einem dramatischen Gedicht, das ich zu einem bestimmten Termin (Anfang November) fertig zu stellen mich verpflichtet habe, sehr in Rückstand gekommen, und wenn ich mein Versprechen nur annähernd halten will, darf ich jetzt nicht auch noch an Virtuosenfahrten denken. Ich habe an Herrn Bade von der »Litterarischen« schon geschrieben. Es geht nicht anders, vor Ende November kann ich nicht. Der Berliner Verein, der schon Billets verkauft hat, wird sich empören. Aber ich kann ihm nicht helfen. – Ihre Unpäßlichkeit ist doch nun ganz gehoben?

Ihr ergebener Thomas Mann.

[Briefkarte]   München d. 16. XI. 1904
Ainmillerstraße 31^{III}

Liebe gnädige Frau:

In Eile zwei Worte! Meine Lübecker Vorlesung ist nun auf den 2ten Dezember angesetzt. Gleichzeitig theilt Herr Bade mir mit, daß zur Feier meines Besuchs in den Räumen der »Gemeinnützigen Gesellschaft« ein »Essen« veranstaltet werden soll, und bittet um meine Zusage. Was tun? Er schreibt nicht, wann das Essen sein soll, vermutlich doch nach der Vorlesung. Aber dann sollte ich ja bei Ihnen sein, was mir auch entschieden lieber wäre, wie Sie sich denken können. Andererseits darf ich aber doch die Leute wohl nicht durch eine runde Absage kränken. Ohne Zweifel sind oder werden doch auch Sie zu dem Essen geladen. Soll ich also ohne Weiteres zusagen oder erklären, daß ich für den Abend der Vorlesung selbst versagt bin? – Wollen Sie mir übrigens noch einmal Ihre genaue Adresse mittheilen?

Ihr herzlich ergebener Thomas Mann.

[Briefkarte]
München, d. 10. XII. 1904
Ainmillerstraße 31^{III}

Liebe, verehrte gnädige Frau:

Seien Sie herzlich bedankt für Ihre freundliche Sendung! Der Kranz freut mich noch immer, und die Zeitungen haben mir großen Spaß gemacht, besonders der General-Anzeiger mit seiner Bemerkung über das »überlegene Benehmen«, das meine »Berühmtheit« mir verliehen habe. (Was so einem armen Wurm von Reporter schon als überlegenes Benehmen erscheint!) – Aber das mit den Gummischuhen war ein Mißgriff. Sie sind Dr. Kulenkamps zweites Paar, er lieh sie mir, weil ich meine eigenen in Berlin hatte stehen lassen. Nun, ich schicke sie zurück. – Auch mein zweiter Aufenthalt in Berlin war durchaus angenehm, wenn auch strapaziös. Gleich bei meiner Rückkehr lernte ich Harden kennen. Jetzt arbeite ich gottlob wieder – und lese Ihre Novellen. Nächstens mehr darüber. Heute nochmals meinen Dank für Ihre entzückende Gastfreundschaft! Ich werde diese ersten Dezembertage nicht vergessen. Sagen Sie auch Ihrem Herrn Sohn meinen Gruß, der noch auf dem Wege zum Bahnhof einen äußerst angenehmen Eindruck auf mich machte. An Natalia schreibe ich noch.

Ihr herzlich ergebener Thomas Mann.

[Ansichtskarte]

[Zürich,] 14. 2. 05

Liebe, verehrte gnädige Frau!

Seien Sie herzlich bedankt für Ihr liebenswürdiges Gedenken! Ich schreibe bald einmal ausführlicher.

Ihr ergebener Thomas Mann.
Katia Mann.

Liebe, verehrte gnädige Frau:

Ich bin Ihnen herzlich verbunden für Ihren lieben Brief vom 16. August, den ich in Zoppot, leider mit großer Verspätung, erhielt und den ich prompter beantwortet hätte, wenn ich in meinen letzten Zoppoter Tagen eine Briefschreibestimmung hätte erzwingen können. So hübsch und belebend, ja schön und herzerhebend der Aufenthalt zu Anfang war, so trüb und häßlich war er zuletzt; das Barometer schwankte zwischen Regen und Wind, aber es war beides vorhanden, sowohl Regen als Wind, die See war schmutzig zerwühlt, die Wege ein Brei, die Cholera stand bei Danzig, und es war im Ganzen ein Graus. So machten wir kurzen Prozeß und reisten eine Woche früher, als vorgesehen, hierher, wo wir vor unserer Heimkehr nach München noch eine Woche zu bleiben denken, als Gäste von Verwandten meiner Frau, und ein gehegtes, vorzügliches Leben führen. Ach, Reichtum ist doch eine gute Sache, man sage, was man wolle. Ich bin Künstler genug, corruptibel genug, um mich davon bezaubern zu lassen. Und übrigens muß die widersprechende Neigung zur Askese einerseits, und zur Üppigkeit andererseits wohl der modernen Seele überhaupt zugehörig sein: Man sehe sie in großem Style bei Richard Wagner.

Das, was Sie mir, liebe gnädige Frau, über »Fiorenza« sagten, hat mich beglückt und beschämt; aber die Beschämung überwog. Nein, mir ist nicht glückselig zu Muth, wenn ich, was ungern geschieht, auf diese Arbeit zurückblicke. Der unerhörte Kummer, den sie mir bereitet hat, steht in schreiendem Mißverhältnis zu dem Werte dessen was endlich zustandekam. Es ist ein sehr ehrliches und sehr absichtsvolles Werk, auch geistig und sprachlich nicht ohne jedes Verdienst, aber als Ganzes, als Kunstwerk genommen doch mißgeboren.

Dies ist *mein* Urtheil, und ich finde, wenn irgend etwas in der ganzen Angelegenheit mich ehrt, so ist es dieses mein Urtheil. Nichts mehr davon. Möge meine Hand bei neuen Unternehmungen glücklicher sein. Denn freilich, allerlei steht in Aussicht, worein ich Hoffnungen setze. Eine größere Novelle, eine Prinzengeschichte, ist begonnen; eine kleine, sehr unabhängige Novelle, die in Berlin W spielt, habe ich in diesen Ostseewochen geschrieben; und ein Roman, für den seit Beendigung von »Buddenbrooks« schon Material bei Seite getragen wurde, ist entworfen. – Und Sie? Der Herbst oder Weihnachten wird uns doch etwas Neues von Ihnen bringen?

Travemünde – wir haben daran gedacht. Aber ich fürchtete ein bißchen das enge Zusammenleben mit den vielen Lübek-kern, und meine Frau hatte in ihrem jetzigen Zustande eine erklärliche Scheu, sich der Neugier meiner Landsleute darzu-stellen. Übrigens Gott Lob! Es scheint sie weniger zu mühen, als die meisten anderen Frauen. Sie ist guter Dinge, ist in Zoppot täglich zwei bis drei Stunden ohne sonderliche Er-müdung mit mir spazieren gegangen, kurz, es wird ihr offenbar leicht, und so möge es bis zum guten Ende bleiben. Leben Sie wohl, grüßen Sie Natalia Kulenkamp und be-wahren Sie eine gütige Gesinnung

Ihrem ergebenen Thomas Mann.

[Briefkarte]   München, d. 11. XI. 05
                                Franz Joseph-Str. 2
Verehrte gnädige Frau:
Ich zeige Ihnen die Geburt eines wohlgebildeten kleinen Mädchens an. Der Tag der Ankunft war ein schrecklicher Tag, den ich all meiner übrigen Lebtage nicht vergessen werde. Aber nun ist Alles Idyll und Friede, und das Kleine

an der Brust der Mutter zu sehen, die selbst noch wie ein holdes Kind wirkt, ist ein Anblick, der die Foltergreuel der Geburt nachträglich verklärt und heilig spricht. Ein Mysterium! eine große Sache! Ich hatte einen Begriff vom Leben und einen vom Tode; aber was das ist: die Geburt, das wußte ich noch nicht. Die Anschauung davon hat mich gewaltig durchrüttelt.   Ihr Thomas Mann.

München d. 27. II. 1906
Franz Joseph-Str. 2.

Verehrte gnädige Frau!

Ich habe mich herzlich gefreut, wieder einmal von Ihnen zu hören und hätte Ihnen gern ohne Verzug gedankt; aber ich war in den letzten acht Tagen so elend, daß ich mich zu dem kleinsten Geschäfte untauglich fühlte. Das kommt alle acht oder zehn Wochen mal. Es ist der Darm in idealem Zusammenwirken mit dem Magen, übrigens ein rein nervöser Zustand. Es fängt an mit Depressionen, Augenschwäche, Unruhe, tiefer Verstimmung. Dann liege ich eine Nacht völlig schlaflos unter Übelkeiten und ununterbrochenen quälenden Nervenschmerzen im Leibe. Den nächsten Tag bin ich vollständig kaputt, vertrage nichts als Suppe und dämmere so hin. Unter starkem Schlafbedürfnis kommt dann langsam Besserung zum Normalzustand, der vom Idealzustand ziemlich weit entfernt ist. Sie glauben nicht, mit welchem Gram um michselbst ich mich herumzuschlagen habe, – natürlich nicht um »mich«, sondern um mein Talent, mein Künstlerthum. Mehr und mehr neige ich zu einer Müdigkeit, einem Überdruß, einer Unlust, die verzehrt, weil sie mit rasender Ungeduld verbunden ist; denn ich habe die Leistung *nöthig*, um mich vor mirselbst zu rechtfertigen. Auch um mit meinen Erlebnissen fertig zu werden. Aber ich bin hinter meinen Erlebnissen immer zum Verzweifeln im Rückstande ... Genug, Genug! Sie sehen, ich hätte doch noch warten sollen mit diesem Brief.

Ich habe Sie in der Wüste gesehen, auf hohem Kamele: nämlich in der »Woche«, welche ein herrliches Blatt ist, befähigt, alle Weltlüsternheit zu stillen, unter Ausschluß der Widrigkeiten. Es soll Ihnen in Ägypten so gut gegangen sein – sogar mit dem Gehör? (Natalia Kulenkamp, die plötzlich hier auftauchte, erzählte es mir.) Und nun macht Lübeck Sie leiden? Aber so ziehen Sie doch nach München! Ernstlich! Es ist gewiß nicht das Ideal einer Stadt, aber es ist praktisch gelegen, bietet Anregungen, gewährt eine persönliche Freiheit und hat ein Klima, das, ohne unübertrefflich zu sein, Ihnen gewiß zuträglicher sein würde, als das Lübecker. Schließlich, man würde Sie mit offenen Armen empfangen, Sie würden einer zwangloseren Würdigung Ihrer Persönlichkeit begegnen, als in dem wunderlichen und unheimlichen Gemeinwesen dort oben an der Trave.

Ich bin froh, daß mein Artikel Ihnen irgend etwas zu sagen vermochte. Er ist nicht übel *geschrieben*, das gebe ich ohne Weiteres zu. Im übrigen muß er wohl nothwendig principiellen Widerspruch wecken; aber was kümmert mich das Princip. Es handelt sich natürlich um ein ganz persönliches Document. – Ein Münchener Verlag hat den Aufsatz als Broschüre herausgegeben.

Neulich haben wir unter großem Gepränge unser Töchterchen getauft. Es heißt Erika und hat wunderschöne Augen. Es gedeiht besser, als seine Mama, die sich von den Strapazen der Geburt nicht recht erholen will. – Noch eins: man gedenkt, hier zu Anfang nächster Saison meine »Fiorenza« durch Possart recitiren zu lassen. Dazu lade ich Sie ein. Aber schweigen Sie noch darüber.　　　　Ihr Thomas Mann.

[Postkarte]   München d. 25. XII. 1906
                                  Franz Joseph-Str. 2.

Verehrte gnädige Frau!

Haben Sie Dank für Ihre schönen, liebenswürdigen Worte!
Ich denke Ihrer am Weihnachtstag mit herzlichen Empfin-
dungen und sende Ihnen deutsche Festgrüße ins Land der
Pyramiden.   Ihr Thomas Mann.

T. M.   München, den 5. April 1908
                                  Franz Joseph-Str. 2.
Verehrte gnädige Frau:

Manchmal bin ich recht bekümmert, daß wir (verzeihen Sie
das kameradschaftliche Pronomen!) daß Sie und ich so ganz
die Fühlung verloren haben. Selbstverständlich trage ich die
Schuld an dem Versickern unserer Korrespondenz. Ich bin zu
träge, schwerfällig und meistens zu schlaff und gelangweilt
durch meine unselig langsame Produktionsart, um ein auf-
gelegter und mitteilungsfreudiger Briefschreiber zu sein.
Aber da habe ich nun kürzlich etwas geschrieben, was ich von
Ihnen gelesen wissen möchte, ja, wofür ich bei Ihnen, der
reichen Erzählerin, eine gewisse Theilnahme voraussetzen
darf: eine Auseinandersetzung mit dem Theater, ja selbst mit
dem Drama, – ein »Versuch«, mit dem ich freilich nicht nur
meinen Gegenstand und michselbst, sondern auch den Leser »versuchte« – Sie werden es sehen, immerhin aber, wie
ich glaube, an diesem und jenem meiner Ausfälle Ihre
Freude haben.

Wunderlicher Weise muß ich Sie bitten, mir die Drucksache
bei Gelegenheit – es eilt nicht – zurückzuschicken. Die Redaktion hat mich mit Exemplaren sehr knapp gehalten; ich
habe keins mehr.

Seien Sie herzlich begrüßt von Ihrem
verehrungsvoll ergebenen   Thomas Mann.

Bad Tölz den 11. IX. 08

Liebe, verehrte gnädige Frau:
Leider, leider, es wird nicht gehen! Ich sitze hier und gebe
mir einen letzten Ruck, meinen Roman zu beenden. Kürzlich war ich in München, und die Arbeit schon wieder zu
unterbrechen wäre schmerzlich und schädlich. Hinzu kommt,
daß meine kleine Frau in der Hoffnung ist und weder das
Eisenbahnfahren noch das Alleingelassenwerden recht er-
trägt. Wie gerne würde ich Sie nach so langen Jahren wiedersehen; aber es soll jetzt nicht sein. Vielleicht bald einmal
in Lübeck! Ich habe längst den Wunsch und Plan, meiner
Frau die Heimat zu zeigen. Dann führe ich sie Ihnen zu.
Haben Sie genußreiche, anregende Tage in München!
In herzlicher Ehrerbietung   Ihr Thomas Mann.

Die »selige Insel« ist ein Produkt der Theorie. Offenbar haben Sie das gefühlt.

T. M.   München, den 15. III. 1909.
                        Franz Joseph-Str. 2.

Verehrte gnädige Frau:
Als Zeichen unveränderlich dankbaren und treuen Geden-
kens sende ich Ihnen hier meine Erstlinge, die noch einmal
zu produzieren der Verleger der Mühe wert befunden hat.
Es sind fast Alles Hervorbringungen eines Zwanzigjährigen,
und eigentlich anerkennen thu' ich heute nur den »Kleinen
Herrn Friedemann« selbst, den ich noch immer hübsch finde
und mit dem ich vor dreizehn Jahren in der Neuen deutschen
Rundschau debutierte. Neuer sind die »Hungernden« (aus
der Zeit des »Tonio Kröger« 1902) und das »Eisenbahn-
unglück«, eine kürzlich der Neuen Freien Presse gelieferte
Gelegenheitsarbeit mit ein paar guten Momenten. Wie gesagt, die kleine Sendung will nichts bedeuten, als einen Gruß,

ein Lebenszeichen, eine persönliche Kundgebung. Aber mit Ungeduld erwarte ich den Tag, wo ich Ihnen meine neue Arbeit werde vorlegen können, – jenes Märchen in Romanform, das, als Buch, leider noch bis zum Herbst auf sich warten lassen wird, da der Vorabdruck reichlich sechs Hefte der Neuen Rundschau in Anspruch nimmt.

Grüßen Sie Lübeck und seien Sie der ganzen Sympathie und Anhänglichkeit versichert, mit welcher ich bin

Ihr sehr ergebener Thomas Mann.

T. M.   München, den 19. III. 1909.
Franz Joseph-Str. 2.

Verehrte gnädige Frau:

Für Ihren gütigen Brief, der mir wahrhaft wohlgethan hat, bitte ich, Ihnen von Herzen danken zu dürfen. Ja, wenn man lauter solche Leser hätte, – so sensitive und so wohlwollende! Ihre Stimme ist eine der allerersten, die ich vernehme, und meine Unsicherheit über die weiteren Wirkungsmöglichkeiten des Buches ist noch immer sehr groß. Was bis jetzt vorwiegend daran geschätzt wird – z. B. von der alten Frau Hedwig Dohm – ist offenbar das Sozialkritische. Ihr Brief zeigt mir an einer gewissen Stelle, daß Sie tiefer sehen und neben dem satirischen das *lyrische* Moment nicht verkennen. Die zweite Hälfte, die die »Handlung« enthält, wird Ihnen erklären, warum ich von einem »Märchen« spreche. Selbst wenn sie *allzu* märchenhaft und vom realistischen Standpunkt unmöglich sein sollte, scheint sie mir rein erzählerisch die erste doch zu übertreffen. Was Sie wohl sagen werden! Und das Publikum. Es wird Herbst und Winter werden, bis ich erfahre, ob man irgendetwas mit dem wunderlichen Produkt wird anzufangen wissen. Meine Ungeduld ist groß.

Die Stelle Ihres Briefes, über die ich mich beinahe am meisten gefreut habe, ist die, wo Sie von Ihrem Entschluß sprechen, für die Lübeckischen Blätter über »K. H.« zu schreiben. Ich möchte Sie in dieser Absicht aus allen Kräften bestärken, – denn es ist unglaublich, wie sehr es mir um Lübeck zu thun ist. Wollen Sie einen kühnen Vergleich? Napoleon hat gesagt, daß nach jeder That, jeder Schlacht, jedem Siege sein erster Gedanke gewesen sei: was wird das Faubourg St. Germain dazu sagen? Lübeck ist mein Faubourg St. Germain. Immer denke ich: Was wird Lübeck dazu sagen? Ich bin schon Gott weiß wo gelobt worden. Aber ein Artikel in den Lübeckischen Blättern – und noch dazu von Ihnen – wird mir thatsächlich wichtiger sein, als eine Hymne im Journal des Débats.

Sie haben recht: Die kleine Scene des Vorspiels gehörte zu den allerersten Zellen des Organismus. Die Idee war das erste; aber der Leutnant und der General boten den ersten sinnlichen Anhalt. – Ihr Erlebnis in Baden-Baden ist entzückend. Sie sollten unbedingt etwas daraus machen! – Ihren Geschichten aus der Hansestadt sehe ich mit freudiger, zuversichtlicher Erwartung entgegen.

Ihre Lebensumstände sind zur Zeit nicht günstig? Das betrübt mich aufrichtig! Es handelt sich hoffentlich um rasch vorm Winde vorüberziehende Wolken? Ihr Kommen im Hochsommer ist mir eine schöne Aussicht. Wir haben uns in Tölz ein Häuschen gebaut, das zum Juli fertig werden soll. Dort müssen Sie uns besuchen. Ich freue mich darauf, Sie mit meiner Frau und meinen drolligen Kindern bekannt zu machen. Meine kleine Frau sieht, obgleich von allen Beschwerden der Schwangerschaft geplagt, in rührendstem Glück ihrer dritten Entbindung entgegen.

Mit herzlichen Grüßen und Wünschen bin ich, verehrte gnädige Frau,   Ihr ergebener Thomas Mann.

T. M.   München, den 7. April 1909.
                         Franz Joseph-Str. 2.

Verehrte gnädige Frau:

Ihre schöne Gabe – eine *beschämende* Gegengabe für den
»Kl. Herrn Fr.« und besonders kostbar gemacht durch die
liebenswürdige Widmung – traf mich in bewegtem und
außergewöhnlichen Zustande. Gerade am Tage der Ankunft
Ihres Buches – wenn ich nicht irre – beschenkte mich meine
Frau mit einem zweiten Söhnchen, unserem dritten Kinde:
ein Familienereignis, von dem ich Sie vor allen Dingen ge-
ziemend in Kenntnis zu setzen habe. Die Niederkunft war
für eine dritte enorm schwer und langwierig, sie trug ganz
den Charakter einer ersten. Elf Uhr abends beginnend, dau-
erte sie bis zum nächsten *späten* Nachmittag und war während der letzten Stunden dermaßen qualvoll, daß ich von
Mitleid ganz zerrissen war und den Tag noch heute in den
Gliedern spüre. Da ich außerdem in den letzten Tagen mit
Korrekturen überhäuft war (mein Buch wird gleichzeitig mit
den Rundschau-Lieferungen gedruckt), kam ich so gut wie
garnicht zum Lesen, und Ihr Geschenk blieb liegen – bis
gestern Abend, wo ich es nun endlich in Ruhe und freudiger
Erwartung zur Hand genommen und mir eine der Novellen, die dritte, den »Selbstmörder« zu Gemüte geführt habe.
Heute werde ich fortfahren; meine Ungeduld nach dem
Ganzen ist groß nach dieser ersten Probe. Aber ich will meinen Dank nun nicht länger anstehen lassen und Ihnen meine
Bewunderung und Ehrerbietung schon auf dieses eine Stück
hin nachdrücklich zum Ausdruck bringen. Es ist ein Meister-
stück, schlechthin, von einer so zarten und zugleich so kraftvollen Hand hingestellt, daß es eine Freude ist. Was mich
am meisten daran ergötzt hat, ist, wie Sie sich denken können, die Anfangspartie, die niederländische Meistermalerei
der Königsstube und der Stammtisch-Runde: eine prachtvolle,

in ihrem Détail ganz unvergeßliche Vision. Und was den »Helden« betrifft, eine Figur, die man gekannt zu haben glaubt, so kann wohl nur eine schöpferische Frau mit solcher edlen Überlegenheit den Mann in seiner Schwäche zeigen. Übrigens mögen Sie sich einbilden, mit welchem Behagen ich auf die heimatlichen Laute des Dialogs gelauscht habe, – Laute wie: »Sie kömmt ja woll gut im Gange mit ihr Geschäft?«

Echtheiten dieses Ranges kommen in »Buddenbrooks«, glaube ich, garnicht vor. Kurz, nehmen Sie meinen Glückwunsch und meinen allerherzlichsten Dank!

Ich bin recht erholungsbedürftig und schwanke zwischen verschiedenen Reiseplänen für den Mai. Mein Verleger hat mich zu einer Automobilfahrt nach Paris eingeladen; aber ich fürchte mich vor den Ansprüchen, die diese Stadt an die Munterkeit stellt. Ein ruhiger Ort mit kräftiger Luft wird das Richtige sein.

Seien Sie bestens begrüßt, verehrte gnädige Frau, und sagen Sie auch Ihrem Herrn Sohn, dem Seemann, den ich in angenehmster Erinnerung habe, gelegentlich meinen Gruß!

Ihr ergebener Thomas Mann.

Bad Tölz, den 25. IX. 1909.
Landhaus Thomas Mann.

Liebe, verehrte gnädige Frau!

Sie haben mir eine große, tiefe Freude bereitet, – nehmen Sie von Herzen Dank dafür! Und so sehr ich mich zu der Auszeichnung beglückwünschen muß, die Sie mir zuteil werden ließen: auch Sie sind zu beglückwünschen. Bilde ich es mir ein? Ihre Studie über mein Buch scheint mir zum Allerbesten, Glänzensten, Wärmsten, Feinsten zu gehören, was ich von Ihnen kenne, und ebenso stolz, wie auf Ihr Lob, bin ich darauf, daß Sie diese schöne Sache gelegentlich meiner geschrieben haben. Wie klug ist – und wie passend gerade für Lübeck gesagt – was Sie von der Verbindung des Auflösenden mit dem Konservativen beim Künstler verlauten lassen! Wie feinfühlig Ihre Bemerkung, daß die Lebendigkeit eines Kunstwerks weniger in äußerer Lebhaftigkeit, als in jener organischen Geschlossenheit besteht, die eine Sache des Gedächtnisses, der Umsicht und der Gewissenhaftigkeit ist! Besseres werde ich nicht zu hören bekommen, kaum noch einmal so Gutes. Ich habe wenig Lust, zu lesen, was noch orakelt werden wird. Unsere verschiedenen Eilboten haben schon jetzt entdeckt, daß Samuel Spölmann das Portrait des verstorbenen Harriman sei und machen auf diese Weise dem Buch eine Reklame, die im wirtschaftlichen Interesse nicht übel sein mag, aber, wie mir scheint, meine arme Dichtung ein bißchen herabwürdigt ...

Ihren Tadel in Betreff der Gräfin nehme ich willig hin. Er ist zutreffend: es hapert da etwas. Wie sich mir die (erlebte) Figur in das Bild fügte, ist nicht mit zwei Worten zu sagen, – jedenfalls nicht nur, damit Imma ihre Güte und Unabhängigkeit an ihr bewähren könnte. Ich wollte den »Hoheiten« des Buches ein Gegenstück so übermäßiger und gräßlicher Lebenskenntnis geben, daß es selber als eine Art von Hoheit erschiene. Der Grund, weshalb Imma die Gräfin an sich zieht, ist ja die selbe Lebenssehnsucht, die in ihrem Verhältnis zu Klaus Heinrich zur Liebe wird; und der Wahnsinn der Löwenjoul, diese »Erlaubnis, sich gehen zu lassen«, ist das Widerspiel zu Klaus Heinrichs »Haltung«. Aber das mit der »Wohltat« stimmt nicht recht, so viel ist sicher, und ich werde das wohl noch manchmal zu hören bekommen. – Nochmals: nicht nur ich, auch Sie sind zu beglückwünschen zu dieser Arbeit, die nicht nur eine litterarische Leistung ist, sondern auch eine schöne That. Die vorgeschrittene Meisterin, die den Nachkömmling mit solcher Herzlichkeit feiert und fördert: der Anblick ist, glaube ich, nicht gerade häufig, – und er ist darum nur umso erquicklicher. Und so seien Sie denn noch einmal ernstlich und nachdrücklich bedankt.

Sie sind also in München gewesen, ohne daß ich es ahnte! Mein vorjähriger Brief muß recht unartig gewesen sein, da Sie mich so strafen. Aber ich war damals versessen darauf, fertig zu werden und außerdem durch den Zustand meiner Frau gebunden. Dieses Jahr nun hatte ich mir eingebildet, Sie wollten im September nach München kommen und eigentlich immer auf Nachricht von Ihnen gewartet. Ich hätte Sie gebeten, den kurzen Abstecher hierher zu machen und ein paar Tage mit uns unter unserem funkel-hagel-neuen Dach zu hausen. Wir hätten von Lübeck reden können. Aber was Sie mir schriftlich davon erzählen, habe ich mit jener bangen Heiterkeit gelesen, die Nachrichten aus der Heimat mir immer einflößen. Aber ich möchte durchaus nicht ohne solche Nachrichten sein und bitte Sie sehr, mich dann und wann damit zu versehen. Auch wenn Sie von der Wirkung Ihres Artikels über mein Buch in Lübeck irgend etwas hören und spüren, bitte, so teilen Sie es mir mit!

Wir wollen möglichst lange hier draußen bleiben. Der Winter wird mir viel Mühsal mit einer diffizilen Abhandlung bringen, an der ich mir zur Zeit schon die Nerven zerreibe, sowie ein paar Vortragsreisen. Im Frühjahr wollen wir dann bald wieder herausziehen und für den Juli planen wir eine Reise nach Dänemark *mit Aufenthalt in Lübeck,* das ich meiner Frau unbedingt zeigen möchte. Sie werden um diese Zeit doch dort sein?

Leben Sie wohl für heute! Für Ihre Arbeit die besten Wünsche und meine Empfehlungen Ihrem sympathischen Herrn Sohn.   Ihr Thomas Mann.

Verehrte gnädige Frau:

Das mit den Hamburger Nachrichten freut mich sehr, um des Wirbels und um meinetwillen. Ich werde Fischer eindringlich instruieren.

Schönsten Dank für Ihre Lübeckischen Nachrichten, – ich habe sie eifrig studiert. »Schwere Erlebnisse und eine für immer nachhaltende Erfahrung in der Kindheit«, – das ist ja eigentlich ganz richtig, nur leider offenbar ganz falsch gemeint. Günstigsten Falles *verzeiht* man mir in Lübeck. Aber das scheint mir ein bißchen wenig. An der »Gedenktafel« zweifle ich stark, – wie Ihnen auch Ihre Diner-Gäste mit zweifelnden Mienen geantwortet haben werden. Um in der Heimat eine Gedenktafel zu bekommen, muß man in einem weniger komplizierten Verhältnis zur Heimat leben, als ich. Denken Sie an Heine. Er hat Deutschland *geliebt*. Und wie versteht es ihn? Das offizielle wenigstens, das, welches Gedenktafeln bewilligt?

An R. Zimmermann kann ich mich sehr wohl erinnern. Ich hatte ihn nie zum Vorgesetzten, wußte aber, daß er Wagnerianer sei und hielt ihn darum für was Besseres. Seine Äußerung in Betreff des Katharineums klingt fast allzu einfältig, ist aber wohl gutes und echtes Lübeck. Sie haben dort die Geibel-Tradition, der das Katharineum, glaub' ich, mehrmals sehr melodisch angedichtet hat. Gut, aber hat es denn dergleichen um mich verdient? *War* ich nun eigentlich wertlos, *war* ich ein Element des Abgrunds – oder war ich es nicht? Wenn nicht: Wer hat peccavi zu sagen, das Katharineum oder ich? Denn es hat mich so behandelt . . . Sie sehen, ich kann ganz leidenschaftlich über diese Dinge sprechen.
Ich freue mich auf Ihren nächsten Brief.

Ihr Thomas Mann.

München, den 28. Juni 1910.
Franz Joseph-Straße 2.

Verehrte gnädige Frau:

Nehmen Sie meinen herzlichsten Dank für Ihre schöne wertvolle Gabe! Auf jede Weise angelockt, durch den Titel, den Untertitel, die noble Ausstattung und vor Allem natürlich durch den Namen der Verfasserin, habe ich das Buch, sobald ich nur irgend den Kopf dafür frei hatte, gelesen und bitte, Ihnen meine respektvollsten Glückwünsche vorbringen zu dürfen zu dieser imposanten Leistung, die zum allerbesten und stärksten gehört, was ich von Ihnen kenne. Ich atmete Heimatluft, während ich las, aber die Luft einer Heimat, die ich nicht mehr kenne, einer neuen, verjüngten Heimat mit frischerer Luft, erweitertem Horizont, einer Heimat, auf die man stolz sein darf. Mich als Hanseat zu fühlen, habe ich niemals aufgehört; aber auf Lübeck als Vaterstadt stolz zu sein, war schwer um die Zeit, als ich es verließ. Damals stand es wohl am Ausgang von Jahrzehnten der Misere, und der »hanseatische Roman«, in dem sich diese Jahrzehnte spiegeln, ist gewiß nicht weniger wahr, als der Ihre, der Lübeck in seiner neuen Größe besingt. Ebenso sicher und durchaus nicht verwunderlich ist, daß man Ihnen zu Hause anders Dank wissen wird, als hier, und wenn man sich dort seit einiger Zeit überzeugt hat, daß Sie eigentlich wohl doch »keine silbernen Löffel stehlen«, so wird gerade dies Werk dazu beitragen, auch den härtesten Köpfen begreiflich zu machen, daß man in Ihnen eine große Mitbürgerin besitzt, deren Person und Andenken man auf alle Art zu ehren haben wird. Ich rede nicht viel von den literarischen Qualitäten des Buches, der kunstvoll geführten Fabel, den scharf profilierten Charakteren, der Lebendigkeit des Dialogs, der Reinheit und Vornehmheit des Vortrages. Was ich besonders bewundere, ist die Studiertheit und Beherrschung alles Kaufmännischen, – ich habe besonderen Grund, hier zu bewundern, denn eine der schwachen Seiten meines eigenen Kaufmannromans ist, daß das Kaufmännische darin auf eine fast ärmliche Weise zu kurz kommt. Sie haben wirklich das Ideal eines modernen »Soll und Haben« erfüllt, das Ihrem Hedenbrink während der Sitzung Bording vorschwebt. – Kurz, seien Sie nochmals herzlich bedankt und beglückwünscht! Der »Königliche Kaufmann« wird Ihren Ruhm im gebildeten Deutschland und Ihre Popularität in der Heimat, wie so leicht kein anderes Werk, erhöhen.

Sie vermuten uns auf dem Lande, mit Recht, denn wir wären längst dort, wenn nicht ein Familienereignis uns hier festgehalten hätte. Vor vier Wochen ist meine Frau von einem Töchterchen entbunden worden, – dem zweiten seines Geschlechts; aber im Ganzen ist es schon der vierte Sproß, und nun wolle Gott nicht, daß es noch mehr werden. Die Grenze des Lächerlichen ist, fürchte ich, erreicht. – Da zum Herbst ein Stadtumzug vorzubereiten ist, wird es wohl gegen Mitte Juli werden, bis wir nach Tölz übersiedeln können. Der ländliche Friede wird hoffentlich meiner Arbeit zustatten kommen, – einer heiklen Sache: Memoiren eines Hochstaplers. Was sagen Sie?

Ich wünsche sehr, daß im Sommer ein Wiedersehen zustande kommt. Vielleicht trifft man sich in einer Reinhardt-Premiere im Künstlertheater.

Mit verehrungsvollen Grüßen, gnädige Frau

Ihr sehr ergebener Thomas Mann.

Verehrte gnädige Frau:

Für Ihre schöne Gabe danke ich Ihnen erst, nachdem ich sie »erworben, um sie zu besitzen«, will sagen, nachdem ich Ihr Buch gelesen, und habe Ihnen nun desto herzlicher zu danken. Es ist rührend schön, dies Lebensbuch mit seiner zarten und tiefen Erkenntnis einer Frauenseele und der Frauenseele überhaupt. Es ist vielleicht Ihr schönster Roman. Er zeigt, wie vielleicht kein anderes Ihrer Werke (und wird es manchem zeigen, der es noch nicht wußte), was Sie als Stilistin, als Kennerin und Vorstellerin des Menschlichen vermögen und bedeuten. Auf jeden Fall wird man es immer unter die liebenswürdigsten, dankenswertesten Ihrer Gaben rechnen.

Wollen Sie als – äußerst bescheidenes – Gegengeschenk das beifolgende kleine Buch von mir annehmen? Die Einleitung, die Ihnen wohl gar schon aus der Neuen Rundschau bekannt ist, ist nicht der Rede wert; aber es freute mich, den Schlemihl, für den ich von jeher ein faible hatte, in so zierlicher Gestalt neu herauszugeben.

Haben Sie zufällig in Fischers Jubiläumskatalog das Bruchstück aus den Anfängen meines neuen Romans gesehen? Ich glaube manchmal, daß etwas recht Merkwürdiges daraus werden kann. Das Schlimme ist nur, daß ich noch lange nicht fertig bin und diese Arbeit schon vor Monaten zugunsten einer großen Novelle unterbrochen habe, die vielleicht eine ganz unmögliche Conception und auf jeden Fall entsetzlich schwer möglich zu machen ist. »Einsamkeit«, heißt es darin, »zeitigt das Originale, das gewagt und besonders Schöne, das Gedicht. Einsamkeit zeitigt aber auch das Verkehrte, das Unverhältnismäßige, das Absurde und Unerlaubte«. Ich will das lieber nicht als Motto darüber setzen. Es wird viel Kopfschütteln geben. Aber schließlich sage ich mir, daß, wenn

man überhaupt irgend etwas ist, auch das verfehlte Produkt noch einen gewissen Persönlichkeitswert besitzen muß.
Herzlich und verehrungsvoll der Ihrige

Thomas Mann.

München, den 24. III. 1913
Mauerkircherstr. 13

Verehrte gnädige Frau!
Für Ihr gütiges Schreiben hätte ich Ihnen sofort gedankt, um Sie keinen Augenblick im Zweifel darüber zu lassen, wie ernst und nachdenklich ich solche Warnungen und Einwendungen wie die Ihres Briefes aufnehme, – wenn nicht eine Vortragsreise und danach eine kleine aktuelle Arbeit, von der ich Ihnen noch erzählen werde, mich abgehalten hätte. Was Ihre Stellung zum »Tod in Venedig« betrifft, so haben Sie recht von Ihrem Standpunkt aus, unbestreitbar recht. Eine Nation, in der eine solche Novelle nicht nur geschrieben, sondern gewissermaßen akklamiert werden kann, hat vielleicht einen Krieg nötig. Obgleich, obgleich. Aber es giebt da so viele Obgleichs, daß sie sich in einem Briefe nicht alle ausbreiten lassen. Schließlich läuft alles auf die alte Frage und Verlegenheit hinaus: »Kultur oder Tüchtigkeit?« Was will man? Denn beides auf einmal zu wollen, ist wahrscheinlich eine Unmöglichkeit. Da kommt es dann aber auf das Stoffliche in der Kunst garnicht mehr an. Die Kunst selbst ist suspekt – und das ist ja die Lehre meiner Geschichte. Nicht, weil sie von kranker Liebe handelt, könnte diese Novelle rauher Volkstüchtigkeit gefährlich werden, sondern weil sie zu gut geschrieben ist. Es ist wirklich nicht Eitelkeit, daß ich das sage, sondern schlechtes Gewissen. Und trotzdem: Wenn Schönheit selten mit Moralität Hand in Hand geht, dieses Werk ist nicht unmoralisch. Es ist ge-

radezu sein Auszeichnendes, daß es vom ersten bis zum letzten Wort stramm moralisch ist – und zwar in dem Grade, daß ein boshafter Kritiker von »puritanisch-neuprotestantischer« Tendenz gesprochen hat. Ich bin nicht ohne Hoffnung, daß Ihnen, verehrte gnädige Frau, bei gelegentlich wiederholter Beschäftigung mit dem kleinen Buch dieser Zug, diese innere Haltung noch deutlicher werden wird.

Die aktuelle Nebenarbeit, von der ich sprach, ist unserem Landsmann Fritz Behn gewidmet. Er kam zu mir mit bitteren Klagen über Zurücksetzung und Vernachlässigung vonseiten Lübecks, und, da ich seine Arbeit aufrichtig schätze, habe ich einen gewisse unschöne Charakterzüge Lübecks kritisierenden Artikel zu seinen Ehren verfaßt, den ich in Lübeck veröffentlichen möchte. Würden Sie mir mit einer Zeile raten, wohin ich ihn schicken soll? An die Lübeckischen Blätter vielleicht, oder die Eisenbahn-Zeitung?

Daß Sie mir keine Gelegenheit gaben, Sie hier zu sehen, hat mich doch etwas gekränkt. Sonst traf es sich so, daß ich in Tölz saß, wenn Sie München berührten. Jetzt bauen wir vor der Stadt und werden das Landhaus wohl bald verkaufen. Dann fahren wir im Sommer mit den Kindern an die Ostsee und machen Ihnen in Lübeck unsere Aufwartung.

Ihr herzlich ergebener Thomas Mann.

Hôtel Regina
Viareggio
den 9. Juli 1913.

Verehrte gnädige Frau:

Ein wahrhaft dämonisches Pech habe ich mit Ihnen! Sie sehen, wo ich bin – wie weit weg. Freilich nähern meine Ferien (die ich recht nötig hatte) sich ihrem Ende: am 15ten oder 16ten werde ich wieder in Tölz sein, nach einem zweibis dreitägigen Aufenthalt in München, während dessen ich aber so mit Geschäften überhäuft sein werde (Vorbereitungen zum Umzug ins neue Haus), daß ich nicht daran denken kann, in diesen Tagen nach Bad Aibling zu fahren. Aber wenn Sie etwa am 14ten in München wären, das wäre schön. Ich könnte Ihnen dann endlich, was lange mein Wunsch ist, meine Frau und meine Kinder vorstellen: in einer schon verwüsteten Wohnung freilich, – und noch erfreulicher wäre es, wenn wir Sie in Tölz begrüßen könnten. Auf einige Tage vielleicht sogar, wenn Sie Zeit haben; ein nettes Fremdenzimmer steht zur Verfügung. Geht beides nicht, werde ich mich sofort nach unserer Rückkehr über die Verbindungen zwischen Tölz und Aibling informieren – ich habe sie nicht im Kopf. Auf jeden Fall will ich hoffen, daß Sie noch in der Nähe sind, wenn ich komme und daß ein Wiedersehen diesmal doch noch gelingt.

Herzlichst und verehrungsvoll der Ihrige

Thomas Mann.

[Postkarte]

Tölz den 23. Juli 13.

Verehrte gnädige Frau:

Schönsten Dank für Ihre freundliche Karte. Sie werden am 25. herzlich willkommen sein.

Ihr Thomas Mann.

Bad Tölz, den 4. XI. 13.
Landhaus Thomas Mann.

Meine verehrte gnädige Frau:

Ja, allerdings, ich war im Begriffe, Ihnen zu schreiben und Sie zu fragen, was für eine Miene man in Lübeck zu dem

Streich meines Onkels macht, – der in Wirklichkeit, wenn meine Jugenderinnerungen mich nicht ganz und gar täuschen, ein viel sympathischerer, gescheiterer und auch interessanterer Bursche ist, als es nach dieser dämlichen Annonce scheinen muß. Ich weiß nicht, was dem alten Sünder in den Sinn gekommen ist. Wird er am Ende nicht mehr genug auf Christian B. hin angeredet und wollte sich in Erinnerung bringen? Ich habe wirklich den Eindruck, daß ein gut Teil Eitelkeit im Spiele war bei seinem linkischen und unüberlegten Schritt in die Öffentlichkeit. Es ist schade um ihn, wahrhaftig. Nun machen sich die Berliner Zeitungen über ihn lustig, und dazu ist er zu gut. Aber giebt es ein besseres Beispiel für den Unterschied zwischen Gestalt und Modell? Mein Christian Buddenbrook hätte diese alberne Annonce nicht geschrieben.

Ich hatte wahrhaftig nicht für ausgeschlossen gehalten, daß Sie mir unter diesen peinlichen Umständen die Reise nach Lübeck widerraten würden. Nun haben Sie mich vollkommen beruhigt, und ich danke Ihnen sehr. Die »Lüb. Anzeigen« schickten mir die Drucksachen ebenfalls und erboten sich, eine Erwiderung von mir zu bringen. Ich habe ihnen geantwortet, eine natürliche Anhänglichkeit an meinen Onkel hindere mich, auf seinen Schritt öffentlich zu reagieren.

Daß Ihr Sommer nicht gut war, thut mir aufrichtig leid, liebe gnädige Frau. Ich wußte garnichts von einem Augenübel. Was ist es denn? Man sieht Ihren Augen so garnichts an. Hoffentlich thut der Münchner Professor seine Schuldigkeit!

Wir sind noch hier, weil wir »mein neues Stadtpalais«, wie Faninal im »Rosenkavalier« immer sagt, gut austrocknen lassen wollen. Übrigens war ja der Herbst bisher so glanzvoll, daß es geradezu Pflicht war, auf dem Lande zu bleiben. Ich mache jetzt etwas aus Davos, eine Art grotesken

Gegenstücks zum »Tod in Venedig«, auf das ich einige Hoffnungen setze.

Ja, das will ich glauben, daß Sie an Ihrer »Charlotte« Freude haben. Ihr bestes Buch!

Adieu und auf Wiedersehen.

Ihr Thomas Mann.

Meine Frau grüßt Sie herzlich.

Bad Tölz, den 11. XI. 13.
Landhaus Thomas Mann.

Liebe, verehrte gnädige Frau,

das trottelhafte Benehmen meines Onkels hat doch mehr Staub aufgewirbelt, als man hätte denken sollen. Die Geschichte ist in eine Unmasse Zeitungen übergegangen und wenn die liberalen Blätter wohl meistens nur irgendeine gutmütige humoristische Glosse dazu machen, so suchen die konservativ-antisemitischen (ich bin ja »Judengenosse« und habe die Rassenmischung verherrlicht) den Fall nach Kräften gegen mich auszubeuten und beantragen in kürzeren oder längeren höhnischen Artikeln, »Buddenbrooks« als »Schlüsselroman« aus der Literatur zu streichen. Nun ja. Was mich aber ärgert ist die wiedergeweckte Vorstellung, als stünde ich mit der Vaterstadt auf dem schlechtesten Fuße. Und so wäre es mir eine wohlthuende Genugthuung, wenn die immerhin bezeichnende Thatsache, daß ich von der Lübecker Literarischen Gesellschaft eingeladen wurde, diesen Winter in Lübeck eine Vorlesung zu halten, in diesem Augenblick in die außerlübeckische Presse gelangt. Darf ich Sie, liebe gnädige Frau, mit der Frage behelligen, ob Sie das wohl bewerkstelligen könnten und wollten? Unter den Berliner und Hamburger Blättern, die den Fall gebracht haben, sind mehrere, von denen ich annehme, daß Sie gute Beziehungen zu ihnen unterhalten, wie z. B. »National-Zeitung«, »Vossische Zeitung«, »Tägliche Rundschau«, »Hamburger Nachrichten, »Berliner Morgenpost«, »Berliner Börsenzeitung«, »Hamburger Echo«. Die immer wiederkehrende Frage ist: »Auf wessen Seite werden sich die Lübecker schlagen?« und sie wäre beantwortet durch eine knappe Notiz, wie sie mir vorschwebt. Ich selbst darf mich ja zu der einfältigen Sache nicht äußern. Man würde es mir verübeln, und überhaupt ist natürlich eine direkte Gegenäußerung nicht am Platze. Aber meinen Sie nicht, daß die indirekte, die ich vorschlage, gut und nützlich wäre?

Mit den herzlichsten Grüßen, verehrte gnädige Frau,

Ihr ergebenster Thomas Mann.

[Ansichtskarte mit der Bildunterschrift »Landhaus Thomas Mann, Bad Tölz« und handschriftlichem Zusatz] Pardon, wenn ich Ihnen die Karte schon mal schickte.

[Bad Tölz] 14. XI. 13.

Liebe gnädige Frau:

Vielen Dank, Sie sind die Güte selbst. Und ich bin wohl die Albernheit selbst mit meiner Empfindlichkeit. – Eben komme ich aus Stuttgart, wo ich vorlas. Es war nett und ehrenvoll. – Meine arme kleine Frau hat uns leider schon wieder einmal verlassen müssen: heute morgen ist sie nach Gardone, um einen Bronchialkatarrh auszukurieren! Er wollte hier nicht weichen. Ihr T. M.

München den 31. I. 14.
Poschingerstr. 1

Ach, liebe gnädige Frau, ich habe ja abgesagt, wissen Sie es noch nicht? Meine Frau ist wieder erkrankt, nicht schlimm, aber es waren wieder Katarrh und Temperaturen da und der Professor bestand auf Arosa für den ganzen Winter. Sie können denken, daß ich unter diesen Umständen alle Lust zu Lübeck verloren habe. Die Pointe des Ganzen war ja eigentlich, daß ich meiner Frau die Heimat zeigen wollte. Auch wäre es zuviel der Reiserei: seit November habe ich drei Vortragsfahrten absolviert und will doch im Laufe des Winters auch in Arosa nach dem Rechten sehen. Kurz, ich habe an den Lübecker Vorsitzenden geschrieben, und er ist mir verständnisvoll entgegengekommen. Aufgeschoben ist nicht aufgehoben. Haben Sie Dank, liebe gnädige Frau, für Ihre guten, freundlichen Absichten, – ich erhoffe ihre Verwirklichung für bessere Tage!   Ihr Thomas Mann.

[Postkarte]

München den 27. III. 14.

Herzlichen Dank, verehrte gnädige Frau, für Ihre Teilnahme! Ich hatte wechselnde Nachrichten. Immer wieder treten kleine Temperaturerhöhungen auf, gegen die regelmäßig Bettruhe verordnet wird. Die allgemeine Erholung läßt bei dem andauernd sonnenlosen Föhnwetter dort oben zu wünschen übrig. Dabei soll aber der lokale Befund durchaus befriedigend und alles in voller Heilung begriffen sein. Für Mitte Mai ist die Entlassung mit ziemlicher Sicherheit in Aussicht gestellt. Sei es so! Es ist eine harte Zeit. – Das ist also Ihre Diele? Entzückend. Besonders das Treppengeländer hat mich mit Neid erfüllt.   Ihr Thomas Mann.

München den 29. ix. 14.
Poschinger Str. 1

Verehrte gnädige Frau:

Ich sehe die Zeitungsanzeige, daß Ihr Sohn Walther in Frankreich gefallen ist. Was Sie bei diesem Verlust empfinden müssen an Mutterschmerz und Mutterstolz geht – wie heute alles – so weit über das gemeine Maß hinaus, daß man sich schämt, Ihnen von Theilnahme zu reden. Ich sende Ihnen herzlichen ehrerbietigen Gruß und bin

Ihr Thomas Mann.

München, den 14. vi. 16.
Poschingerstr. 1

Verehrte gnädige Frau,

haben Sie Dank für Ihren liebenswürdigen Brief – besonders auch für die gütigen Worte – die Sie mir über meinen »Friedrich« sagen, und hier wieder besonders für jene Wortverbindung, die Ihnen selbst als neu und treffend auffiel. Es ist nun einmal mein Beruf, der Ironie neue Beiwörter zu verschaffen – für einen Lübecker ein etwas sonderbarer Beruf, wie ich keinen Augenblick übersehe.

Ich freue mich sehr, Sie wiederzusehen, man hat einander jetzt so viel zu sagen. – Sie vermuteten mich in Tölz; wir waren im Frühling schon einige Wochen dort, aber jetzt werden wir durch die schulpflichtigen Kinder bis Mitte Juli hier festgehalten. Und doch nicht so ganz; denn meine Frau – deren Lunge ausgeheilt, völlig ausgeheilt ist, der gelehrteste Internist von München hat es gesagt – fährt übermorgen mit einem Nicht-Schulpflichtigen für vierzehn Tage nach Berlin-Wannsee, um ihre Großmutter, die uralte, verehrungswürdige Hedwig Dohm zu besuchen. Aber ich bin da und werde mich am 18. oder 19. in den Jahreszeiten melden.

Vielleicht geben Sie mir, wenn es soweit ist, noch einen Wink, um welche Stunde es am besten paßt.

Meine Frau ist nicht wenig stolz darauf, daß Sie ihrer in Ihrem Brief mehrfach so freundlich gedenken und beklagt sehr, daß sie Sie diesmal nicht sehen wird. Sie grüßt Sie herzlich, wie ich.   Ihr Thomas Mann.

[Postkarte]

[München,] 6. VII. 16.

Liebe gnädige Frau:

Herzlichsten Dank! Es ist mir eine persönliche Genugthuung, daß dies Buch so gewürdigt wird.

Wir gehen am 15. nach Tölz, wo ich meine »Betrachtungen eines Unpolitischen« zu fördern, wenn nicht zu beenden hoffe.   Ihr Th. Mann

[Briefkarte]

München den 11. XII. 16.

Liebe gnädige Frau:

Dank für Ihre freundlichen Zeilen und die Vermittlung. Ich will in den nächsten Tagen einen Artikel in die Luft werfen: hoffentlich fällt er auf die Füße. Es ist natürlich schwierig, anzufangen; schreibe ich dann einmal wieder, so wird das bedeutend leichter gehen. Übrigens werde ich das Beste, was sich über den Fall Walter-München sagen *ließe*, nicht sagen dürfen. – Der freundschaftliche Verkehr mit ihm, jungen Datums, ist mir eine wirkliche Bereicherung und bringt mich der Musik, meiner eigentlichen Heimatsphäre, wieder näher.   Thomas Mann.

München den 22. XII. 16.

Liebe gnädige Frau:

haben Sie Dank für Ihr schönes, schmerzliches kleines Buch!
Ich habe es mit größter Rührung gelesen, und wie dankbar
werden Ihnen für diese schwesterliche That erst die Frauen
sein!
Ich wäre gern ausführlicher, aber ich bin sehr beschäftigt.
Aber gute, heitere Festtage wünsche ich Ihnen noch.
Mr. Wilson is going to make peace, and than human free-
dom and democratical progress will rule over all the world.
Ist das auch ganz richtig? In der Sache ist es jedenfalls
famos.   Ihr Thomas Mann.

München den 15. II. 17.

Liebe gnädige Frau:

Darüber, daß meine Frau nicht zu Walters kam, habe ich
mich nicht deutlich gemacht; ich nahm wohl an, W.'s hätten
Sie schon aufgeklärt. Wir hatten an dem Tage unabsagba-
ren Theebesuch. Meine Frau nahm ihn allein auf sich, damit
wenigstens ich Sie bei W.'s begrüßen könnte. Sie war
aber vormittags im Hotel gewesen, um Sie zu sehen, hatte
Sie verfehlt und eine Karte hinterlassen, – die Ihnen wahrscheinlich nicht übergeben worden ist. Meine Frau legt Wert
darauf, daß Sie über den Sachverhalt klar sehen.
Ihre freundlichen Worte über den Aufsatz beruhigen mich
sehr. Meine Schwiegermutter schrieb aus Berlin, ein Herr,
Professor, unwissend über die Familienbeziehungen habe in
Gesellschaft auf eine Frage hin geäußert, ein so blödes Geschwätz, wie den Artikel von Th. M. im »Tag«, habe er seiner Lebtage noch nicht gelesen. Leider bin ich immer bereit,
mir solche Erkenntnisse anzueignen.
Ich hätte gern von Lübeck gehört, und Ihre Einladung dort-

hin machte mir Herzklopfen. Der Gedanke einer solchen Rück- und Einkehr hat etwas Beklemmend-Traumhaftes, tief Ergreifendes für mich, ich kann nicht sagen, warum, sie würde mir diesmal noch vielmehr bedeuten, als das erste Mal vor 12 oder 13 Jahren. Ich wünsche sie und scheue sie wohl in dem Gefühl, ihr persönlich nicht gewachsen zu sein. Aber es wäre schön, merkwürdig schön, meiner Frau »die Stätten« zu zeigen.

Die Sache ist nun die: es ist *möglich*, daß ich um Ostern in Stockholm einen Vortrag halte. Die Berliner Centralstelle für Auslandsdienst wandte sich an mich, und der kaiserliche Gesandte droben wird jetzt wohl eine schwedische Einladung vermitteln. Ich bin noch nicht sicher, ob ich es auf mich nehme, aber es kann sein, und wenn es ist, dann könnte ich ja einen Besuch in Lübeck anschließen. Sie hören von mir über den Verlauf der Sache; sprechen Sie aber, bitte, vorläufig nicht darüber.

Was Teufel, Fehling ist nun also Bürgermeister! Da hat wieder einmal ein Oktavio etwas erreicht. Er ist ja ein bedeutender Mann in seiner Art, wenn das mit dem »unsicher Schillernden« auch seine Richtigkeit haben mag. In meiner Jugend hörte ich, er habe eine Bismarckbüste auf seinem Schreibtisch, was ich damals sofort als eine Anspielung auf das Wunschbild auffaßte, das er sich von sich selber macht. Nun hat er also die mit Heimatliebe verbrämte »Personalmacht«, – die ja nicht weit reicht; aber Macht bleibt immer Macht, und alles Vergängliche ist nur ein Gleichnis.

Herzlichen Dank noch für die Einladung ins berühmte Burghaus! Ein Traum, wie gesagt; aber einer, der sich ganz gut verwirklichen kann, und der soweit Sie und das Burghaus in Frage kommen, auch gar nichts Beklemmendes, sondern nur Erfreuliches hat.

Nehmen Sie herzliche Grüße! Ihr Thomas Mann.

Liebe gnädige Frau:

Vielen Dank für die Zeitungen! Lübeck hat sich sehr geehrt mit dieser Veranstaltung und mit der Aufnahme, die es ihr bereitete.

Mit dem Stück ist es freilich eine merkwürdige Sache. Wenn man jetzt in Paris ein Luther- oder Bismarckdrama mit apotheosierender Tendenz aufführte, so wäre das ein ungefähr entsprechender Vorgang. Die Aufnahme wäre wohl ein wenig geteilt. Aber Deutschland bleibt das Land objektiver Bildung, die unter Umständen als erstaunliche Dickfelligkeit wirken kann, und den durchaus anti-deutschen Sinn dieser Verherrlichung des französischen Revolutionsaktivismus bemerkt man gar nicht oder man akklamiert ihn, es ist wohl beides gleichzeitig der Fall. Ich bewundere das Stück in seinem Glanz und seiner rhetorischen Menschlichkeitsforderung; aber ich müßte lügen, wollte ich sagen, daß es nach meinem Herzen sei. Die Frankfurter Zeitung sprach von »artistischem Demokratismus« und traf damit den Nagel nur zu genau auf den Kopf. Es handelt sich um eine Mischung oder Kreuzung aus Aesthetizismus und Politik, die mir, ich kann mir nicht helfen, auf die Nerven geht, wie nicht leicht etwas anderes, und die »Güte«, an der die Lübecker sich erwärmten oder sich zu erwärmen glaubten, ist etwas sehr Intellektuell-Doktrinäres: menschlich entspricht ihr eine Entsetzen erregende Rechthaberei, eine aggressive Selbstgerechtigkeit, eine jakobinische Humanitätsprinzipienreiterei, von deren verbohrter Unduldsamkeit man sich schwer eine Vorstellung macht.

In früheren Jahren fühlte ich mich oft herausgefordert, deutsches Wesen gegen die haßerfüllte Verneinung meines Bruders zu verteidigen. Der Krieg, der mir meine nationale Zugehörigkeit, Herkunft und Überlieferungen meines Künst-

lertums ganz bewußt gemacht hat, ließ ihn völlig und mit
Erbitterung die Partei dessen ergreifen, was er die »Civilisation«, die »Gerechtigkeit« nennt, und unser Verhältnis
war nicht zu fristen. Seit Jahr und Tag leben wir in feind-
seliger Entfremdung, – ein Zustand, melancholisch und blamabel, schmerzlich für beide Teile, wie ich glauben will, aber
herbeigeführt nicht durch meine Natur und Schuld, wie ich
sagen darf. Ich glaubte, das Ihnen mitteilen zu sollen, da die
Übersendung der Kritiken etwas von einer Frage hatte.
Die besten Grüße   Ihres Thomas Mann.

München den 11. III. 17.
Liebe gnädige Frau:
Ich habe Ihnen für so Vieles zu danken, für Ihren Brief vom
1. d. Ms., Ihre meisterhafte Almanach-Studie, die ich an
Walters weitergab, den Legros-Artikel, die Zustimmungs-
schreiben, – aber ich muß mich kurz fassen heute: Sie wissen, wie anspruchsvoll das Leben ist, mir wachsen seine Ansprüche zuweilen über den Kopf.
Das Bruderproblem ist das eigentliche, jedenfalls das schwerste Problem meines Lebens. So große Nähe und so heftige
innere Abstoßung ist qualvoll. Alles zugleich Verwandtschaft
und Affront, – es ist kaum darüber zu reden. Die agaçante,
intellektuell beabsichtigte »Menschlichkeit« der »Legros« –
entsetzlich. Die blinde Gefügigkeit von »Kritik« und Publikum – erstaunlich. Aber daß Wolf Zeitungsstimmen mega-
phonieren kann, die das Stück als kerndeutsches Meisterwerk preisen, – das geht doch über die Hutschnur. Genug! –
Wollen Sie die Lübeckischen Blätter zurückhaben?
Walter hat von dem albernen Prozeß doch vorwiegend Nutzen gehabt. An drei Abenden wurde er in der Oper mit an-
haltendem Applaus empfangen. Wer sich schwer diskredi-

tiert hat, ist meiner Meinung nach der bon juge Maier (der Landgerichtsrat und Vorsitzende). – Vorgestern übrigens ein wundervoller »Figaro« unter Walter mit Feinhals, Reinhardt, Proppe, Fladung, Schützendorf.

In der Neuen Rundschau vom März ist ein Beitrag von mir, ein Fragment aus den Anfängen des unterdessen weit fortgeschrittenen Bekenntnisbuches. Würde Sie, so außer dem Zusammenhange, seines Internationalismus halber wohl befremden. Innerhalb des Ganzen nimmt es sich anders aus. Viele herzliche Grüße und Empfehlungen!

Ihr Thomas Mann.

München den 28. IV. 17.

Liebe gnädige Frau:

Mit Freude und Dank erhielt ich Ihren Brief. Nein, aus Stockholm kann vorderhand nichts werden, wie der Gesandte schrieb, und ich bin recht einverstanden damit; das Abenteuer würde mich schrecklich aus der Arbeit reißen, die doch, persönlich genommen, so sehr dringlich ist, – une mer à boire, aber bis zum Herbst wenigstens hoffe ich es absorbiert zu haben.

Mein Glückwunsch zur Landerwerbung! Natürlich, das müssen wir sehen, wenn wir einmal kommen, die Landschaft dort oben ist im Grunde die einzige, zu der ich *Vertrauen* habe; zum Gebirge schon garnicht, wie ich neulich in Mittenwald wieder merkte, wo ich übrigens zum ersten Mal in meinem Leben eine Lawine sah: sie kam unter Poltern und als ein weißer Qualm die Karwendelwand herunter, aber ich dachte: Wenn schon. – Wir müssen das also sehen. Aber das Burghaus? Das ist doch nicht minder wichtig. Wird sich denn das eine mit dem anderen verbinden lassen? Nun, lassen wir den Rat mit der Zeit kommen.

Der Hochwohl-Artikel, ich will ihn mir lieber schenken. Offen gestanden, ich würde mir ein bißchen gesunken vorkommen, wenn ich mich nun begierig auf alles Gedruckte stürzen wollte, worin mein Bruder für schädlich und ich für den bleibend »Eigentlichen« erklärt werde. Und muß denn wirklich Einer der »Eigentliche« sein? Ich bin politisch wohl Monarchist, aber was die Geisteswelt betrifft, bin ich doch mehr für Republik; und wenn denn wirklich H. M. König sein soll, so bleibt T. M. doch immer noch Königliche Hoheit. Im Ernst, damit, daß man meinen Bruder preist, thut man mir noch nicht Unrecht. Ich weiß wohl, daß man dies teilweise außerdem jetzt thut; aber ich darf nicht vergessen, daß ich ein Jahrzehnt lang sehr gehätschelt worden bin. Auch bin ich ja einfach jetzt seit Jahr und Tag zu keiner größeren Veröffentlichung gelangt. Ausgleich und Gerechtigkeit bringt nur die Zeit. »Die Zeit«, sagt Byron, »bringt jedermann auf sein Niveau.« Auch strich ich mir schon vor Längerem bei demselben Autor, im Don Juan, die Stelle an:

> »Well, if I don't succeed, I *have* succeeded,
> And that's enough, – succeeded in my youth,
> The only time, when much success is needed . . .«

U. s. w. Es geht sehr schön weiter.
Aber der Bogen ist gleich zu Ende, und ich habe Ihnen noch nicht für den Hauptteil Ihres Briefes gedankt, worin Sie so geistvoll an meiner Rundschau-Veröffentlichung teilnehmen. Sie war im Grunde recht überflüssig. Das Kapitel ist ohne die Beleuchtung, die es im Zusammenhang hat, gar nicht recht zu verstehen. In Betreffs Wagners und Schopenhauers haben Sie natürlich vollkommen recht. Er war ein Schopenhauerianer bevor er Schopenhauer kannte. Wir finden in Büchern immer nur uns selbst. Komisch, daß dann allemal die Freude groß ist und wir den Autor für ein Genie erklären.

– Professor W. Helpach schickte mir neulich einen »Tag«-
Artikel, worin er Ihre »Charlotte« sehr würdigt. Sie werden
ihn gesehen haben?   Ihr Thomas Mann.

[Postkarte]

München den 6. v. 17.

Liebe gnädige Frau:

Es thut mir unendlich leid, aber ich habe das Blatt nicht
mehr. Man wird mit dem »Aufheben« immer sparsamer,
denn die gehamsterten Erinnerungen wachsen einem über
den Kopf. Es war aber zuverlässig der »Tag«, letzte Seite,
wissen Sie, Rundschau, und zwar »Psychologische Rundschau«, wie ich annehme. Der Artikel war nicht ausdrücklich
Ihnen gewidmet, aber es war mehrfach darin von Ihrem
Buch die Rede. Was thun? Ich mag nicht an Helpach schreiben, weil ich nicht gestehen mag, daß das Präsent in den Papierkorb ging. Auch ist mir nicht einmal seine »Feld«-
Adresse gegenwärtig. Wenn Sie »Prof. Dr. W. Helpach,
Karlsruhe« adressieren, bekommt er es wohl sicher. Aber am
Einfachsten ist doch wohl, Sie wenden sich an den »Tag«.
In herzlicher Ergebenheit   Ihr T. M.

München, den 9. XI. 17.
Poschingerstr. 1.

Verehrte gnädige Frau:

Sie haben gewiß ebenfalls den beiliegenden Protest bekommen, – der Begleitbrief war mit H. E. Linde-Walther gezeichnet. Unterschreiben Sie und raten Sie mir, zu unterschreiben?   Ihr ergebenster Thomas Mann.

Verehrte gnädige Frau:

Meinen besten Dank! Ich habe spornstreichs unterzeichnet und bin hoffentlich nicht zu spät gekommen.

Vor allem nehmen Sie meine herzlichsten Glückwünsche zur Errettung Ihres Sohnes. Das muß ein Wiedersehen gewesen sein! Ich glaube nicht, daß ein Gedankenmensch sich etwas vergiebt durch das Eingeständnis eines ausgiebigen Gefühls der Beschämung, das er solchem Thatmenschenthum gegenüber immer wieder erprobt. Darf ich Sie bitten, Ihren Helden von mir zu grüßen?

Ihr Brief ist so wahr und klug, wie alles, was von Ihnen kommt. Walter ist ja jetzt mit dem Palestrina in der Schweiz. Sobald er zurück ist, soll er lesen, was Sie mir schrieben. Ich salutiere Ihre Einwände ohne Widerspruch. Das Arbeiten mit solchen Begriffen wie »Romantik« ist immer etwas wie ein Linien-im-Wasser-ziehen. Wenn ich sagte, daß »Bekenntniskunst« romantische Kunst sei, so verstand ich das Wort nicht so allgemein, sondern im Sinn einer kritisch-sentimentalisch auf die Kunst und das Künstlertum zurückgewandten Kunst, die ich allerdings als romantisch empfinde. Übrigens wird, denke ich, manches in dem Aufsatz durch den Zusammenhang, in den er gehört, (denn er ist, wie die Eingangsworte andeuten, meinem Buch »Betrachtungen« entnommen) eine relative Rechtfertigung erfahren. Pfitzner meinte: »Nur so sollte über den »P« geschrieben und publiziert werden«. Und da auch Sie finden, ich hätte das Werk »ergründet«, so kann ich zufrieden sein.

Heute kamen auch die »Lübeckischen Blätter« mit der Kritik über das neue Werk meines Bruders. Ich glaube, er wird mehr dergleichen zu hören bekommen, aber ich kenne niemanden, der dem Tadel weniger zugänglich wäre. Das beruht auf Dummheit, ein für alle Mal. Dabei muß man einräumen, daß der auf's Sozialkritische angewandte Expressionismus in seiner Wirklichkeitsfeindschaft sein politisch Bedenkliches hat. Es giebt ein Aesthetentum, das sich mit dem Leben und der Liebe in Verbindung zu setzen glaubt, indem es sich auf Freiheit, Gleichheit und Brüderlichkeit wirft ... Und was sich sonst noch über den nicht einfachen Gegenstand sagen ließe.

Ich arbeite wie ein Pferd, um bis Neujahr meine Schreiberei fertig zu bekommen und bin novarum rerum cupidissimus.

Ich will hoffen, daß ich zur Stelle bin, wenn Sie kommen. Anfang Januar muß ich auf Reisen gehen; aber es wird nicht lange dauern.   Ihr ergebenster Thomas Mann.

München den 21. I. 18.

Liebe, verehrte gnädige Frau:

Es ist mir ein Herzensbedürfnis, Ihnen von meinem gewohnten Platze aus nochmals für alles Liebe und Gute zu danken, das Sie mir in den jüngst vergangenen Tagen erwiesen haben. In harten Zeiten, wie diesen, ist man für menschliche Güte besonders empfänglich. Ich bin gerührten Herzens von Ihnen geschieden, und die Erinnerung an meinen Aufenthalt in Ihrem Hause wird mich erfreuen und erquicken, wann immer ich sie mir zurückrufe.

Die Ankunft am Lehrter Bahnhof bei strömendem Regen, Eisbrei, überfüllten, unregelmäßig verkehrenden Trambahnen schien zunächst trostlos. Aber als ich erst einmal mein Handgepäck im Hotel Excelsior am Anhalter hatte (schließlich gelang es doch), war die Lage schon wesentlich gebessert, und am nächsten Morgen gelang es mir obendrein, mich durch fürchterliche Bestechung des Portiers in den Besitz einer Bettkarte nach München zu setzen, – womit alles gewonnen war. Ich besuchte vormittags meinen Verleger, frühstückte im Hotel, dinierte um 7 bei den Verwandten meiner Frau in der Tiergartenstraße und trat 9 Uhr 25 meine Heimreise an, die glatt und planmäßig in Gesellschaft eines gutartigen, bescheidenen Schlafgenossen verlief.

Nun habe ich einen Haufen Post aufzuarbeiten, die sich in diesen 17 Tagen angesammelt; aber die Arbeitskraft ruht bei einem Leben, wie ich es unterdessen geführt habe, eben doch aus, und mein Verlangen nach ruhiger, geregelter Thätigkeit ist groß. Zunächst habe ich das Vorwort für die Betrachtungen zu schreiben. Fischer klagte sehr über Papiermangel (Buddenbrooks werden nächstens wieder auf einige Zeit vergriffen sein); aber bis zum April etwa wird das neue Buch doch erscheinen können. Ihr Anerbieten, es für Lübeck zu besprechen, »sitzt«, wie es im Hamlet heißt, »lächelnd um mein Herz«.

Leben Sie recht wohl. Wir sind morgen mit R. Strauss bei Walter zum Thee; da werde ich Grüße von Ihnen überbringen können. Grüßen Sie die Lübecker Freunde von mir! Gewiß schicken Sie mir noch einen oder den andren Zeitungsausschnitt über die Vorlesung.   Ihr Thomas Mann.

[Postkarte]

T. M.   München, den 12. II. 18.
                                         Poschingerstr. 1

Liebe gnädige Frau:

Der Bericht macht mir großes Vergnügen. Schicken Sie mir bitte auch die folgenden! Und vielen Dank!

Magnifizenz sandten neulich einen im Druck erschienenen Vortrag von sich über die forensische Verteidigung, sehr gut zu lesen.

Ich schreibe jetzt ein »kritisches Vorwort« zu den Betrachtungen, die ich dann endgültig abstoße und dem Publikum zu Benützung übergebe. *Ihre* Kritik ist die einzige, der ich mit Vertrauen entgegensehe.

Morgen sind hier die Meistersinger, neu unter Walter.

Meine Grüße u. Glückwünsche an Doktor Reisch.

Ihr Thomas Mann.

München den 19. III. 18.

Liebe gnädige Frau:

Sie haben mir so treu die Berichte über Jungs Vorträge geschickt: nehmen Sie herzlichen Dank für Ihre Mühewaltung. Der Mann hat offenbar ganz gute Dinge gesagt, aber wahr bleibt auch hiernach, daß ich über meine Lebenswerkchen von der Kritik noch nie etwas Gescheites gehört habe, was ich nicht schon selber gesagt hätte. Das ist am Ende meine Schuld, aber ich hatte eben immer das Gefühl, daß man der Kritik auf die Beine helfen müsse, hierzulande. Das Manuskript meiner »Betrachtungen« ist neulich nach Berlin abgegangen, nachdem ich eine längere Vorrede hinzugefügt. Wird die Öffentlichkeit etwas damit anzufangen wissen? Aber das muß mir nun gleich sein. Da die Zeit mir dies Buch unweigerlich abverlangte, muß sie wohl ein Anrecht darauf haben.

Wir haben herrliche Vorfrühlingssonnentage (Sie hoffentlich auch), und ich will nun morgen mit einem Bekannten auf ein paar Tage ins Gebirge fahren, nach Eibsee, 1000 m, die Verpflegung soll sehr gut sein. In den letzten Tagen hörte ich, Walter sei Dank, noch viel schöne und große Musik: vorgestern die »Rose vom Liebesgarten« – bewunderungswürdig! Aber daß dieser schwelgerische tonpoetische Traum für alle Zeit an diese Konditorei von Text gebunden ist, ist ein echt deutsches Unglück. Gestern in der Akademie hatte W. seinen großen Abend: Coriolan sowohl wie Pastorale gingen wundervoll, und dazwischen sang Erb in seiner wohlthuenden Art die »Ferne Geliebte« – mit einem bezaubernden Piano auf »Bergeshöh'« in No. 6. Ich hatte im Künstlerzimmer endlich Gelegenheit, ihm meine Hochachtung für den Palestrina auszudrücken, den er übrigens nächstens im Hoftheater wieder singen wird. Er sagte mir, Sie hätten ihm brieflich von unseren Erb-Nachmittagen im Burghause erzählt. Heute fährt er nach Holland, um den Evangelisten zu singen. Er singt ihn überall, nur in München nicht mehr, aus Wut über schlechte Kritiken nach dem letzten Mal. Er kann es sich leisten. Ob München es sich leisten kann, ist eine andere Frage.

Gestern besuchte mich Hauptmann Plessing, Generalkonsul aus Riga, auf der Durchreise nach Wiesbaden, wo er seine Frau besuchen will. Ein stattlicher, unverfälscht heimatlicher Sechziger, der übrigens mit hohen und höchsten Personen auf vertrautem Fuße zu stehen scheint. Er wies sofort eine Einladung zum König vor.   Ihr Thomas Mann.

München den 6. iv. 18.

Liebe gnädige Frau:

Ich komme recta von Ihrem Aufsatz und will den Dank dafür sowenig verschieben, wie ich die Lektüre verschob. Sie haben Ihre Sache klug und schön gemacht, wie immer. Man liest mit Genugthuung Alles, was den engeren Gegenstand betrifft, und mit Freude und Ehrerbietung alles, was so bedeutend darüber hinausgeht. Walter und Frankenstein können lachen. Ich sehe sie heute abend; ich habe eine Verabredung mit ihnen und Wassermann in die Odeon-Bar.

Gottlob höre ich von Lilli Dieckmann, daß das Fieber fällt und die Hoffnung steigt. Es wäre mir um den noblen, sauberen Menschen wahrhaftig Leid gewesen!

Meine »Betrachtungen« gehen jetzt in Druck. Großer Gott, das Ding wird über 600 Seiten haben und gut und gern 12 Mark kosten. Was habe ich da eigentlich angerichtet?

Mit dem größten Entzücken lese ich jetzt wieder Gottfried Keller. Ich kann nicht umhin, diesen deutschen Meisterstil als eine idealische Bestätigung meinerselbst zu empfinden!

Haben Sie das Lichnowski'sche Manuskript gelesen? Ich hatte schon vor Monaten einen Abzug in Händen. Als Grey eines Tages bei L.'s zu Mittag aß, in Gegenwart der Kinder des Hauses, die unter einander plauderten, sagte er: »I can't help thinking how clever these children are, to talk German so well!« Das, sagte Lichnowski, ist der teuflische Lügen-Grey der deutschen Phantasie! So ist das Ganze.

Ihr Thomas Mann.

München den 27. IV. 18.

Liebe gnädige Frau:

Also denn: Meine Frau hat mich mit einem prächtigen Töchterchen beschenkt. Die Entbindung (in der Frauenklinik unter Geheimrat Döderlein) verlief glatt und normal und war gottlob nicht besonders strapaziös. Meine Frau ist guter Dinge und hofft, die Klinik in acht bis zehn Tagen verlassen zu können.

Mein Manuskript ist bei Brandstätter in Leipzig, und bevor es Korrekturen hagelt schreibe ich rasch noch (was ich so »rasch« nenne) eine Art von Idyll, betitelt »Herr und Hund«, dessen Prosa etwas wie Hexameter-Geist atmet, und das Ihnen, meine ich, Spaß machen wird.

Wie geht es bei Dieckmanns? Wann kommen Sie hierher? Für den Mai hat die Oper Palestrina und Falstaff vorgesehen.

Ihr Thomas Mann.

Abwinkl am Tegernsee d. 13. VIII. 18
Villa Defregger.

Liebe gnädige Frau:

Gestern – oder war es vorgestern abend, ich weiß nicht genau – bekam ich Ihren Brief vom 3. d. Ms. Wohl ein Rekord.

Das »Buch« – um Ihre Anfragen zu beantworten – ist fertig korrigiert, revidiert, fertig gedruckt. Nur der Buchbinder hat noch sein Werk zu thun, aber jetzt zieht sich ja alles in die Länge und ich denke mir, Mitte September wird es bis zur Ausgabe wohl werden. »Herr und Hund«, an dessen Schlußkapitel ich schreibe, kommt nicht in die Rundschau. Es soll in bibliophiler Ausstattung, mit Zeichnungen von Preetorius, im Verlage des Schutzverbandes Deutscher Schriftsteller erscheinen, für dessen Unterstützungskasse der Gewinn bestimmt ist. Dergleichen ist heute ein sicheres Geschäft. Ich hoffe aber doch, eine gewöhnliche Ausgabe neben der luxuriösen durchzudrücken. Die Geschichte – es ist eigentlich ein Idyll – wird einen kleinen Band ergeben.

Ich denke doch, daß Velhagen u Klasing ihr Licht nicht lange unter den Scheffel stellen werden! Diese Zeitschrift hat die gute Einrichtung der Sonderdrucke, und also darf ich hoffen.

Meiner Frau, die herzlich grüßen läßt, geht es ausgezeichnet. Die Kleine ist ein sensitives kleines Wesen, aber reizend, wenn ich urteilen darf. Ich habe für keins der früheren Kinder so empfunden, wie für dieses. Das geht Hand in Hand mit zunehmender Freude an der Natur. Wird man allgemein gemütvoller mit den Jahren? Oder ist es die Härte der Zeit, die mich stimmt, zur *Liebe* disponiert?

Tölz, wohin Sie noch adressierten, haben wir voriges Jahr verkauft. Wir waren, namentlich ich, nach neuen Dingen begierig. Hätten wir mit Familienzuwachs gerechnet, so hätten wir es wohl nicht gethan; aber andererseits wurde das Haus uns etwas zu klein und hatte sonst Nachteile. Nun sind wir auf acht Wochen hier am Wasser, – was in Tölz ja fast ganz fehlte, haben eine Badehütte, ein Ruderboot, und die Kinder sind begeistert. Die Verpflegung ließ sich anfangs äußerst schwierig an, aber nun geht es. Sechs l Milch pro Tag sind eine gute Grundlage.

Die Weltpolitik bietet einen üblen Anblick. Wenn wir Elsaß-Lothringen hergeben müssen, so ist das der letzte Krieg *nicht* gewesen.   Ihr Thomas Mann.

München den 17. X. 18.

Liebe gnädige Frau:

Sonntag und wieder Sonntag ist zu lange, um mit meinem Dank für Ihren Brief und Ihren Aufsatz darauf zu warten. Sie können mir glauben, daß meine eigene Schriftstellerei der letzten Jahre mich nur zu einem noch empfänglicheren, nachgiebigeren, folgsameren Leser gemacht hat, und so bin ich auch Ihren Gedanken mit der Zustimmung gefolgt, die Geist und Klugheit ohne Weiteres abnötigen, besonders aber, wenn sie sich selbst gegen das »Linien im Wasser ziehen« richten, das immer ein müßiger Zeitvertreib ist und dies wieder besonders, wenn es sich um die Einschachtelung und Etikettierung großer Persönlichkeiten handelt.

Ohne den Hilfsbegriff und die Verständigungsformel des »Romantischen« wird die Erkenntnis freilich nicht auskommen, – jetzt z. B.: was ist es denn, was in meinesgleichen gegen die demokratische Einebnung Deutschlands protestiert, als die Anhänglichkeit an das »romantische«, das kaiserliche Deutschland, die selbst den Männern der Paulskirche noch so sehr in den Gliedern lag, daß sie sie »zu vollkommenen Aristokraten machte«, und die nun endgültig ausgerottet werden soll? So lange noch ein Kaiser an der Spitze steht, ist das romantische, das mittelalterliche Deutschland nicht tot. Aber um die Entromantisierung Deutschlands, seine Einreihung in die rationalistische Civilisation handelt es sich (ideell) für die Feinde sowohl wie für unsere eigene Demokratie westlichen Gepräges.

Was wird aus Haus Hohenzollern? Am Ende wird es nicht einmal in Preußen bleiben können.

Unser Zustand ist zur Zeit nicht weniger chaotisch, als der Österreichs.

Wilson ist wahrhaft fürchterlich. Man sieht, wie erstens der Diplomat über den Philanthropen täglich mehr in ihm die Oberhand gewinnt, wie er die Forderungen steigert, ohne sich seinerseits binden zu wollen. Namentlich aber beobachtet man an ihm eine zunehmende *Heiterkeit und Freude an der Gewalt,* – eine sehr menschliche Erscheinung, wie die Dinge liegen, aber uns kann es den Kragen kosten. Uns militärisch zu halten, wäre das einzige Mittel, ihn sich philanthropisch besinnen zu lassen, auf den Völkerbund und dergl. Aber unsere Soldaten sagen: »Wenn I wieder naus muß, lauf I über.«

Die Russifizierung scheint weit vorgeschritten. Und dabei wäre doch der vollständige Triumph der Tugend-Demokratie, der New Yorker und Londoner Börse, der größte Humbug der Weltgeschichte!

Ihrer Besprechung sehe ich mit herzlichem Vertrauen entgegen. Ihr Thomas Mann.

München den 23. x. 18.

Liebe gnädige Frau:

Gestern kamen die Lübeckischen Blätter nebst Ihrem Brief und ich eile, Ihnen zu danken, – wenn ich nicht gestern

Nachmittag Besuch gehabt hätte, so hätte ich nicht bis heute gewartet. Ich habe den Aufsatz mit größter Rührung gelesen und kann Ihnen wirklich nicht genug danken für die Mittler-dienste zwischen mir und der Heimat, die Sie nun schon so lange hochherzig leisten. In diesem Falle wäre sogar Gele-genheit gewesen, auf das, was an Heimatlich-Überliefertem, Ahnenmäßigem in mir lebt und aus mir wirkt und was mir im Kriege so recht zu Bewußtsein gekommen, besonders hin-zuweisen, etwa an der Hand des Kapitels »Bürgerlichkeit«. Aber schließlich, es ließ sich nicht alles sagen, und Sie haben soviel Gutes, *beschämend* Gutes über mich und meine müh-same Leistung gesagt, daß es mir schlecht anstände, irgend etwas zu vermissen. Im Gegenteil stehen mir an einer Stelle ein paar Worte zuviel, – es ist die, wo direkt und mit Na-mensnennung von meinen Bruder die Rede ist. Ich möchte jeden, der diesem Buch die Ehre öffentlicher Besprechung er-weist, im Voraus bitten, den Konflikt, der zweifellos seinen geistigen Kern bildet, so schonend-überpersönlich wie mög-lich zu behandeln, obgleich ich mir sagen muß, daß meine eigene Behandlung dieses Konfliktes, bei aller symbolischen Erhöhung, die ich ihm zu geben suchte, mit Notwendigkeit zu persönlich war, als daß ich zu einer solchen Bitte eigent-lich ein Recht hätte. Trotzdem, – wenn der Name zusammen mit Wörtern wie »Deutschfeindlichkeit« und »Arbeit gegen unsere Widerstandskraft« im engen Rahmen einer Bespre-chung dasteht, so sieht die Sache plötzlich garnicht mehr nach Geist, sondern in erschreckender Weise nach politischer De-nunziation aus, und ich zucke zusammen, und das Blut steigt mir ins Gesicht. Verzeihen Sie mir, – es ist wohl alles in Ordnung, so wie es ist: Sie mußten so schreiben, und ich mußte zusammenzucken.

Auch für Ihren Brief nehmen Sie noch herzlichsten Dank! Die Briefe von Villers habe ich vor Jahren gelesen. Ich hätte sie gelegentlich der Betrachtungen wieder vornehmen sollen; gewiß hätte ich Stärkendes darin gefunden. – Es ist dumm, daß ich den »Tag« nie sehe! Zehnmal habe ich mir vorgenommen, darauf zu abonnieren und verbummle es immer wieder. Einmal hatte ich es sogar schon gethan, aber da verbummelte ich nach einem Vierteljahr die Erneuerung.

Das glaube ich, daß man in Bayreuth entzückt ist. Aber mit diesem Entzücken steht Bayreuth nicht allein, möchte ich glauben!   Ihr Thomas Mann.

München den 29. x. 18.

Liebe gnädige Frau:

Es thut mir herzlich leid, daß ich Ihnen Kummer gemacht habe. Lassen Sie es gut sein! Ich sagte ja gleich selbst, daß alles in Ordnung ist, daß Sie wohl so schreiben mußten und ich »zusammenzucken« mußte. Und in hohem Grade haben Sie ja recht, wenn Sie mich eines Selbstwiderspruchs beschuldigen.

Das Buch findet im Publikum mehr Anklang, als ich mir je hätte träumen lassen. Ich habe alle Hände voll zu thun, die Kundgebungen der Sympathie und Dankbarkeit zu beantworten.

Ich habe es aufgegeben, mir von der verehrlichen Weltgeschichte schlaflose Nächte bereiten zu lassen, wie ich es eine Zeit lang zu meiner größten Schädigung that.

»Menschen lernten wir kennen und Nationen – so laßt uns unser eigenes Herz kennend uns dessen erfreun!«

Diese Schluß-Distichen von Goethe's Einleitung zu Hermann und Dorothea umschließen für mich das Ergebnis. Aber peinliche, peinliche Dinge stehen dem armen konfusen

Deutschland ja nun bevor, und auch jedem Einzelnen von uns kann es empfindlich an den Kragen gehen.

Ihr Thomas Mann.

[Postkarte]
T. M.   München, den 6. XI. 18.
Poschingerstr. 1

Liebe gnädige Frau:

Vielen herzlichen Dank für den »Nachtrag«, der von rührender und mich abermals beschämender Gewissenhaftigkeit zeugt.

Gestern und heute hatten wir hier Fliegeralarm, aber es waren gestern verflogene österreichische und heute reichsdeutsche Flieger, deren Hoheitsabzeichen im Nebel nicht zu erkennen gewesen waren. Ich fürchte, man wird den Sirenen nun nicht mehr glauben, und wenn sie auch die Wahrheit sprechen. Aber nun werden wir ja die »Bedingungen« hören – und annehmen, wenn wir den Feinden, namentlich den Franzosen nicht einen großen Gefallen thun wollen.

Ihr Thomas Mann.

München den 1. II. 19.

Liebe gnädige Frau:

Endlich möchte ich Ihnen wenigstens mit ein paar Zeilen für Ihren gütigen Kartenbrief vom 24. Januar danken. Es ist schrecklich (wenn ja auch wieder erfreulich): nie hat ein Buch mir nachträglich so viel zu schaffen gemacht, wie die Betrachtungen, meine Korrespondenz ist während der letzten Wochen, seit der dicke Band absorbiert ist, bis zum Beängstigenden angeschwollen, und da der Vormittag, damit ich irgendwie vorwärtskomme, streng reserviert bleiben muß, so stehe ich oft in argem Gedränge. Auch giebt es in letzter Zeit immer wieder Störungen durch Ansprüche politisch-journalistischer Natur: Der Berliner »Heimatdienst« erbat einen Artikel über den Sinn der Revolution; das Reichsamt für wirtschaftliche Demobilmachung einen über die Gefahren des wirtschaftlichen Niederbruchs in Folge der Demoralisation der Arbeiterschaft; die Frankfurter Zeitung einen dritten zugunsten unserer Kriegsgefangenen in Frankreich. Alldem mag ich mich nicht entziehen, das Pflichtgefühl ist geschärft, aus Pedanterie mache ich alles möglichst gut und sauber, und das kostet Zeit und Nervenkraft.

Verzeihen Sie, ich erzähle Ihnen Dinge, die Sie wenig interessieren. Aber wovon soll man erzählen, wenn nicht von sich. Was Sie mir von Lübeck berichten, hat mir einen sehr angenehmen Eindruck gemacht. Aber den Offizieren sollen doch demütigende Bedingungen gestellt worden sein. Ich schnuppere immer gern die Heimatluft, die mit Ihren Briefen kommt, und denke dankbar der Tage im Burghause. Sobald das Reisen wieder menschenmöglich ist, führe ich meine Frau zu Ihnen hinauf. Ihr Thomas Mann.

[Postkarte]

München den 10. II. 19

Liebe gnädige Frau:

Die Nachricht hat mir großen Eindruck gemacht. Ich beklage den persönlichen Verlust, den das Ereignis für Sie bedeutet. Die Erinnerung an den Tod meines Vaters und sein Leichenbegängnis wurde mir wachgerufen. Vielen Dank für die Mitteilung. Ihr Thomas Mann.

Verehrte gnädige Frau:

Ich schreibe heute schon wieder, in fremder Angelegenheit.
Gestern wandte sich Dr. Heinz Braune an mich, der Leiter
unserer Alten Pinakothek, und zwar im Interesse seines
Freundes, des jungen Musikers Kurt von Wolff, der sich um
die Kapellmeisterstelle des Vereins der Musikfreunde in Lübeck bewirbt. Zunächst kommt es ihm nur darauf an, zum
Probedirigieren zugelassen zu werden; aber auch damit hat
es natürlich schon Schwierigkeiten. Man macht sich Hoffnung, daß es mir gelingen könnte, Sie, deren entscheidender
Einfluß in allen Lübecker Kunstdingen bekannt ist, für
Herrn von Wolff zu interessieren. Ich persönlich kann nicht
viel mitreden; ich kenne ihn weder als Dirigenten, noch als
Komponisten. Er wird aber in beiden Eigenschaften sehr ge-
rühmt. Er hatte sich vor dem Krieg schon einen Namen gemacht, mußte aber, als Balte, bei Ausbruch des Krieges nach
Rußland und hat dadurch viele hier angesponnene Fäden
zerreißen lassen müssen. Seine Kompositionen (auch in
München mehrfach aufgeführt) sind bei Hofmeister in Leipzig erschienen; es werden darunter besonders die »Goethe-
Lieder« gelobt. Mein Gewährsmann erklärt, für die Persönlichkeit Wolffs, für seinen Charakter wie für seine musikalischen Fähigkeiten voll eintreten zu können und versichert,
daß man nicht nur ein gutes Werk thue, sondern höchst-
wahrscheinlich auch den Lübecker Musikfreunden einen wirk-
lichen Dienst erweise, wenn man dem jungen Künstler Gelegenheit gäbe, dort eine Probe seines Könnens abzulegen. –
Heute vormittag hatten wir hier die Generalprobe von
Schrekers »Gezeichneten«. Die Einstudierung war eine Rie-
senarbeit: 30 Orchesterproben, höre ich. Daß ich sehr erwärmt
war, kann ich nicht sagen. Die Musik ist koloristisch ja
fabelhaft, aber motivisch doch arm, wie mir schien, und

was für ein Stoff müßte es sein, der diesen Aufwand an Mitteln rechtfertigte! Das ist die ewige Antinomie in allen modernen Opernwerken. Das Genre selbst ist zu problematisch. Die wenigen wirklich künstlerischen Fälle sind Aus-
nahme- und Glücksfälle wie der »Palestrina«.

Nehmen Sie die besten Grüße   Ihres Thomas Mann.

[Postkarte]

T. M.   München, den 21. II. 19.
                                          Poschingerstr. 1

Verehrte gnädige Frau:

Für Ihren »Tag«-Aufsatz habe ich Ihnen noch nicht gedankt.
Er hat meinem Gerechtigkeitsgefühl sehr wohl gethan.

Sinnlose Blutthaten hier, Eisner, im Begriffe aus dem Amt
zu scheiden, von einem offenbar stupiden jungen Grafen
erschossen. Der Mörder sofort ebenfalls niedergestreckt. Über-
fall auf den eben zusammengetretenen Landtag, Abgeord-
nete erschossen, Minister Auer schwer getroffen. Belage-
rungszustand, Verbot der Straße nach 7 Uhr. Die Lage ist
verworren und gefährlich. Eine zerrüttete Zeit.

                                          Ihr Thomas Mann.

THOMAS MANN   München, den 26. IV. 19.
                                          Poschingerstr. 1

Liebe gnädige Frau:

Könnten Sie mir wohl die folgenden Fragen beantworten?
Hatte sich in *Hamburg* die historische Amtstracht der Se-
natoren nicht länger gehalten, als in Lübeck und bis wann?
Existiert sie gar heute noch? Wurde oder wird sie zu jeder
Senatssitzung oder nur bei besonders feierlichen Gelegen-
heiten und bei welchen etwa angelegt? Endlich, wie sieht sie

aus, worin besteht sie? Ich sah in Lübeck eine Photographie Bürgermeister Fehlings im Amtskostüm, – »spanisch«, wenn ich nicht irre, mit Tellerkrause, Degen, kurzen Hosen, Barett? Die Farbe wohl schwarz, mit Samtbesatz etwa? Es handelte sich, glaube ich, um einen neuen Entwurf, aber so ähnlich wird es ja auch in Hamburg sein oder gewesen sein. Ich *wünschte* mir, aus bestimmten Gründen, daß es noch so wäre.

Sie erraten, daß es sich um eine Arbeit handelt und sehen also, daß ich lebe und ungestört thätig bin. Die Zustände sind toll genug, aber wenn Sie Greuelnachrichten lesen, werden Sie gut thun, nur etwa den 4ten Teil davon zu glauben. Wir wissen nicht, was man auswärts über uns liest, wir sind völlig abgeschlossen und sehen keine Zeitung, – ein Zustand, den ich persönlich an und für sich nicht einmal unangenehm empfinde. Ihr Thomas Mann.

Thomas Mann München, den 11. v. 19.
Poschingerstr. 1

Liebe gnädige Frau:

Sie haben recht, Briefe schreiben kann man nicht. Aber auf Ihre freundliche Erkundigung darf ich erwidern, daß wir wohlauf sind, persönlich unangefochten alles überstanden haben, und daß ich die Häupter meiner Lieben sogar um eines vermehrt sehe: Am Ostermontag hat meine Frau einem Knäbchen das Leben geschenkt, das Michael heißen soll und mit dem nun das dritte Pärchen komplett und zur Beruhigung meiner Frau, die es nicht anders that, die Symmetrie hergestellt ist. Das Mütterchen ist wieder auf und befindet sich wohl.

Unterdessen geht mir – und nicht mir allein – unser gutes München bis *da*her. Es ist eine alberne und gefährliche

Stadt. Die Mischung von bürgerlichem Stumpfsinn, alias Gemütlichkeit, Leichtsinn [?] und Schwabinger Literatur-Radikalismus ist ekelhaft und, wie sich gezeigt hat, imstande, die blutigsten Absurditäten zu zeitigen. Dauernde Ruhe ist nicht zu erwarten. Der Bürger ist, als Sieger, übermütig und unklug, das »Volk« verhetzt und erbittert. Sind einmal die Reichstruppen fort, – die bayrischen sind in zwei Monaten unterminiert, und nie wird eine Regierung eine unpolitisch-zuverlässige Macht zur Verfügung haben. Ich sehe schwarz genug, um mich mit Wegzugs-Plänen zu tragen und fragte neulich meine Frau, wie sie über Lübeck dächte. Ich hatte diese Heimkehr eigentlich erst für meinen Lebensabend vorgesehen, – aber ist denn nicht Abend? »Die Nacht scheint tiefer tief hereinzudringen . . .«. Übrigens ist die Sache natürlich nicht so einfach.

Über den Frieden kein Wort. Er offenbart die ganze Gottgeschlagenheit der blöden Sieger. Es ist zu bemerken, daß das giftige alte Mannsbild, das ihn in seinen schlafarmen Greisennächten ausgeheckt hat, *Schlitz*augen hat und also vielleicht von Blutes wegen berufen ist, der abendländischen Kultur das Grab zu schaufeln und Asien oder dem Chaos den Weg zu bereiten.

Ihr ergebener Thomas Mann.

Thomas Mann   München, den 25. v. 19.
Poschingerstr. 1

Liebe gnädige Frau:

Eben komme ich vom Lande zurück (ich hatte 7 sonnige Tage in Feldafing, *ohne Zeitungen*, wunderbar). Kurz vor meiner Abfahrt bekam ich das prächtige Senatsbild und finde bei meiner Rückkehr das Velhagen-Heft mit der Besprechung von Strecker vor, mit dem Vermerk, daß ich es ebenfalls Ihnen zu danken habe. So danke ich Ihnen denn für beides in einem Athem, recht herzlich. Strecker sowohl wie das Bild sagen mir alles, was ich wünschen kann. Wie ist es mit dem letzteren? Wem gehört es? Ihnen? Und soll ich's zurückschicken?

Ich schreibe wieder an dem vor dem Kriege begonnenen Roman vom »Zauberberg«, dessen Anfänge ich neu mache und dessen 1. Kapitel in Hamburg spielt. Hierzu das Kostüm. Ich weiß nun auch (von Geheimr. Marcks), daß die Sitzungstracht schon seit etwa 1860 wie in Lübeck nur noch der Frack war (seit der Revolution Straßenanzug natürlich) und daß das Ornat nur bei besonders feierlichen Staatsgelegenheiten getragen wurde.

Wenn es Kohlen gäbe, würden Sie gewiß zur nachträglichen Pfitzner-Feier nach München kommen, wie ich Sie kenne. Das Nationaltheater beginnt jetzt wieder nach seinen verfrühten Ferien. Ich habe Walter lange nicht gesehen, hoffe es nächsten Sonntag während der Meistersinger zu thun.

Ihr Thomas Mann.

Thomas Mann   München, den 13. IX. 19.
                               Poschingerstr. 1

Liebe gnädige Frau!

Recht herzlichen Dank. Ich habe die Blätter unter meine Kinder verteilt und selbst eins behalten. Es hat mit dem »Vergessen« seine traurige Richtigkeit. Aber man weiß ja heute, was für ein oberflächlicher Vorgang das Vergessen ist, und ich habe wohl nicht Unrecht, wenn ich nach der furchtbaren Verbiesterung, die das Jahr 1918 angerichtet hatte (der arme deutsche Geist war tatsächlich nicht nur an seiner jüngsten Vergangenheit, sogar nicht nur an der deutschen Geschichte seit 150 Jahren, sondern buchstäblich an sich selbst irre geworden) – erste Zeichen der Gesundung und Besinnung zu beobachten glaube.

Nur auf der Rückreise berührte ich Malente-Gremsmühlen und hatte im Weiterfahren kein gutes Gewissen. Aber ich strebte nach Hause – und fragte mich auch mit Recht, ob ich gut thun würde, unangemeldet bei Ihnen hereinzuschneien.

Es giebt jetzt so gute Bücher. Haben Sie den »Nietzsche« meines Freundes Ernst Bertram gelesen? (Bei Bondi.) Und dann: »Der Untergang des Abendlandes« von Spengler! Ich versichere Sie, das ist ersten Ranges! Es ist nicht nur das Buch der Stunde, sondern das Buch der Epoche, meiner Empfindung nach; und es bietet die großen Gesichtspunkte, die man gerade als deutscher Mensch heute nötig hat. Welcher Trost liegt in der Erkenntnis! Sie verleiht Überlegenheit über den Gang der Dinge, und der Geist erheitert sich.

Ihr Thomas Mann.

Thomas Mann   München, den 19. XII. 19.
             Poschingerstr. 1

Liebe, verehrte gnädige Frau:

Ich komme von Wien zurück, wo ich anderthalb mir denkwürdige, reiche, auch an Ehren reiche Wochen verlebte und finde mit ebensoviel Schrecken wie Freude Ihre gütige Sendung hier vor, – auch mit Schrecken, denn wer weiß, wie lange Sie auf meinen Dank schon warten. Der Aufsatz hat mich tief erschüttert, wie alles erschüttert, was aus Erfahrung kommt, und mich tief interessiert, wie alles, was mit dem Leiden, der Krankheit und zwar unmittelbar mit den Krankheiten des Körpers zu thun hat, – ich weiß nicht, ob das Neigung zur Medizin oder zum christlichen Pessimismus bei mir ist, – wieder einmal läuft es auf die mehrfach berufene »Sympathie mit dem Tode« hinaus, eine Sympathie, die natürlich mehr ein unheimliches Angezogensein als eine willkürliche Hinneigung ist und in meinem neuen Roman zu einer wahren Körper-Mystik wird, die mich selbst oft abstößt, ohne mich loszulassen. Ich brauche nicht zu sagen, daß die Studie vorzüglich geschrieben ist, höchst fesselnd, anregend und angenehm. Das Lesen war mir ein wirklicher Genuß.

Das Wiener Abenteuer also war bunt und gelungen. Man führte dreimal sehr schön »Fiorenza« auf, mit Kräften des Burg- und des Volkstheaters, in dem wunderhübschen Wiener Akademie-Theater des neuen Konzerthauses. Und dann las ich vor, in dem von der Regierung zur Verfügung gestellten Saal der Staatskanzlei, und der Vize-Kanzler, ein Tyroler Bauer, der gewiß am selben Vormittag meinen Namen noch nie gehört hatte, hielt eine Begrüßungsansprache mit kulturpolitischem Einschlag. Was man nicht alles erlebt. Es lebe die Republik!

Nächstens kommt mein neues kleines Buch zu Ihnen: »Herr und Hund« und »Gesang vom Kindchen«, – leichte Ware. Erholungen nach den Mühen des Kriegsbuches. Nehmen Sie sie freundlich auf! Ihr ergebener Thomas Mann.

THOMAS MANN   München, den 7. VII. 20.
                     Poschingerstr. 1

Liebe gnädige Frau:

Nehmen Sie meinen herzlichsten Dank für die reizende Besprechung! Ihre Stimme bestärkt mich in dem Gefühl, daß ich den ehrlichen Bauschan nicht zu verleugnen brauche: Soweit ich mich überhaupt sehen lassen kann, kann ich es auch mit ihm. Daß Sie auch für den »Gesang« ein gutes Wort einzulegen wissen, erfreut mich menschlich, ohne daß es mich in Illusionen lullte. Es kann hier nur von ein paar *Stellen* die Rede sein, um die es schade ist. Das Experiment als Ganzes ist verfehlt; es wäre unvernünftig, sich darauf zu versteifen.

Ich sehe die »L. Blätter« immer gern. Der 30. Juni muß schlimm gewesen [sein]. Der hanseatische Pöbel »raucht«, wie man zu sagen pflegt, »keinen guten«. Und doch, die erbärmliche Schwäche der Regierung gegen Lebensmittelwucher und schieberische Volksausbeutung ließ mich diese Tumulte beinahe gutheißen. Das Unwesen ist Kriegserbe. Kummervoll zu sagen, aber schon der Krieg ist in gewissem Sinne unernst und unsittlich geführt worden. Man hat die Nation demoralisiert, gründlich und, wie es scheint, auf lange.

Es schmerzt mich wirklich, daß etwas wie Mißtrauen in Hinsicht auf die Freude, die Sie uns neulich mit Ihrem Besuch bereiteten, in Ihrer Seele Raum hat. Unsere Erinnerung an die gute Stunde ist dankbar und ungetrübt. Besonders bewegte mich die kleine Privat-Ansprache, die Sie meinem Ältesten über seinen Großvater hielten. Es that mir wohl, und hat sicher auch ihm irgendwie wohlgethan. Er hat von dieser Seite sonst nur mittelbare und unausdrückliche, wenn auch in der Stille, wie zu wünschen ist, wirksame und mitbestimmende Überlieferung.

Sie gehen nun wohl nach Malente? Es scheint, daß ich diesen Sommer mit etwas Feldafing dann und wann mich abspeisen werde, obgleich mein Verlangen nach der See groß ist.

Ihr Thomas Mann.

[Briefkarte]

THOMAS MANN München, den 8. IX. 20.

Poschingerstr. 1

Liebe gnädige Frau:

Ganz reizend ist Ihre Novelle, darüber seien sie völlig be-

ruhigt! Niederländisch heiter und genau. Und wieviel Lokal-
Atmosphäre – man weiß nicht, wie sie erzeugt wird, wahrscheinlich auch durch solche Redewendungen, wie: »Mensch,
das war der brillanteste Toast Deines Lebens!«, die nicht
echter sein könnten. Irgendwie heimatlich ist auch der
Rhythmus, – Ostsee in meinen Ohren, epischer Wellen-
schlag. Meiner konservativen Meinung nach gehört das zum
natürlichen Erzählertalent und wird immer dazu gehören.
Der epische Geist ist zeitlos und unsterblich, man sage, was
man wolle.

Meine Frau ist auf 2 Monate nach Oberstdorf abgereist. Unsere rüstige Älteste führt die Schlüssel. – Dank auch für Ihre
Travemünder Karte!   Ihr T. M.

                                      München den 14. I. 21.

Liebe gnädige Frau:

Ich bin tief erschrocken über Ihre Nachrichten, die ich gestern,
bei der Rückkehr von einem kurzen Landaufenthalt, hier vorfand. Daß ich nichts gewußt, nichts gehört habe, von keiner
Seite! Hatten denn auch Walters keine Ahnung? Er war freilich viel fort, in Berlin und Wien, wo er auch jetzt wieder
konzertiert. Ich bin mir über die Natur dieser Krise nicht
klar. Was gab es denn nur? Ein allgemeines Versagen? Infolge allzu selbstentäußerungsvoller geistiger Produktion
wahrscheinlich. Die »Beschäftigung mit dem Schweren und
Guten« (so definiert Goethe die Kunst, wie Sie wissen) ist
eben die generöseste Art von Existenz. Aber nun genesen
Sie (ich weiß Ihrer guten, tapferen Natur mehr Dank dafür
als den »Strömen«), und Ihrem Buch, dem ich mit ehrerbie-
tiger Neugier entgegensehe, wird man nichts anmerken. Ich
war fast den ganzen November auf Reisen: eine Tournee
durch 12 rheinisch-westfälische Städte. In Bonn, als Litz-

manns Gast, hielt ich mich eine Woche auf, und hier, in der akademischen Sphäre, ging es hoch her, – es ist recht mühsam, wenn auch nervös-rührend, sich so feiern zu lassen, bei dem herrschenden Grundgefühle: »Thou comest in such a questionable shape . .« –. Das neuartigste und bewegendste waren die Begrüßungen in den Universitäten Bonn und Köln. Die Berührung mit der Jugend, einer sehr braven Jugend, auf die man bauen kann, that wohl.

Gegen Mitte Dezember mußte ich schon wieder die Flügel lüften zu einer Konferenz im Berliner Ministerium des Innern, die Reform der Rechtschreibung betreffend. (Komisch, da ich eigentlich der Mann wäre, sämtliche th's und sz's wieder einzuführen). Ich nahm meine Frau dorthin mit und wir hatten ein paar wohl ausgefüllte Tage mit gutem Theater. Jetzt war ich 8 Tage in Feldafing, um einen Artikel über russische Literatur, ein Steckenpferd, zu schreiben, der den Südd. Monatsheften als Einleitung zu einem russischen Hefte dienen soll; und kaum zurück, muß ich mich rühren, die Schweizer Reise in die Wege zu leiten, die ich übermorgen in aller Frühe antreten werde. Sie wird ca 3 Wochen währen, – und im Februar kommen noch Weimar, Jena, Coburg, Gera daran. So steht es mit mir! Walter, wie gesagt, ist in Wien, und wenn ich aus Thüringen zurückkomme, wird er voraussichtlich in Barcelona sein, wenn es sich nicht wunderbarer Weise doch so trifft, daß wir ein paar Tage gleichzeitig hier sind und ich ihm von dem Nietzsche-Konzert sprechen kann. Übrigens muß ich bezweifeln, daß er sehr davon angethan sein wird. Er ist auf N. nicht gut zu sprechen, Wagners wegen, was natürlich ein kindliches Mißverständnis ist.

Tausend herzliche Genesungswünsche, liebe gnädige Frau! Auch meine Frau, der Oberstdorf sehr gut gethan, begrüßt Sie in diesem Sinn.   Ihr Thomas Mann.

[Briefkarte]

THOMAS MANN   München, den 28. II. 21.

                              Poschingerstr. 1

Liebe gnädige Frau:

tausend Dank für Alles und die herzlichsten Glückwünsche
zur Vermählung Ihres Sohnes. Die Nachricht hat mir das
größte Vergnügen gemacht. Die Sache mit den Bildern erledige ich so bald wie möglich, – bin z. Z. etwas überlastet
in Folge wiederholter längerer Abwesenheit. Sie hoffe ich
wieder so jung und stark wie je. Walter war auch recht
krank: Gallenblasenentzündung. aber heut ist er zur Verzweiflung seiner Frau wieder ins Theater gelaufen. Ich bin
reisemüde, schreibe an meinem Roman weiter und redigiere
einen Essayband, um die Hauptgeschäfte zu nennen. Es ist
alles wohl bei uns.

Seien Sie vielmals gegrüßt!   Ihr Thomas Mann.

[Briefkarte]

THOMAS MANN   München, den 14. v. 21.

                              Poschingerstr. 1

Liebe gnädige Frau:

Die Tochter eines guten Freundes von mir, des Dr. Kurt
Martens, kommt als Schauspielerin nach Lübeck und wäre
besonders froh, Ihnen ihre Aufwartung machen zu dürfen. Darf ich das junge Mädchen einer wohlwollenden Aufnahme empfehlen? Ich hoffe und meine, Sie werden Gefallen
an ihr finden.

Gleichfalls, nur viel dringlicher, hoffe ich, daß Ihre Gesundheit vollständig wiederhergestellt ist. Es ist ja nicht ausgeschlossen, daß ich, und zwar mit meiner Frau, Anfang September nach Lübeck komme. Wir würden in diesem Fall

vorher ein paar Wochen irgendwo in der Nähe an der See verbringen.

Mit herzlicher Begrüßung Ihr Thomas Mann.

Dr. Thomas Mann München, den 24. v. 21.

Poschingerstr. 1

Liebe gnädige Frau:

Ich bin recht bekümmert, daß Ihr Befinden so viel zu wünschen läßt. Aber wie gut, daß gerade jetzt die Nachrichten von Cotta kamen. Das Psychische spielt bei unsereinem eine so wichtige Rolle. Ich freue mich von Herzen auf Ihr Werk. Gewiß ist es Ihr Schönstes.

Sie erbieten sich freundlich, uns Auskunft über Ostseebäder zu geben. Wirklich sind wir noch ganz ohne Rat und Direktion. Was ist es mit Heiligenhafen? Könnten wir nicht auch dorthin kommen? Oder welcher nicht so anspruchsvolle Ort mit offener See und solider Verpflegung käme sonst in Betracht? Es handelt sich für uns um die zweite Hälfte oder die letzten zwei Drittel August. Was Sie von Heiligenhafen sagen, entspricht ganz unseren Wünschen. Wäre es möglich, daß Sie uns dort unterbrächten? Wendet man sich an die Kurdirektion, um Pensionspreise zu erfahren? Wir wären aufrichtig dankbar für Rat und Vermittlung!

Ihr Thomas Mann.

München den 21. vi. 21.

Verehrte gnädige Frau:

Nehmen Sie von meiner Frau und mir den herzlichsten Dank für Ihre Bemühungen in Scharbeutz! Ihre Voraussetzung, daß wir mit den Kindern kommen wollten, ist aber nicht richtig. Das wäre vom Ökonomischen abgesehen (wir kämen auf reichlich 500 M pro Tag), halbe Erholung für meine

Frau, und sie hat ganze nötig! Wir brauchen also nichts weiter, als 2 Zimmer mit je einem Bett, das ist alles.

Nun haben wir aber aus *Timmendorf*, Villa Oda, wohin ich
mich ebenfalls wandte, ein ganz sympathisch wirkendes An-
gebot, das wir vorderhand einmal angenommen haben. Gefällt es uns dort, so bleiben wir. Wenn nicht, so läßt sich
ein Wechsel nach Scharbeutz hinüber vielleicht immer noch
bewerkstelligen.

Ich hoffe das Beste für die Fortschritte Ihrer Gesundheit. Im
Lauf des August kommen Sie gewiß auch noch einmal an
die See.

Ihr Ihnen herzlich ergebener   Thomas Mann.

Dr. Thomas Mann   München, den 26. VII. 21.
                                    Poschingerstr. 1

Liebe gnädige Frau:

Für Ihren Brief vielen herzlichen Dank. Die Logis-Frage
schien uns heikel. Sie waren leidend in letzter Zeit, wir mußten uns fragen, ob wir daran denken dürften, Ihnen be-
schwerlich zu fallen. Vor 8 oder 10 Tagen wurde von der
Direktion der N. W. angefragt, ob ich Hotel-Wohnung vor-
zöge oder Privateinladung, wozu »hiesige Bürger« sich erboten hätten. Ich antwortete, ich käme mit meiner Frau; Privatwohnung käme also nur da in Betracht, wo die freundliche Bereitwilligkeit bestände, *zwei* Personen aufzunehmen.
Im Übrigen hätte ich auch gegen Hotel nichts einzuwenden.
Ich habe darauf noch nichts gehört. Aber wenn Sie denn
nun wirklich in Ihrer Güte die Last doppelten Logierbesu-
ches auf sich nehmen wollen, so ist für uns die Angelegenheit ja auf's Schönste geregelt, und ich kann Ihre Angabe,
daß Ihre Gaststuben besetzt seien, unter tausend Danksa-
gungen sanktionieren.

Über das Weitere sprechen wir besser mündlich. Bis zum 31. wird auch meine Frau, die augenblicklich mit den größeren Kindern in Feldafing ist, vielleicht schon wieder zurück sein. Sie treffen an diesem Sonntag-Nachmittag Litzmanns bei mir; aber die haben die gleichen Interessen: Sie wollen ebenfalls nach Timmendorf oder Umgegend für den August und wahrscheinlich auch nach Lübeck. Also, ich erwarte Sie um die Parsifalzeit!

Mit meinem Vortrag steht es schlimm. Ich hatte keine Erfahrung auf dem Gebiet, und so habe ich neulich meiner Frau 2 Stunden lang vorgelesen, ohne damit im Entferntesten fertig zu sein. Ich hatte keine Ahnung, wie man sich beschränken muß, um in 1½ Stunden »fertig« zu werden. Es bleibt nichts übrig, als unter einem ganz beschränkten Gesichtspunkt von vorn anzufangen. »Die Idee der *Erziehung* bei G. und T.«, – darüber läßt sich schon soviel sagen, daß es für 1½ Stunden reicht, und so wird es gehen.

Herzlich   Ihr Thomas Mann.

Timmendorfer Strand 22. VIII. 21.

Liebe und verehrte gnädige Frau!

Vor allen Dingen lassen Sie mich folgendes sagen: Da Ihre Anwesenheit bei meinem Vortrag nun doch einmal rein repräsentativen Charakter hätte, – bitte, so bringen Sie den Gaffern und Kaffern doch nicht das Opfer an Zeit und Geduld, sondern lesen Sie, wenn es Sie interessiert, den Vortrag später einmal in der alten »Deutschen Rundschau«, die danach gefragt hat. Ich versichere Sie aufrichtigen Herzens, daß jener mit »Na« beginnende Satz nicht nur nie über meine Lippen kommen, sondern sich niemals noch so tief und leise in meiner Seele regen wird!

Wir haben schöne, stärkende Tage hier verbracht, anfangs in Gesellschaft von Bertram, aber ohne Litzmanns, die durch ihre Bau-Geschäfte in München festgehalten wurden. Unser Programm für die nächste Woche hat sich nun doch noch etwas geändert. Wir folgen morgen einer sehr dringenden Einladung von Verwandten meiner Frau nach Sylt (genauer Wenningstedt, Villa Erika). Es wird uns einerseits schwer, hier wegzugehen, und auch die Bequemlichkeit protestiert gegen die Reise-Komplizierung. Aber ich kenne die Leute überhaupt noch nicht und fühle also doch eine Art von Verpflichtung, die Gelegenheit zu benutzen, auch die einer hier bereits erfolgten Akklimatisation.

Infolge des Aufenthaltswechsels ist es nun aber nicht sicher, liebe gnädige Frau, ob wir schon am 31. oder 1. in Lübeck eintreffen werden. Es könnte sein, daß es der 2. wird, der allerdings äußerster Termin wäre. Wäre es sehr schlimm? Ich kann mir nicht recht denken, wie das mit dem Empfang am Bahnhof werden soll, denn es ist doch nicht anzunehmen, daß die Gäste alle auf einmal eintreffen. Die Eröffnung am 1. freilich sollten wir nicht versäumen, und doch ist nicht ganz ausgeschlossen, *daß* wir sie versäumen. Nochmals gefragt: wäre es *sehr* schlimm? Schlimm gewiß, denn auch der Fidelio ginge in diesem Fall verloren. Jedenfalls geben wir Ihnen noch telegraphisch Nachricht über Tag und Stunde unserer Ankunft.

Nun ist da noch Eines: mein Vetter Konsul Alfred Mann, bei dem eine Kammersängerin logiert, lud uns vor einigen Tagen ein, am 4. einen »Imbiß« bei ihm einzunehmen. Man muß annehmen, das es sich da um ein Frühstück handelt, das an meinen Vortrag anschließend gedacht ist. Ich habe meinem Vetter geschrieben, daß wir bei Ihnen wohnen und darf wohl damit rechnen, daß bereits Kontakt in dieser Angelegenheit zwischen Ihnen und ihm besteht.

Auf Wiedersehen, liebe gnädige Frau! Und, wie gesagt, wir geben noch Nachricht.

Mit schönsten Grüßen von uns beiden.

Ihr Thomas Mann.

[Ansichtskarte]

Berlin den 11. IX. 21.

Verzeihung, liebe gnädige Frau, wegen der Wäsche. Schlamperei! Sie erhalten als Gegengabe so bald wie möglich die – Hausschlüssel, die ich im Paletot mitgenommen. – Der Vortrag gestern im Beethovensaal nahm sehr erfreulichen Verlauf; trotz gewaltiger Hitze hielten 1000 Mann tapfer mit mir aus. Ihr T. M.

[Briefkarte]

THOMAS MANN   München, den 13. IX. 21.
                     Poschingerstr. 1

Liebe gnädige Frau!

Mit nochmaliger Bitte um Entschuldigung wegen verschiedener Schwachköpfigkeiten verbinde ich die Meldung von unserer heute Morgen erfolgten glücklichen Rückkehr. Die Berliner Tage verliefen angenehm und ehrenvoll; der Vortrag in dem Beethoven-Saal schien ein tausendköpfiges Publikum sehr zu fesseln. (Pardon, mir fällt ein, daß ich das schon einmal schrieb.) Das Theater – problematisch. Die »Weber« als sozialistisches Hetzstück mißbraucht und Edschmidts »Kean« von der letzten Übelkeit. Aber Bassermann geht darin auf den Händen. Die Lübecker Burghaustage werden wir nicht vergessen. Es war reizend, rührend, beschämend, großartig. Wir sind voller Dank. Begreiflicher Weise ist meine Frau von der Stadt entzückt. Hier gibt es nun viel Arbeit. Nehmen Sie von uns beiden die herzlichsten Grüße!

Ihr Thomas Mann.

[Postkarte]
T. M.   München, den 26. IX. 21.
                                           Poschingerstr. 1
Liebe gnädige Frau:
Ich bitte tausend mal um Entschuldigung wegen der Belästigungen, die Ihnen durch den Stumpfsinn des Bogenhausener Postamtes zugefügt worden sind. Auch mir sind aus der Renitenz des Amtsschimmels Unannehmlichkeiten erwachsen. Ich bin energisch vorstellig geworden.
Tja, jener Vogeler da steht nun einmal nicht sehr hoch auf der Stufenleiter der Wesen. Ich habe mir sein Werkchen, nachdem ich es grimassierend gelesen, schleunigst aus den Augen, aus dem Sinn gebracht. Daß auch Sie es gesehen haben, ist mir ein Ärgernis und eine Verlegenheit. Aber was soll man machen? – Um noch einmal zu mir zu gelangen, müßte er sich schon ein neues Pseudonym zulegen.
Ihr herzlich ergebener   Thomas Mann.

                                           München den 3. XI. 21.
Liebe und verehrte gnädige Frau,
Für das außerordentliche Geschenk Ihres Buches wollte ich Ihnen nicht danken, bevor ich Ihnen *recht* würde dafür danken können; d. h. nicht bevor ich es gelesen; und nun, da ich es aufgenommen und es viel zu danken, viel zu sagen gäbe, bin ich zeitlich bedrängt. Denn meine diesjährige Schweizer Reise steht unmittelbar bevor. Nehmen Sie vorlieb, – ich würde diese Bitte unter allen Umständen an den

Anfang eines Briefes an Sie über Ihre biographische Dichtung gestellt haben, denn für eine solche Gabe würdig danken zu sollen, ist eine Aufgabe, die schüchtern macht. Es ist Ihr schönstes Werk, – ich glaube, das schrieb ich Ihnen auch unter dem Eindruck Ihrer »Charlotte von Stein«, aber muß ich denn nicht auch diesmal der Wahrheit die Ehre geben? Mag sein, daß ich in meiner Schätzung durch den Glauben an einen Buchtypus bestimmt bin, dem Ihr Werk angehört, den »intellektualen Roman« und seine Zeitgemäßheit, heutige Notwendigkeit, an das öffentliche Bedürfnis danach, von dessen Bestehen Sie sich durch den sicheren Erfolg Ihres Buches werden überzeugen können. Denn unser Publikum will heute das Gemachte, das Virtuose, die Phantasie-Konstruktion kaum; es will das Geistige, das Klärende, das Helfende; und Sie sind eine glückliche Künstlerin insofern, als der Geschmack und Instinkt Ihrer Jahre, die Ihnen Vergeistigung gebracht, sich mit diesem zeitlich-öffentlichen Bedürfnis begegnet, so daß Ihnen für Ihr Spätestes wahrscheinlich mehr – *noch* mehr – Dank und Liebe zuteil werden wird, als je der rüstigen Fabulierin zuteil wurde. Ich möchte – und kann – über dies Allgemeine hinaus nicht viel Worte machen. Kraft schwesterlichen Wissens haben Sie die Gestalt der genialen Frau heraufgerufen, ihr weit ausladendes Leben sympathetisch nachgelebt und dichterisch wiederhergestellt. Was an Weisheit, Liebe und Kunst in dem Buche steckt, – wir wollen hoffen, daß die Leserschaft es erfühlen, die Kritik es auszudrücken wissen wird. Es ist eine menschliche und eine historische That; unter der Staël-Literatur wird es immer mit an erster Stelle genannt werden müssen.

Meine Frau, die jetzt Ihr Buch liest und bittet, Ihnen nach beendigter Lektüre auch ihre Eindrücke mitteilen zu dürfen, – sie und ich gedenken noch oft der Lübecker Tage und der ehrwürdig-liebenswürdigen Person unserer Gastfreundin.

Leben Sie recht wohl, liebe gnädige Frau! Nehmen Sie nochmals meinen Dank, meinen Glückwunsch und den Ausdruck herzlicher Ehrerbietung, mit dem ich bin:

Ihr ergebener Thomas Mann.

[Postkarte]
T. M.   München, den 24. I. 22.

Liebe gnädige Frau,
totmüde von der turbulenten Ost-Reise, die ich hinter mir habe und dabei überhäuft mit Pflichten und Pflichtchen, bitte ich Sie sehr: Sagen Sie Herrn Schulrat Wychgram meinen herzlichsten Dank für seinen schönen Artikel über »Rede und Antwort«, den ich bei meiner Heimkehr hier vorfand und mit wirklicher Freude gelesen habe! – Es geht Ihnen doch nach Wunsch, liebe gnädige Frau? Haben Sie die Staël an Hofmiller geschickt? Bertram ist Ordinarius in Köln geworden, – was auch aus wirtschaftlichen Gründen sehr zu begrüßen ist.   Ihr Thomas Mann.

[Postkarte]
T. M.   München, den 5. III. 22.
                                         Poschingerstr. 1

Liebe, verehrte gnädige Frau,
nochmals von Herzen Dank für die wieder so reich bewiesene Güte! Es war schön; ich bereue nichts. Diese Stunde in der alten Diele hatte es in sich, – ich fühle es, wie das zu gehen pflegt, jetzt lebendiger, als da sie gegenwärtig war. – Ich bin glatt gereist, von Halle an in einem von dem mächtigen Franz Hoffmann für mich eroberten Bett. Das Frühstück in der Wakenitzstraße war übrigens üppig und behaglich. Meine Frau grüßt Sie herzlich.   Ihr Thomas Mann.

[Postkarte]

T. M.   München, den 9. III. 22.

                                             Poschingerstr. 1

Liebe, verehrte gnädige Frau,

schönsten Dank für die Sendungen. Das mit Schweden und
den »höchst ehrenvollen Bedingungen« ist ja köstlich. Ich
habe solche Bedingungen allerdings gestellt, aber sie sind
mir nicht bewilligt worden. – Ich freue mich, daß Dahms
den Lübeckern gesagt hat, wie sehr es *Ihr* Verdienst, daß das
Verhältnis zwischen der Vaterstadt und mir sich so freundlich gestaltet hat. *Mir*, wahrhaftig, brauchte er es *nicht* zu
sagen. Am 18. geht es schon wieder nach Berlin zu einer
Vorlesung.   Ihr Thomas Mann.

                                        München den 16. VII. 22

Liebe und verehrte gnädige Frau,

für Ihre schöne Sendung, den Brief, die lebensfrischen Novellen, an denen ich mich gestern abend sehr erheiterte, tausend Dank! Das kleine Buch wird Furore machen und zeugt
von Ihrer unverwüstlichen Erzählerenergie und Gestaltungs-
lust. Auch in Ihrem Brief erzählen Sie so schön! Es muß
herrlich sein bei Ihren gesegneten jungen Leuten in Travemünde. Sie haben ja dort eigentlich alles, was Sie zur Er-
quickung brauchen, aber wir hoffen trotzdem, Sie hier im
Sommer oder Spätsommer begrüßen zu können. Sie würden
uns ziemlich sicher hier antreffen. Reisepläne haben keine
feste Gestalt angenommen. Wahrscheinlich bleiben wir hier,
– wo wir es heutzutage schließlich und endlich am besten
haben. Vielleicht, daß meine Frau und ich zweite Hälfte September noch allein auf ein paar Wochen nach Oberstdorf
oder an einen ähnlichen Ort gehen. Im Oktober habe ich

dann meine große Reise: durch Rheinland und Holland. Für das Frühjahr scheint sich etwas mit Spanien (Barcelona, Madrid, vielleicht auch Lissabon) anzuspinnen, – ein alter Traum von mir. Ich habe längst so eine Vermutung, daß Spanien in mancher Beziehung das Land meiner Seele ist und mir eine Liebe einflößen könnte, wie Venedig. Zu lieben aber erwartet man mit Ungeduld. – Auch jetzt komme ich eben von einer Reise zurück: von Heidelberg, wo ich ein paar schöne, denkwürdige Tage verbrachte. Ich war eingeladen von dem dortigen schwedischen Ferienkurs, las in der Universität. Am Schluß kam eine Deputation schwedischer Studentinnen im Nationalkostüm, ans Podium, von denen die Eine eine Ansprache hielt, die Zweite eine Schleife in den schwedischen Farben an meinem Rock befestigte, die Dritte mir – einen Lorbeerkranz auf den Kopf setzen wollte, was ich denn doch mit sanfter Gewalt verhinderte, mit der Begründung, daß hier weder das Kapitol, noch ich Petrarca sei. Nachher war Gartenfest bei Geheimr. Hoops, dem vorjährigen Rektor, Anglist, Bremenser. Bunte Laternen, Gesang von schwedischen und deutschen Volksliedern zur Gitarre in der weichen Sommernacht. Ich war bezaubert. Überhaupt hat Heidelberg mir den schönsten Eindruck gemacht. Die romantisch-deutsche Landschaft, die jugendliche Geistigkeit der Atmosphäre thaten es mir an. Ich machte die Bekanntschaft Onckens, sprach auch Alfred Weber, der mich besonders interessiert.

Trotz solcher Zerstreuungen macht mein Roman-Ungetüm gute Fortschritte zur Zeit.

Meine Frau trägt mir herzliche Grüße auf. Ich füge die meinen hinzu, an Sie und Lübeck.

Ihr treu ergebener Thomas Mann.

[Postkarte]

München den 5. XI. 22.

Liebe, verehrte gnädige Frau!

Sie haben sich mein Schweigen hoffentlich vermutungsweise schon richtig erklärt: ich war auf Reisen, fast 4 Wochen lang. Es begann in Berlin und ging dann schrittweise durchs Rheinische nach Holland, wo ich fünf Vorträge hielt und gastlich aufgenommen wurde. Dann folgten noch Münster, Frankfurt, Darmstadt und Wiesbaden, im Ganzen 13 Abende. Es war keine Kleinigkeit, aber danach schätzt man erst das Haus. Tief bin ich ja wieder in Dankesschuld bei Ihnen: vor allem für das schöne Velhagen u. Klasingheft mit Ihrer kraftvollen, meisterhaften Geschichte. Dann für den »Tag« mit der Kritik jenes Berliner Vortrags, der viel Lärm auf der Gasse gemacht hat, und dessen vollständige Wiedergabe in dem jetzt erscheinenden Heft der Neuen Rundschau manches Mißverständnis richtig stellen wird, wie ich hoffe. – Ich denke, daß Dr. Fritz Endres, den ich gern zum Direktor der Buddenbrook-Buchhandlung ernannt sehen möchte, sich Ihnen nächster Tage vorstellen wird. Ein braver Mann. Nehmen Sie ihn gütig auf!

Ihr ergebener Thomas Mann.

Meine Frau grüßt herzlich.

Dr. Thomas Mann   München, den 5. XII. 22.

Poschingerstr. 1

Meine liebe gnädige Frau,

haben Sie Dank für Ihren Brief, dessen Sorge und Fürsorge mir ehrwürdig ist! Doch kann ich nicht umhin zu denken, daß auch Sie, wenn nicht die stümperhaften Zeitungsnachrichten vorangegangen wären, den Aufsatz mit anderen Augen gelesen hätten. Das tendenziöse Wolff-Bureau mel-

dete, ich hätte schlechtweg erklärt, die Republik sei kein Ergebnis der Schande und Niederlage, sondern eines der Er-
hebung und Ehre, punktum. Damit war die »Revolution«
bejaht. Was ich gesagt habe, haben Sie gesehen. Ich habe
die Republik nicht von 1918, von 1914 habe ich sie datiert.
Damals, in der Stunde der Ehre und des totbereiten Auf-
bruchs habe sie in der Brust der Jugend sich hergestellt. Damit ist etwas zur *Definition* der Republik geschehen, die ich
meine, – wie ich denn ja überhaupt die Republik nicht habe
hochleben lassen, bevor ich sie definiert hatte. Und wie! Ungefähr als das Gegenteil von dem, was heute *ist*. Aber eben
darum: der Versuch, diesem kummervollen Staat, der keine
Bürger hat, etwas wie Idee, Seele, Lebensgeist einzuflößen,
schien mir kein schlechtes Unternehmen, erschien mir als etwas wie eine gute That. Und Sie, in Ihrem Briefe, sind mir
ein paar Mal so nahe, daß ich Ihren Schmerz wahrhaftig
nicht ganz verstehe. Sie sehen meinen Weg, denn Sie sprechen von einer Identifizierung der Begriffe Humanität und
Demokratie. Sie nennen die reine Demokratie »das Ideal aller reifen und zukunftsgläubigen schöpferischen Menschen«.
Und dennoch Abfall, Selbstverrat, Charakterbruch, Verleug-
nung eigener Thaten? Ich verleugne nichts. Dieser Aufsatz
ist die gerade Fortsetzung der wesentlichen Linie der »Betrachtungen«, glauben Sie mir! Ich warf mich im Namen
deutscher Humanität der Revolution entgegen, als sie im
Anzuge war. Ich werfe mich heute aus demselben Triebe der
reaktionären Welle entgegen, die, wie nach den Napoleoni-
schen Kriegen, über Europa hingeht (denn ich denke nicht an
Deutschland allein), und die mir nicht erfreulicher scheint
dort, wo sie fascistisch-expressionistisch brandet. Ich fühle,
daß die große Gefahr und Fascination einer des Relativismus
müden und nach dem Absoluten begierigen Menschheit der
Obskurantismus in irgendeiner Form ist (Erfolge der römi-

223

schen Kirche), und ich halte mich an die großen Meister Deutschlands, Goethe und Nietzsche, die es verstanden, antiliberal zu sein, ohne irgendeinem Obskurantismus das geringste Zugeständnis zu machen und der menschlichen Vernunft und Würde etwas zu vergeben. Sie sehen, ich habe mich von Nietzsche nicht abgewandt, wenn ich auch freilich seinen klugen Affen, Herrn Spengler, billig gebe. Meine zweimalige Oppositionsstellung in der Zeit aber, so finde ich, sollte eher auf eine gewisse Instinkt-Unbeirrbarkeit und Unabhängigkeit des Gewissens schließen lassen, als auf Nachgiebigkeit gegen »Einflüsse« und »Verbindungen«. – Nehmen Sie vorlieb: mit diesem arg fragmentarischen Rechtfertigungsversuch und mit mir überhaupt!

Ihr Thomas Mann.

[Postkarte]

Feldberg [Schwarzwald], 16. VIII. [1923]

Liebe und verehrte [gnädige Frau,]
herzlich sage ich Dank [für Ihren] gütigen Brief und [...] bedeutenden Nachdenklichkeiten, [...] das Rätsel des Lebens und des Menschen selbst führen. Wer mag da streiten? Aber ich meine, der Mensch kann den Unglauben, den Tod und das Nichts im *Herzen* tragen, ohne diesen Mächten Herrschaft einzuräumen über seine *Gedanken*. – Ja, es ist möglich, daß ich im Herbst nach Lübeck komme, auch wenn Fiorenza *nicht* gespielt wird, was ich als das Wahrscheinlichere ansehe. Vielleicht begleitet mich auch meine Frau. Ich bin dankbar der Ihre, wie sonst, wenn ich Ihnen nicht lästig falle. Wir wollen abwarten. Meine Frau ist mit 4 Kindern am Ammersee. Die beiden Großen wandern in Thüringen.

Ihr Thomas Mann.

[Postkarte]

München 7. XII. 23.

Liebe gnädige Frau,
ich möchte Ihnen doch noch direkt für Ihre gütige Einladung
danken und Ihnen sagen, wie sehr ich mich auf das Wiedersehen freue. Zu Ihrer Orientierung teile ich noch mit, daß
ich für Sonntag den 16. abends in *Kiel* zugesagt habe
(Dürer-Bund). Ich habe aber die Möglichkeit, um 1 Uhr 42
dorthin zu fahren (ich denke der Zug hat Speisewagen), sodaß ich den Vormittag für Lübeck frei habe. Im Laufe des
Montag kehre ich dann noch einmal zu Ihnen zurück.
Meine Frau grüßt Sie herzlich. Sie hörten wohl, sie muß
für diesmal verzichten.

Ihr sehr ergebener Thomas Mann.

[Ansichtskarte]

Berlin den 19. XII. 23.

Liebe und verehrte gnädige Frau,
noch einmal Dank für all Ihre Güte und herzliche Grüße
Ihnen und ganz Lübeck, dem ich mich verstärkt verbunden
fühle. Ihr Thomas Mann.

[Postkarte]

München den 26. XII. 23.

Liebe gnädige Frau,
vielen Dank für die Lübecker Blätter, deren Bericht mir
außerordentliches Vergnügen gemacht hat. Wenn Sie den
Verfasser kennen (ich rate sogar auf eine Verfasserin), so
sagen Sie ihr bitte, daß der Artikel das Liebenswürdigste
und in der Charakteristik meines Verhaltens zu den Dingen
Richtigste ist, was mir vorgekommen. Meine Frau, deren

Gesundheit etwas befriedigender ist, dankt Ihnen herzlich für Ihre gütige Karte und grüßt Sie anhänglichst mit mir.

Ihr ergebener Thomas Mann.

[Postkarte]
Dr. Thomas Mann   München 25. v. 24.
                                   Poschingerstraße 1.

Liebe gnädige Frau,

Ihren freundlichen Brief erhalte ich im Augenblick meiner Heimkehr von London, wo ich mit meiner Frau eine über alles Persönliche hinaus erfreuliche Aufnahme gefunden habe. Wir waren vorher in Amsterdam, nachher in Oxford und machten die Rückreise ganz zur See, von Southampton nach Hamburg, um uns noch ein paar Tage in Berlin aufzuhalten.

Pfitzners Adresse: Schondorf am Ammersee, Haus Pfitzner. Dies ist die ständige. Er ist natürlich viel fort.

Mitte Juli wird sich mir ein alter Traum verwirklichen: mit den Kindern an die Ostsee zu gehen. Wir haben auf Hiddensee gemietet, wo wir mit Hauptmann und Frau zusammentreffen werden.   Herzlich Ihr Thomas Mann.

[Postkarte]   Insel Hiddensee
                                   Haus am Meer
                                   den 21. VII. 24.

Liebe gnädige Frau,

die Zeitungsnachricht ist natürlich Unsinn. Es handelt sich um eine Kinderei meines Jungen und der kleinen Wedekind, deren Mutter schon dementiert hat.

Wir sind alle seit vorgestern hier. Das Leben ist primitiv und unverschämt teuer, aber das Meer außerordentlich großartig

für Ostseeverhältnisse. Schillings ist auch da und Haupt-
manns wohnen unter uns. Gehen Sie wieder ins Bayerische?
Ich wünsche einen recht glücklichen Sommer! Mit den herzlichsten Grüßen auch von meiner Frau

Ihr Thomas Mann.

Dr. Thomas Mann   München, den 4. XII. 24.
Poschingerstr. 1

Liebe und verehrte gnädige Frau,
Sie schreiben mir betrübt und streng anläßlich der Übersen-
dung meines Romans, und das Schlimme ist, daß ich im
Augenblick keine Möglichkeit habe, Ihre Betrübnis und
Strenge zu mildern. Ich muß leben und thun und verfüge
leider nicht über die Arbeitskraft, daneben auch noch für
Verwirrte und Erzürnte die Apologie meines Lebens und
Thuns zu liefern. Ich muß es der Zeit überlassen, da klärend
und versöhnend zu wirken; alles ist eine Frage der Geduld,
und schon der »Zauberberg«, glaube ich, wird, wenn er nur
Geduld findet, in diesem Sinn manches für mich thun. Wie
sollte ich also nicht wünschen, öffentlich oder privatim von
Ihren Eindrücken zu hören, wenn Ihre eigene Produktion,
die jeder Beschäftigung mit Fremdem vorgehen muß, Ihnen
erlaubt haben wird, mein Buch zu lesen.
Glauben Sie mir menschlicher Weise, daß meine Haltung
dem besten Willen und dem Gefühl der Pflicht und Mitver-
antwortung entspringt. Das Vertrauen, das ich das Glück
hatte, in meinem Lande zu erwerben, muß ich benutzen, um
zum Guten zu reden. Das Gute aber ist die Verhütung neuer
Katastrophen, die unser Erdteil nicht ertrüge. Es ist längst
nicht mehr zu hoffen, daß Europa herrsche. Damit es auch
nur lebe, bedarf es seiner Konsolidation, die nur mit Hülfe
einer deutschen Demokratie zu erreichen ist, und ich würde

glauben, mich moralisch und intellektuell zu entehren, wenn ich diese nicht nach meinen Kräften unterstützte oder gar gegen sie wirkte. Rechtswahlen jetzt in Deutschland wären ein großes Unglück; darum habe ich in Dresden gesprochen, wie Sie lasen.

Nochmals, ich bitte Sie um Geduld. Der Mensch kann sich nie als ein Ganzes zeigen. Nur Stückwerk wird jeweils sichtbar. Aber allmählich enthüllt sich doch das Ganze und die Zeit wird lehren, daß ich nie aufgehört habe, mir selber treu zu sein.   Ihr sehr ergebener Thomas Mann.

Thomas Mann   München, Poschingerstr. 1
                                 27. 1. 25

Liebe, verehrte gnädige Frau:

Ich beeile mich, für Ihren Brief und das eindrucksvolle Dokument Ihrer Vertiefung in den »Zauberberg« herzlich zu danken. Mit Schrecken und Kummer höre ich, daß Sie ernstlich zu leiden hatten, und daß sogar Ihr Leben gefährdet war. Ihr Aufsatz, der eine bedeutende Leistung ist, zeugt aber am besten von Ihrer Lebenskraft. Ich will nicht sagen, daß ich mich ganz verstanden fühle, aber Ihre Kritik ist so groß angelegt, daß schon dadurch ihr Gegenstand geehrt wird.

Wollen Sie die unpersönliche Schrift entschuldigen, aber meine Korrespondenz hat derart überhand genommen, daß ich sie anders nicht mehr bewältigen kann.

Mit den besten Grüßen und Wünschen

           Ihr sehr ergebener Thomas Mann.

München, den 8. ix. 25.
Poschingerstr. 1

Liebe gnädige Frau,

vielen Dank für Brief und gütige Einladung! Wir waren aber, meine Frau und ich, von vornherein entschlossen und bleiben es, Sie diesmal nicht zu behelligen. Die Angaben Ihres Briefes, die schreckliche Geschichte Ihres Unfalls, von dem wir als schlechte Zeitungsleser keine Ahnung hatten, das kann uns nur in unserem Vorsatz bestärken. Entsetzliche, albdruckhafte Vorstellung, dieser Sturz in den Schacht! Für uns spät Benachrichtigte mischt sich in das Grauen und das Mitleid nun freilich gleich die Freude über den guten Ausgang des schweren Abenteuers und die Bewunderung Ihrer starken Natur. Nehmen Sie unseren herzlichen Glückwunsch! Und verzeihen Sie, daß solche Dinge mir viel näher gehen als jene Divergenzen politischer, und nun, wie ich höre, sogar literarischer Natur, die mir zu unwichtig sind, als daß ich nicht finden müßte, daß Sie sie zu oft erwähnen! Mein Verhältnis zu Ihnen war immer aufgebaut auf persönlicher Ehrerbietung und Dankbarkeit für frühe Gönnerschaft. Daß mir in Welt- und Lebensfragen andere Ansichten und Einsichten zukommen, als Ihnen, ist selbstverständlich und nicht der Rede wert.

Unser augenblickliches Dasein ist eigentlich ein Antichambrieren im Grand Hotel zu Forte dei Marmi, wo erst am 15. Zimmer für uns frei werden, und wo wir noch etwas Sonne und Wärme zu erhaschen hoffen. Wir waren diesen Sommer noch gar nicht fort, abgesehen von Autotouren an den Bodensee und nach Salzburg, wo wir einige lebhafte Festspieltage verbrachten. Es freut mich, zu hören, daß Sie in Himmighofen Vertrauen setzen. Er ist ein Schüler Witkops in Freiburg, und es scheint, daß sein ehemaliger Lehrer die Lübecker nachträgliche Geburtstagsfeier durch einen Vortrag im Stadttheater vervollständigen wird. Weiterer Ehrungen habe ich mich nicht versehen und werde sie nicht vermissen.

Mit den besten Wünschen für Ihre vollkommene Erholung bin ich, liebe gnädige Frau,

Ihr ergebener Thomas Mann.

[Ansichtskarte]

[12. 10. 1925]

Liebe, verehrte gnädige Frau: In Lübeck war es bei der Kürze des Aufenthaltes leider nicht mehr möglich, Sie noch einmal zu sehen. Die Fiorenza-Aufführung war sehr wohlgelungen, Sie haben gewiß darüber gehört. Nächsten Sommer kommen wir wahrscheinlich wieder, und finden Sie dann hoffentlich wieder ganz hergestellt, wozu Sie offenbar auf bestem Wege sind. Mit den herzlichsten Grüßen und Wünschen

Ihre Katia Mann.
Herzlichst Ihr Thomas Mann.

[Briefkarte]
DR. THOMAS MANN   München 19. XII. 25.
                                   Poschingerstr. 1

Liebe gnädige Frau,
von Herzen Dank für Ihr reiches Geschichtenbuch, das für Ihre Kraft und Jugendstärke ein bewunderungswürdiges Zeugnis ablegt. Meine Frau und ich denken noch oft mit Freude an unseren letzten Besuch bei Ihnen und hoffen, daß Ihre Natur die Folgen jenes Unfalls nun restlos überwunden hat.

Mit vielen Grüßen von uns beiden

Ihr ergebenster Thomas Mann.

[Postkarte]

München 3. III. 26.

Liebe gnädige Frau,

herzlichen Dank für Ihren gütigen Brief. An Locarno denken wir auch, denn meine Frau war schwer krank, Grippe, Lungenentzündung, und fängt erst sehr langsam an, sich zu erholen. Wann sie wird reisen können, ist noch nicht sicher. Es fragt sich übrigens auch, ob sie mich nach Lübeck begleitet. Lassen wir die Frage des Quartiers noch auf sich beruhen! Es wird auf Ihren Gesundheitszustand ankommen. Ich weiß noch garnicht, was für einen Vortrag ich eigentlich in Lübeck halten soll. Am liebsten würde ich eine Novelle vorlesen.　　　　　　　　　　　　　　　　Ihr Thomas Mann.

Arosa, Waldsanatorium
[12. 5. 1926]

Liebe gnädige Frau,

leider mit arger Verspätung erhalte ich Ihren Brief vom 4., da ein Sammel-Packet mit Postsachen fünf Tage von München hierher gebraucht hat. Nun eile ich denn, Ihre gütige Einladung endgültig anzunehmen und melde mein Eintreffen für Donnerstag den 3. Juni mittags an. Billets für die Veranstaltungen hat man mir noch nicht angeboten, ich möchte aber gern den folgenden beiwohnen: am 4. der *Gedenkfeier im Stadttheater*, am selben Tage den »*Meistersingern*«. Ferner am 5. dem *Konzert* im Colosseum. Zu dem Ratskeller-Essen am 4. habe ich eine besondere Einladung auch nicht bekommen. Soll ich daran teilnehmen? Für den 6. haben Sie natürlich meine dankbare Zusage, wie Dieckmanns für den 3ten.

Wir sind seit dem 1. hier und haben tiefen Winter bis jetzt, unendlichen Schnee, der umso überflüssiger ist, als ich ihn im »Zauberberg« bereits erledigt habe und er mir also nichts mehr zu sagen hat. Aber darauf wird keine Rücksicht genommen. Meine Frau, die vielmals grüßen läßt, hütet noch das Bett, da der Arzt meint, daß ihre Wiederherstellung so schnellere Fortschritte machen wird. Der lokale Befund an der Lunge ist unbedeutend, aber die Grippe und Lungenentzündung haben sie arg reduziert, die Temperatur ist immer noch labil, und mit 4 Wochen Arosa wird es keinesfalls getan sein; wir wollen hoffen, daß 8 genügen.

Ich reise am 28. von hier, da ich den Zürcher Studenten noch eine Vorlesung halten soll, und habe dann noch ein paar Tage in München. Mein Lübecker Vortrag, den ich mir hier überlege, wird sehr intim an meine Mitbürger gerichtet sein. »Lübeck als geistige Lebensform« soll er heißen.

Auf Wiedersehen! Von Ihrem Mißgeschick damals dürfen wir Sie uns wohl ganz erholt vorstellen, da Sie so tapfer und gastlich den Festlichkeiten entgegensehen.

Ihr ergebener Thomas Mann.

Arosa den 23. v. 26.

Liebe gnädige Frau,
bitte sehr, ich habe garnichts dagegen, daß der Titel angezeigt wird, möchte übrigens fast annehmen, daß dies schon geschehen ist, denn auch Dr. Endres habe ich ihn mitgeteilt.

Der Vortrag steht, und meine Sorge ist nur, daß er zu persönlich-autobiographisch ausgefallen ist und anspruchsvoll wirken könnte. Aber er hat auch größere Gesichtspunkte und verteidigt das »Bürgerliche« als unsterbliche Lebensform.

Ich möchte gern, daß folgende Personen dazu *eingeladen* würden: 1. Konsul Alfred Mann, 2. Frau Alice Biermann, meine Cousine, Adresse Mühlenstr. 68, 3. Frau Marie Marty, geb. Goßmann, ich glaube Roeckstraße. Würden Sie diesen Wunsch wohl übermitteln? Ich weiß nämlich nicht, wohin mich wenden.

Ich freue mich sehr auf die Lübecker Tage. Auch über Neumann hörte ich gern von Ihnen Genaueres.

Am 8. habe ich eine Vorlesung in Hamburg. Wenn gutes Wetter ist, kann ich ja am 7. einen Ausflug nach Travemünde machen. Auf Wiedersehn!

Ihr ergebener Thomas Mann.

[Postkarte]
München den 11. VI. 26.

Liebe gnädige Frau,

nach kurzer aber kräftiger Fortsetzung des Lübecker Festes in Hamburg (1600 Zuhörer!) wieder zu Hause, ist es mir ein Herzensbedürfnis, Ihnen nochmals erinnerungsvollen Dank zu sagen für Ihre wundervolle Gastfreundschaft, die reichen, unvergeßlichen Tage, die ich unter Ihrem Schutz verleben durfte. Zugleich bitte ich um Entschuldigung, daß ich die mir anvertrauten Hausschlüssel abzuliefern vergaß. Sie sind als »Päckchen« nach dem zugehörigen Hause unterwegs.

An Frau Senator Vermehren habe ich gleich von Hamburg aus geschrieben und will hoffen, daß sie nun wieder chez elle sein wird. Gestern besuchten mich Rechtsanwalt Ewers und Frau, und wir frischten gemeinsame Erinnerungen auf.

In herzlicher Verehrung   Ihr ergebener Thomas Mann.

DR. THOMAS MANN   München, den 16. VI. 26.
Poschingerstr. 1

Liebe gnädige Frau,

haben Sie vielen Dank für die beiden gemünzten Souvenirs! Über ihren Geldwert hinaus bin ich Ihnen, glaube ich, noch

233

mehr schuldig, nämlich den Betrag für die verschiedenen Eintrittskarten (Meistersinger, Konzert), die Sie für mich besorgt haben, und von denen kaum anzunehmen ist, daß es Freikarten waren. Würden Sie mir sagen, was Sie ausgelegt haben?

Es tut mir leid, daß dieser Brief einen ganz finanziellen Charakter erhält, aber ich bin etwas besorgt wegen des Honorars für meinen Lübecker Vortrag. Man hatte der Einladung den Vermerk hinzugefügt: »Honorar 1000 Mark«, und ich will garnicht leugnen, daß diese Zusicherung bei der Ausarbeitung des Vortrags eine gewisse befeuernde Rolle gespielt hat. In Lübeck habe ich nun aber kein Geld bekommen, obgleich ich damit gerechnet hatte und wenn ich nicht in Hamburg eine Einnahme gehabt hätte, so hätte ich kaum nach Hause reisen können. Ich schrieb in den ersten Tagen nach meiner Rückkehr an Endres in dieser Angelegenheit, habe aber noch keine Antwort von ihm oder von sonst jemandem. Ich möchte Sie nun nicht um Ihre Intervention bitten, die Ihnen lästig sein möchte. Aber vielleicht können Sie erkunden und mir mitteilen, an welche Adresse ich mich mit einer sanften Mahnung wenden könnte. Nicht als ob ich nicht empfände, daß ich durch all das Liebe und Ehrenvolle, das mir in Lübeck erwiesen worden, genug belohnt bin. Aber schließlich, ich habe Auslagen gehabt, und der Vortrag hat Einnahmen gebracht. Hauptsächlich aber: der Posten figurierte in meinem Budget und wenn er ein Trugbild war, würde das einen wenig angenehmen Ausfall für mich bedeuten.   Ihr ergebener Thomas Mann.

Meine Frau schreibt erfreut und dankbar über Ihre Briefe und Sendungen.

[Postkarte]

München 18. VI. 26.

Liebe gnädige Frau,
ich beeile mich zu melden, daß die Honorar-Angelegenheit
sich unterdessen zur Zufriedenheit erledigt hat.

Heute kam auch die »Gartenlaube«. Das Bild wird mir eine
sehr liebe Erinnerung bleiben.   Ihr Thomas Mann.

[Postkarte]

München 22. VI. 26.

Liebe gnädige Frau,
ich habe nur zu danken, und das sehr herzlich, für Ihre verschiedenen Sendungen. Sie werden mir liebe Erinnerung
bleiben an unser Fest.

Quitzow macht mir die Hölle heiß wegen des Titels meines
Vortrags, den er geändert haben will. »Lübeck als geistige
Lebensform« wirke zu lokal. Wenn das kleine Buch »Die
Entstehung der Buddenbrooks« oder »Meine Entwicklung«
– und was der grauenerregenden Vorschläge mehr sind –
hieße, würde er 50 000 Exemplare verkaufen. Ich gebe aber
nicht nach. Fischer hat auch nicht verlangt, daß ich »Buddenbrooks« »Dem Abgrunde zu« nennen sollte.   Ihr T. M.

Arosa. Waldsanatorium.

23. VI. 26

Liebe verehrte gnädige Frau:
Ich habe Ihnen nun für Ihr freundliches Telegramm, Ihre
lieben Zeilen und die Bilder, die heute in meine Hände kamen, herzlich zu danken. Mit allen drei Briefen haben Sie
mir große Freude gemacht, wenn ich auch immer wieder
aufs neue bedauert habe, daß ich nicht mit dabei sein konnte.

Mein Mann schrieb mir auch hochbefriedigt und begeistert von seinen Lübecker Tagen und hat sich in Ihrem schönen Heim wieder so glücklich gefühlt. Es ist doch wirklich schön für ihn, daß sein Verhältnis zur Vaterstadt sich wieder so erfreulich gestaltet hat, und sie muß sich in diesen Festtagen einmal wieder in ihrem vollen Glanz gezeigt haben. Die Bilder sind sehr lebendig, und ich freue mich besonders, wie frisch Sie darauf aussehen. Hoffentlich kann ich mich bald persönlich davon überzeugen und meinen Mann das nächste Mal nach Lübeck begleiten und dann Ihrer freundlichen Einladung folgen. Mein Aufenthalt hier geht hoffentlich auch allmählich zu Ende. Ich bin nun doch außer Bett, und habe mich, trotz ganz ungewöhnlich abscheulichen Wetters, offenbar doch recht erholt. Es wird auch gut sein, wenn ich wieder nachhause komme, und nach meinen jüngsten Kindern habe ich doch schwerste Sehnsucht. Den »Zauberberg« habe ich jedenfalls einmal wieder recht satt, obgleich die hiesigen Ärzte wirklich garnichts vom dämonischen Hofrat haben, sondern offenbar sehr tüchtig und gewissenhaft sind.

Ich muß mich noch wegen meiner Schrift entschuldigen, weil ich meine Korrespondenz auf dem Liegestuhl erledige.

Haben Sie nochmals herzlichsten Dank.

Ihre Katia Mann.

[Ansichtskarte]

[Forte dei Marmi, 8. IX. 1926]

Liebe, verehrte gnädige Frau: wir müssen Ihnen doch von diesem schönen Ort, wo wir mit unseren Kindern einige Wochen verbringen, herzliche Grüße senden. Ich bin wieder ganz hergestellt, und wir genießen Meer, Berge und Sonne.

Trotzdem befriedigt uns der Süden diesmal nicht restlos, ich glaube, nächsten Sommer wollen wir wieder reuig zur Ostsee zurück.　　　　　　　　　　　　　　　Ihre Katia Mann.

So aufgewärmt wie in Travemünde bin ich doch nicht.

　　　　　　　　　　　　　　　　　　　Ihr T. M.

DR. THOMAS MANN　　　　　　München, den 9. x. 26.
　　　　　　　　　　　　　　　Poschingerstr. 1

Liebe und verehrte gnädige Frau,

ich bin sehr beschämt durch Ihren gütigen Brief und die so gerechte Mahnung in Sachen der Lübecker Rede, die Ihnen heute zugeht und wahrhaftig längst hätte zugehen sollen. Wenn ich so lange nichts von mir hören ließ, so darum, weil ich seit Forte kaum in München war. Kaum, das heißt etwa 8 Tage, die natürlich überlastet waren. Dann sind wir, meine Frau und ich, in Begleitung unseres Freundes Ernst Bertram, des Kölner Professors, mit dem Automobil in die Schweiz gefahren, an den Genfer See, um unsere Moni in Lausanne zu besuchen und von Ouchy aus, wo wir wohnten (Beaurivage, fabelhaft!) Ausflüge nach Montreux, Genf, Glion usw. zu machen. Wir hatten gute Fahrt, trockenes, wenn auch kühles Wetter und an entscheidenden Stellen, wie während der wundervollen Strecke am Neufchâteler See. Reizend waren Aufenthalte wie der in Baden, in Stein am Rhein, höchst eindrucksvoll der in Schaffhausen (ich konnte mich von der Wassersturzmusik überhaupt nicht trennen), dann auf weiterer Rückfahrt der in der pädagogischen Provinz Salem, wo Golo sich jetzt zum Abitur rüstet und von wo wir die ergreifend romantische Fahrt über Siegmaringen durchs Donautal zurücklegten. Erst gestern sind wir über Lindau, das Allgäu und Landsberg wohlbehalten wieder eingetroffen. Diese Art des Reisens hat großen Zauber.

237

Und Sie waren ernstlich krank? Jedenfalls zeigt sich wieder, wie Ihre wunderbare Natur sich zu helfen weiß, diese Natur, die sich mir auf so verehrungswürdige Art in Ihren klugen, freien, lebensoffenen Äußerungen über mein Pariser Reisebüchlein offenbart. Besonderen Dank dafür!

Die Notiz über Zimmermann hat mich sehr amüsiert. Ach, die Menschen! Wie *empfänglich* sie sind! Denn das Ganze bedeutet natürlich nur Empfänglichkeit für den Besuch, den ich ihm im Katharineum abstattete. – Wie geräumig ist denn wohl die Villa in Travemünde und was soll sie kosten? Man träumt von so mancherlei. – Schließlich, was war mit der Bemerkung in V. u. Kl. Monatsheften? Galt sie dem »Zauberberg«? Sie müssen wissen: ich balle immer die Faust in der Tasche, wenn sie von der Kompositionslosigkeit des Buches sprechen. Habe ich dafür all die Jahre dagesessen wie ein orientalischer Teppichmacher und geknüpft, damit man nun sagt, von einer Komposition könne hier nicht gut die Rede sein? Ein so dichtes Kompositionsgewebe hatte ich vorher nur im »Tod in Venedig« versucht – auf 100 Seiten also: hier aber überzieht das Gespinst 1200! Sagen Sie mir über die Sprache so Liebes Sie wollen: nicht sie macht die Musik, sondern die (in der klaren Einsicht, daß unter Deutschen immer nur das verstanden wird, das auf irgendeine Weise Musik macht) der Musik so weit wie möglich angenäherte Kompositionstechnik. Der Roman *hat* nicht Komposition, er *ist* eine – halten zu Gnaden!

Mitte des Monats muß ich nach Berlin zur Eröffnungssitzung der Akademie und nach Hamburg zum Besuch Erikas. Für erste Hälfte Dezember steht noch eine Reise nach Wien und Budapest bevor. Gott gebe, daß ich zwischendurch die Josefs-Geschichte in Gang bringe, die ich schon so lange vorbereite. Der gefährlich unruhige Charakter, den mein Leben seit Jahr und Tag angenommen, ängstigt mich oft.

Nehmen Sie meine und meiner Frau herzlichste Wünsche für
Ihre Erholung und die Heiterkeit Ihres Geistes!

Ihr Thomas Mann.

[Briefkarte]
DR. THOMAS MANN   München 1. XII. 26.
Poschingerstr. 1

Liebe und verehrte gnädige Frau,
unverzüglich schicke ich Ihnen den Brief des Vereins für Lübeckische Geschichte zurück und beglückwünsche die Zeitschrift und mich selbst dazu, daß Sie der Aufforderung folgen wollen. Nichts Lieberes wird mir geschehen können, als
gerade diese Äußerung gerade an dieser Stelle von Ihnen
besprochen zu sehen, und ich erwarte Ihre Kritik mit so rei-
nem Vertrauen, daß es sich mir völlig zu erübrigen scheint,
irgend einen Wunsch zu äußern.

Die Geschichten des Bildes freuen und amüsieren mich sehr,
und gern denke ich Sie mir bei Ihrer rührenden weihnacht-
lichen Beschäftigung.

Meine Frau hält sich brav, aber so ganz standfest ist ihre
Gesundheit doch nie; die Temperatur bleibt labil.

Ich habe eine Wiener Reise abgesagt, um endlich zur Ruhe
und Arbeit zu kommen. Die »Welt« ist furchtbar. Ich verstehe den Sinn dieses christlichen Schimpfwortes immer
besser.   Ihr Thomas Mann.

[Postkarte]
DR. THOMAS MANN   München den 7. I. 27.
Poschingerstr. 1

Liebe gnädige Frau,
es scheint ja eine nette Art von Orgie werden zu sollen,
die ich da protegiere. Das Völkchen hatte sich hinter den

239

guten Endres gesteckt, und leichtherzig habe ich ihm zugesagt, obgleich ich für den Ball selbst am Ende auch nicht
leichtherzig genug wäre. Aber nie habe ich im Entferntesten daran gedacht, auf ein Tänzchen nach Lübeck zu fahren.
Dank jedenfalls für die rasche Regung Ihrer Gastlichkeit!
Diesmal muß ich mich mit dem Gedanken an Zimmer, Haus
und Frau begnügen.   Ihr T. M.

[Postkarte]
DR. THOMAS MANN   München den 23. I. 27.
                                        Poschingerstr. 1
Liebe gnädige Frau,
vorläufig recht herzlichen Dank für die schöne Sendung und
namentlich die rührende Inschrift! Ich freue mich sehr und
auch meine Frau, die Dienstag von Hamburg zurückkommt,
wird sich freuen. Wir hoffen dann noch auf ein paar Wochen Höhenluft, wenn wir unterkommen. Seit Schnee liegt,
ist der Zudrang natürlich groß. – Anders wird wohl peinlich
sein. Aber Ihre Biographie! Das wird etwas!
                                        Ihr Thomas Mann.

[Postkarte]
DR. THOMAS MANN   München, den 9. III. 27.
                                        Poschingerstr. 1
Liebe gnädige Frau,
vielen Dank! Ich habe den Brief des Schweden eben gerade
noch beantworten können, denn heute Abend fahre ich nach
Berlin und von dort am 11. nach Warschau weiter, wo Pen-
Club-Empfang und Vortrag ist. Dann kommt noch Danzig,
das man natürlich nicht liegen lassen kann. Zehn bis 14 Tage
werde ich wohl für das Ganze brauchen, und ich wünschte,

sie wären absolviert. – Ihre Brandes-Erinnerungen sind außerordentlich interessant und kennzeichnend. Der Mann lebt
darin. Ihr Artikel beweist im Voraus, daß Sie eine gute Me-
moirenschreiberin sind. Möge Travemünde so belebend wirken, wie damals auf mich. Ihr T. M.

[Ansichtskarte]

München, 11. v. 27.

Liebe gnädige Frau,
dies waren wir, zwischen Koblenz und Köln, auf einer schönen Frühlings-Rhein-Reise, von der wir soeben zurückkehren. Sie haben, so hoffen wir, Ihren Ehrentag froh verbracht und gut überstanden. Ihr Thomas Mann.

[Briefkarte]
Dr. Thomas Mann   München den 21. v. 27.
                                   Poschingerstr. 1

Verehrte gnädige Frau,
Sie haben mir zum Abscheiden meiner Schwester so besonders lieb und schön geschrieben, und nun habe ich Ihnen
noch zu danken für Ihre sympathievolle Anzeige meines Lübecker Spruches, mit der Sie dem kleinen Produkt wohl zuviel Ehre erweisen, die aber natürlich gar lieblich eingegan-
gen ist. Selbst das Citat über den »Nationalismus« ist nichts
weiter, als meine Meinung von der Sache. Der Ehrgeiz, in
der Amalgamation das edelste Metall zu sein, ist durchaus
hochherzig. Nur sollte er sich niemals als Prahlerei äußern
(als welche meistens von Minderberechtigten ausgestoßen
wird), sondern still in Tat und Werk, und *sagen* lassen sollte
man es, um Bismarck zu zitieren, immer die anderen.

                                   Ihr ergebener Thomas Mann.

[Postkarte]

DR. THOMAS MANN   München, den 8. VI. 27.
                                   Poschingerstr. 1

Liebe gnädige Frau,
ich war tief gerührt über Ihre Aufmerksamkeit. Vielen Dank!
Und die angelegentlichsten Wünsche für das Werk Ihrer Lebensgeschichte!   Ihr Thomas Mann.

[Briefkarte]

DR. THOMAS MANN   München, den 6. VIII. 27.
                                   Poschingerstr. 1

Liebe gnädige Frau,
haben Sie herzlichen Dank! Wahrhaftig, Sie durften meiner
Anteilnahme sicher sein. Ihre Mitteilungen, die mir die Todesnachricht selbst erst brachten, haben mich tief ergriffen.
Sagen Sie mir, bitte, an welche Adresse ich meine Condo-
lation richten kann!
Am 11. fahren wir auf einige Wochen nach Sylt, Campen,
Haus Kliffend.
Recht gute Erholung in dem zauberhaften alten Travemünde,
woher ich öfters von Bekannten und Unbekannten Ansichts-
grüße bekomme.   Ihr Thomas Mann.

[Briefkarte]

DR. THOMAS MANN   München den 10. III. 28
                                   Poschingerstr. 1

Liebe gnädige Frau,
mit Kummer hören wir, daß Sie leidend sind! Aber die
Kenntnis Ihrer prachtvollen Natur gibt uns Vertrauen, und
ich persönlich vertraue auch noch auf die geliebte Luft Travemündes. Ich dachte Sie mir wirkend an Ihrer Lieb – sehen

Sie, jetzt wollte ich schreiben: Liebesgeschichte und meine: Lebensgeschichte! War das nun eine Freud'sche Fehlleistung? – Über die Damen schreiben Sie sehr drollig. Ich habe ihnen absagen müssen, da ich am 15. in Leipzig bei einer Reichsgerichtsverhandlung als »Sachverständiger« fungieren muß und nicht vorher noch nach Lübeck fahren konnte. Gott, es wäre am Ende auch ein bißchen peinlich geworden. Aber haben Sie vielen Dank für Ihr gastfreies Anerbieten! – Möchten Sie Ihrer Arbeit bald wieder gegeben sein!

Ihr Thomas Mann.

Von den beiden Teilen dieser Sammlung erschließt vornehmlich der erste, die Briefe an den Jugendfreund Grautoff, bio-
graphisches Neuland. Nicht in allen Stücken möchte man ihr
Adressat gewesen sein. Die Unreife des Schreibers äußert
sich wenig anziehend in manchem (dem Patriziersohn freilich nur allzu natürlichen) Anflug von Snobismus, scho-
nungslosen Überlegenheitsbekundungen, noch mehr auf geistiger als auf sozialer Ebene.

Ich bitte tiefer zu blicken.

Hinter dem mitunter hochfahrenden Ton verbirgt sich eine
zuinnerst bange Egozentrik, die sich letztlich immer wieder
in dem einen Wunsche ausspricht: nur gehört und verstanden zu werden.

Was aber als der Mitteilung wert erscheint, das darf auch
Anspruch erheben auf Einflußnahme. Die oft über mehrere
Seiten hinweg erteilten, zäh auf alle Sorgen des Empfängers
eingehenden Ratschläge verweisen auf eine von dem Dichter
erst viel später registrierte allgemeine Erfahrung: wie nämlich »das rührende und große Erlebnis der Erziehung aus au-
tobiographisch-selbstbildnerischem Bekennertum ungeahn-
terweise« zu erwachsen vermag (*Von Deutscher Republik*).
Diese Erfahrung enthüllt hier ihre ursprünglichste Proble-
matik. Erstrecken sich doch die Belehrungen des Schreibers
keineswegs nur auf solche Gegenstände, wie etwa Fragen der
literarischen Technik oder gesellschaftlichen Manier, wo seine Superiorität auf der Hand liegt; sondern ebenso auf in-
timste Lebensbereiche, wo er selbst noch schwer mit sich zu
ringen hat. Die dem Freunde anempfohlene sittliche Strenge,
ja Härte gegenüber aller Laxheit in der Lebensführung be-

schwört eine Epoche herauf, deren Perspektive uns zu denken geben könnte. Und jedenfalls eröffnen sich hier neue Zugänge zum Frühwerk Thomas Manns, vom *Tonio Kröger* bis zum *Tod in Venedig*, wofür dem Herausgeber, wie für so Vieles, Dank gebührt.

Orinda, California, im Februar 1975   Michael Mann

ANHANG

Thomas Mann, »Buddenbrooks«
Verfall einer Familie. 2 Bände. S. Fischer, Berlin.
(Brosch. 12 M, geb. 14 M.)

Im Zeitalter des Ueberbrettls muthet es uns wohl ein wenig wunderbar an, wenn ein junger, noch ziemlich unbekannter Schriftsteller es unternimmt, einen zweibändigen Roman von über elfhundert Seiten zu schreiben. Schon dieser äußere Umfang des vorliegenden Werkes darf als etwas nicht gerade Alltägliches, als etwas Beachtenswerthes gelten; er beweist zum Mindesten eine starke künstlerische Energie, einen anerkennenswerthen Arbeitsernst und eine lobenswerthe Geduld und Ruhe des Schaffenden, die beide heutzutage, besonders bei jungen, aufstrebenden Talenten, selten zu finden sein dürften. In dem Roman ist die Geschichte und der Verfall einer alten Lübecker Patrizierfamilie geschildert. Drei Menschenalter ziehen an unserem Geiste vorüber; die Erzählung setzt um das Jahr 1830 ein und entrollt vor unseren Blicken in hervorragender Charakteristik ein Bild des patriarchalischen Lebens der wohlhabenden und zu Ehren und Ansehen gelangten Familie des alten Konsul Buddenbrook. Der Sohn des Konsuls, der spätere Senator Thomas Buddenbrook, ist als eine feinere, reifere und differenzirtere Blüthe seines Geschlechtes dargestellt, der über den derben Materialismus seines Großvaters und Vaters hinausgewachsen ist; sein Geist ist zarter und sensibler und in der Periode seines beginnenden innerlichen und äußerlichen Zusammenbruchs wird er zum Skeptiker; da gewinnt er den Sinn für das Versteckte, Tiefe und Abgründige einerseits und andererseits wird er zum Schauspieler im Leben und ergreift damit die letzte Rettungsplanke schiffbrüchiger Charaktere. Sein kleiner Sohn Hanno erscheint wie eine letzte, späte, goldig überreife Blume im sinkenden Herbste. Er ist der Letzte seines Geschlechtes und stirbt im Frühling seines Lebens ohne je gelebt zu haben an der Lebensangst und der Furcht vor dem harten, brutalen Leben. In ihm vollziehen sich die letzten Phasen des Verfalls seines müden und zum Untergang reifen Geschlechtes. Der sehr breit angelegte Roman ist reich an mannigfaltigen und prächtigen Detailschilderungen, die zuweilen allerdings etwas barock wirken und den Fluß der Erzählung beeinträchtigen. Eine gewisse nihilistische Neigung tritt an einigen Stellen des Romans merkbar hervor; dem gegenüber als positiver und starker Werth steht ein ausgezeichneter und sehr origineller Humor, der sich sowohl in der Charakterzeichnung wie in der Milieuschilderung offenbart. Als zwei echt deutsche Ingredienzien, die besonders im zweiten Bande hervortreten, dürfen die musikalischen und philosophischen Abschnitte gelten. Spezifisch Wagnerisch ist die eminent episch wirkende strenge Durchführung des Leitmotivs, die wörtliche Rückbeziehung im Wechsel der Generationen über weite Strecken des Buches hin. Stilistisch steht das Buch auf hervorragender Höhe. Für gewisse Partien des Buches mag man Dickens'sche Einflüsse konstatiren, für andere Tolstoi, Dostojewski und Turgenieff; doch im Großen und Ganzen ist der Stil von stark persönlicher Färbung, vollendeter Reife und vornehmem, harmonischem Glanz. Durch das ganze Werk geht ein echt deutscher Zug; der Gegenstand der Darstellung, sowie die Auffassung des Dichters und die Art, wie er die einzelnen Gestalten zu einander in Beziehung setzt, ist einem deutschen Empfinden entwachsen. Es ist zu wünschen, daß der Roman die weiteste Verbreitung findet.

Ida Boy-Ed
in ›Lübeckische Blätter‹, 19. 9. 1909
(Siehe Brief vom 25. 9. 1909)

»Königliche Hoheit«. Roman von Thomas Mann.

Unter Heinrich Harts literarischem Nachlaß fand man einen kleinen Aufsatz, der sich mit dem modernen Roman als kulturhistorisches Dokument befaßt. Er sagte: Wenn man sich vorstelle, alle Kultur und jede an sie erinnernde Spur würde irgendwie von der Erde vertilgt und es blieben nur die deutschen Romane der letzten 15-20 Jahre übrig, so würden spätere Völker aus ihnen unsere ganze Kultur wieder aufstellen können. Kein Stoffgebiet, kein Problem, dessen sich nicht der deutsche Roman, unter Zugrundelegung genauer, die jeweilige Materie betreffender Studien, bemächtigt hätte. Und doch war, als Hart dies schrieb, noch ein Problem scheu umgangen, vielleicht auch noch nicht so sehr im Bewußtsein der Völker als solches gespürt worden: das Problem nämlich von der Unwahrscheinlichkeit einer Fürstenexistenz innerhalb des modernen Lebens, von der vollkommenen Verbindungslosigkeit eines solchen Daseins mit all den Millionen anderer Seienden, von der kunstvoll erzeugten und erhaltenen Einsamkeit der Hoheit, von ihrer innersten Fremdheit gegenüber den einfachsten Realitäten.

Um sich an diesen Stoff zu wagen, bedurfte es einer Unbefangenheit von meisterlicher Ruhe und Größe. Dazu einer vollkommen kristallklaren Objektivität zu politischen Dingen. Die Tragödie des Einsamen konnte nur ein Einsamer schreiben, einer, der Zärtlichkeit für die latente Tragik der Einsamkeit hat und zugleich das ironische Lächeln über ihre Schiefheiten. Also Thomas Mann.

Seine soeben herausgekommene monumentale Romandichtung »Königliche Hoheit« ist ein kulturgeschichtliches Dokument von so umfassender Art, das Sozialkritische ist darin so durchaus von dem Poetischen durchdrungen, daß man vor der Tatsache steht: Thomas Mann hat sich zum zweitenmal für seinen eigenen Stoff eine eigene Form geschaffen, und die deutsche Literatur besitzt noch kein Werk, an dem dies, als von verwandter Art, gemessen werden könnte.

Werke nun, die ihren Maßstab in sich selbst tragen, sind der Kritik nur dann zugänglich, wenn in ausführlicher Eindringlichkeit das Problem, die Kompositionstechnik, die Sprachtechnik, die plastische Greifbarkeit der Gestaltung und der Gestalten aufgezeigt werden kann, wozu mir hier im erwünschten Maß keinenfalls der Platz eingeräumt werden könnte.

Was mir am allerwunderbarsten erscheint und das Wort »Poeten sind Propheten« wieder einmal wahrmacht, ist, daß Mann schon seit vier Jahren mit dieser Arbeit in heißem Mühen rang, ja, ihr Sklave war, und daß sich inzwischen dies sein Problem durch die Ereignisse der Welt aufdrängte ... Er hat es im Sinn des aristokratischen Künstlers gelöst, in welchem sich immer, fast auf das paradoxeste, die Erkenntnis und das analytisch Auflösende mit dem Konservativen verbindet. Soweit man bei dem über den Dingen schwebenden Geist Manns, bei der anmutigen Ironie seiner Schilderungen überhaupt von einer Parteinahme des Dichters sprechen darf, muß man sagen: der Fürst ist ihm das notwendige Symbol, des Volkes erhöhtes Wunschbild, in dessen Anblick es hochleben und seiner selbst froh werden kann.

Der Roman befaßt sich mit dem Schicksal des Prinzen Klaus Heinrich, von der Stunde seiner Geburt an bis zur Vollendung seines Geschicks in einer glückverheißenden Heirat. Und auf das allerkunstvollste und tiefste ist dieser Werdegang eines harmlos liebenswürdigen Durchschnittsmenschen verbunden mit den Zuständen des Volkes in allen seinen Schichten. Mit wahrhaft staatswissenschaftlichem Überblick und volkswirtschaftlicher Gründlichkeit entwirft Mann die Schilderung der Lage des Landes (angenommen ist ein fingiertes mitteldeutsches Großherzogtum) und seines finanziellen Niederganges. Mit der Erfahrung eines alten Hofmannes stellt er zahlreiche köstliche, unübertrefflich scharf gesehene Typen aus der Hofwelt hin. Gleich die Entbindung der Großherzogin von dem Prinzen ist eine breite Darstellung voll von funkelnden Lichtern und in einer Sicherheit der Linienführung, daß alles von Leben sprüht. Der Dichter wirkt am stärksten, wo er von der im Grunde so armen, von aller sprudelnden Jugendfröhlichkeit entfernten Kindheit des Prinzen erzählt. Und das Erschütternde hieran wie an Klaus Heinrichs ganzem Werdegang, eingeschlossen seine erste kleine erotische Erfahrung, die eigentlich bloß eine geschlechtliche Belehrung, bar jeder Poesie ist und jeden Bauernbursch beneidenswert gegen ihn erscheinen läßt – also das Erschütternde ist, daß diese Weltfernheit gar nicht mit besonderem Hochmut und künstlich, vorsetzlich hergestellt wird, daß sie sich vielmehr bei den Fürstenkindern gerade so von selbst ergibt, wie umgekehrt bei Kleinleutekindern das unbekümmerte Spiel auf der Gasse.

Der Sprachkünstler, der durch das ganze Werk sich auf einer überragenden und ganz individuell umrissenen Höhe zeigt, findet dort die glücklichsten Worte, wo er die darstellerischen Verpflichtungen des Thronfolgers Klaus Heinrich schildert, die ihm früh von seinem kränklichen Bruder, dem Großherzog, übertragen wurden, der seinerseits Popularität für »Schweinerei« hält und der seine ganze

Regententätigkeit in einem niederdrückenden Vergleich zusammen-
faßt. Es lebt in der Hauptstadt der Grimmburger ein Mann, Fim-
melgottlieb genannt, der nicht bei Trost ist. Der trägt seinen Hut
auf der Spitze des Spazierstocks und eine Rose im Knopfloch, er
ist stets auf dem Bahnhof, wenn ein Zug abfährt, und winkt mit
der Hand, wobei er sich einbildet, der Zug führe infolge seines
Winkens. (Wir älteren Lübecker kennen wohl alle die Figur, die
hierbei dem Dichter vor Augen stand, das Erstaunlichste ist nur,
daß Thomas Mann ein kleiner Knabe war, als er sie hat beobachten können). Und der Großherzog Albrecht sagt, wenn ein
Regierungsakt von ihm verlangt wird: Nun gehe ich auf den
Bahnhof und winke. Die Bitterkeit dieses Vergleichs ist nicht zu
überbieten. – Es fährt also der junge, liebenswürdige, geistig ganz
im Primitiven und Schablonenmäßigen steckengebliebene Klaus
Heinrich in Stadt und Land umher. Eröffnet Ausstellungen, gibt
bei Schützenfesten den ersten Schuß ab, weiht öffentliche Gebäude
ein. Und sein, durch ein paar eingelernte Redensarten verhülltes
Nichtwissen ist immer in einen, sich von selbst aufdrängenden
Gegensatz zu der tätigen Gruppe der gerade in Frage kommenden
Berufsmenschen gebracht, wodurch die völlige Überflüssigkeit seines Tuns zwar deutlich, aber das darin enthaltene Gemütsmoment
doch hervorhebend, dargetan wird. Er nimmt Lebehochs und An-
sprachen entgegen. Einmal heißt es von einem sprechenden Bürgermeister: »Er bringe ihm den Dank dar, sagte er, und schüttelte
dabei seinen Zylinderhut mit der Hand, in der er ihn hielt.« Wer
fühlt aus dieser knappen Schilderung nicht die patriotische Her-
zensaufwallung des Bürgermeisters, dem sie sich als rednerische
Geste in die Hand fortsetzen möchte, aber nur im Schütteln des
Zylinders ausvibrieren darf.
In die leere Bewegtheit dieses Fürstenlebens, in das bange Fort-
schleppen der steten Finanznöte des ganzen Landes, in die be-
schränkte Dürftigkeit der Hofhaltung tritt nun als anreizendes
und aufregendes Moment zuerst und später als erlösendes Wunder der amerikanische Milliardär Spoelmann und seine Tochter
Imma. Ich vermute, daß Thomas Mann in dieser kleinen Imma
mit dem schwarzbleichen Köpfchen und der hohen Intelligenz, die
sich in besonderer Begabung für Mathematik bewährt, seiner eigenen jungen Frau ein Denkmal setzte. Er hat mit der herben
Keuschheit, die seine Darstellung immer auszeichnet, sehr zarte

und zurückhaltende Farben für die Entwicklung dieses Liebesverhältnisses gefunden. Man sieht mit Lächeln, wie Klaus Heinrich, der mit einer handvoll feststehender Begriffe seinen Bedarf an Gedankentätigkeit zu decken pflegt und einmal aufgefangene Eindrücke und Worte immer wieder anwendet (selbst bei seiner Brautwerbung benutzt er die von Excellenz Knobelsdorff gesprächsweise dargebotenen Worte und man spürt, daß er doch glaubt, selbständig zu denken), also man sieht, wie er sich an der scharfen Kritik der klugen Imma geistig zu entfalten beginnt. Während Imma wiederum durch die Beherrschtheit ihres Wesens das Gefühl gibt, sie habe den Takt und die angeborene Überlegenheit, die eine fürstliche Stellung von ihr fordern wird. Ihre Einwilligung gewinnt er erst nach langem Kampfe, nachdem sie die Erkenntnis gewinnt, in ihm erwache das Begreifen der Lage des Landes, dessen trübe Not auch ihr die Aufgabe verheißt, in Liebe nützlich wirken zu können.

Der Milliardär Spoelmann, der vor Reichtum kranke, weltscheue, nierenleidende Mann ist mit deutlichster Lebendigkeit hingestellt. Ihm imponiert kein Prinz, lange muß Klaus Heinrich um ein bißchen Wohlwollen werben, und in einer wahrhaft drolligen Szene faßt er eines Tages die Hoffnung, es erworben zu haben: er fühlt nämlich einen steifen Nacken und der kleine kranke Mann stiefelt eiligst davon, sein Lager am Teetisch verlassend, zum unruhigen Erstaunen aller; schon folgt sein Leibarzt ihm nach, als Samuel Spoelmann mit einem zerknitterten Stückchen Guttaperchapapier zurückkommt und Klaus Heinrich anweist, wie er sich mit dessen Hilfe nasse Umschläge machen solle. Aber trotz dieses Wohlwollens ist ihm der Prinz, als er sein Schwiegersohn werden will, doch nur »der junge Mensch, der nichts gelernt hat als sich hochleben lassen«.

Mit großem Bedacht hat der Dichter dem Verständnis für Spoelmanns der großherzoglichen Familie eine vorbereitende Stufe gegeben; er läßt den Gemahl der Prinzessin Dietlinde, Klaus Heinrichs und des Großherzogs Schwester, den Fürsten Ried-Hohen-Ried sich als modernen Industriellen mit Glück versuchen.

Entzückend ist es, von schmunzelndem Humor, wie der »Eilbote«, das offiziöse Organ von Hof und Gesellschaft, durch den ganzen Roman hindurch mit seinen Berichterstattungen und Notizen die Handlung begleitet. Als Imma Spoelmann erkrankt, woran die ganze Bevölkerung leidenschaftlich teilnimmt, heißt es: »Man hatte den Berichterstatter des »Eilboten« per Droschke nach Delfinenort jagen sehen, woselbst er in der Vorhalle mit dem Mosaikfußboden von dem Spoelmannschen Butler abgefertigt worden war und englisch mit ihm gesprochen hatte, obgleich es ihm nicht leicht wurde.«

Einen sehr nachdenklich abgewogenen Gebrauch macht Mann vom Fremdwort; wo immer man einem begegnet, es könnte gerade da nie durch ein deutsches Wort ersetzt werden von der gleich schillernden Färbung oder dem gleichen umfassenden Wert. Er sagt einmal von einem höchsten Hofbeamten, während dieser sich vor dem Leser inmitten eifriger höfischer Anordnungen aufbläht, daß er ein Mann von ungemeiner Akribie sei. Hier würde das deutsche Wort »Genauigkeit« nicht von fern all die mit hineinspielenden Nebenvorstellungen von kleinlicher Wichtigkeit und lächerlichen Rangfragen auslösen.

Die unerhörte Gedächtnisleistung, die ein so umfangreiches Werk darstellt, kann vielleicht der Laie niemals ganz würdigen. Man muß wohl selber zum Bau gehören, um die künstlerische Gewissenhaftigkeit anzustaunen, mit der Mann auch jede, die scheinbar kleinste und nebensächlichste Linie, die er zu zeichnen begann, bis zum Ende durchführt – sie sind wie Nervenfäden, die sich durch den Gesamtorganismus ziehen, deren er sich gar nicht bewußt ist und deren vorzeitiges Absterben doch irgendwie eine teilweise Verkümmerung oder Unvollständigkeit für diesen Organismus bedeuten würde. Durch solche künstlerische Gewissenhaftigkeit wird gerade das bedingt, was der Leser als das Leben des Werkes empfindet!

So sehr ich nun diese Schöpfung bewundere, die eines der großen und bleibenden Werke der deutschen Literatur sein wird: sie hat einen Schönheitsfehler, es ist dies für mich die Gestalt der irrsinnigen Gräfin Löwenjoul, Immas Gesellschafterin, einer beklagenswerten Frau, die an ihrem ausschweifend lasterhaften Gatten zerbrach. Imma bezeichnet es als »Wohltat«, daß der peinvoll Geprüften zuweilen die Gedanken sich verwirren. Aber da die dann entstehenden Vorstellungen beklemmender, ja perverser Art sind, kann man nicht verstehen, wie sie der Gräfin wohltätig sein sollen. Man darf nie sagen: das ist unwahrscheinlich, sondern immer nur: ich habe dergleichen noch nie beobachtet. Ein Autor schildert heute nichts und besonders nichts, was einen so breiten Raum in der Darstellung einnimmt, wenn er nicht Studien über die Materie gemacht hat, und so bin ich auch überzeugt, daß Thomas Mann psychopathische Zustände wie die der Gräfin wissenschaftlich hat feststellen können. Aber wenn sie nicht unwahrscheinlich sind, so wirken sie doch so und darauf kommt letzten Endes alles an. Ich erkenne: aus kompositionstechnischen und psychologischen Gründen bedurfte Mann einer Gestalt, an der Immas Güte und Unabhängigkeit sich erweisen konnte; einer Gestalt, die unmittelbar zur Aberziehung von Vorurteilen bei Klaus Heinrich half, die Veranlassung ward, daß Imma und Klaus Heinrich in der vollkommenen Unbefangenheit zugleich aufgeklärter und ganz phantasiereiner Menschen über geschlechtliche Fragen sich einmal unterhalten konnten. Aber dazu hätte sich vielleicht eine Figur von weniger grotesken und mehr gesellschaftlich möglichen Linien erfinden lassen. Um so mehr, als schon der edle und aufgeregte Colliehund Perceval, dem zuletzt sogar das Volk zujubelt, eine Note der Undiszipliniertheit in Immas Umgebung bringt.

Die größte Ironie ist – die gesunde und kraftvolle Lösung des Problems und die frohen, starken Bilder für des Volkes Zukunft, die sie gibt. Deshalb hat Mann auch sein Werk einmal eine Märchendichtung nennen wollen, weil das Unfaßbare geschieht: der vorurteilslose Menschenverstand siegt, zum Segen des Landes und seiner Dynastie! Das amerikanische Gold, die amerikanische Unabhängigkeit, die amerikanische Intelligenz und der amerikanische Arbeitsdrang verbinden sich mit den Traditionen, den Gemütswerten der Poesie und der herzensreinen Vornehmheit deutscher Art. Gesundes Bürgerblut vereinigt sich mit dem Blut einer uralten Dynastie, ihr neue Blüte verheißend. Und in diesen mit dithyrambischem Schwung dargestellten Aufstieg von Land und Volk und Fürstenhaus läßt die Dichtung den sozialkritischen Unterton fallen und wird zur Zukunftsvision.

Dies Schlußwort spricht Klaus Heinrich: »Das soll fortan unsere Sache sein, beides, Hoheit und Liebe – ein strenges Glück.«

Vor großer Arbeit, sei sie praktischer oder künstlerischer Natur, stehe ich immer in Ehrfurcht. Dieses Werk nun stellt eine so tiefgründige, umfassende und bedeutende Arbeit dar, es gibt eine solche Summe kultureller Schilderungen, gesellschaftskritischer

Einsichten, poesievoller Stimmungen, ironischer Randglossen, unausgesprochener Tragik, bildnerischer Anschauungskraft, völligster Menschenkenntnis, daß man in der Überfülle des Erlebens begreifen muß, das Buch ist eine ungewöhnliche Tat! Und es ist deutsch ganz und gar. Nur einem deutschen Dichter konnte die Intuition zu diesem entwicklungsgeschichtlichen Stoff kommen.

Vor kurzem schrieb mir, um mich in einer Stunde der Entmutigung aufzurichten, mein alter Freund Th. H. Pantenius, der Verfasser des unvergänglichen Romans »Die von Kelles« und langjähriger Leiter des »Daheim« und der »Monatshefte«: »Halten wir uns daran, daß wir Erzähler wie ein Säemann durch das Land gehen. Wo etwa der von uns gestreute Samen aufging, wo der Niederschlag unserer Leiden und Kämpfe verwandten Seelen Mut und Kraft einflößte, wissen wir nicht, aber daß es oft genug geschieht, ist sicher. Schließlich ist doch jede Erzählung ein Wegweiser in der Wirrnis des Lebens mit Warnungstafeln zur Linken und Rechten, wo Abwege locken. Der Einfluß, den der Erzähler übt, ist groß, um so größer, je mehr sein Talent den Leser fesselt. Und so ist unsere Arbeit, indem wir nur der Unterhaltung zu dienen scheinen, von großer Bedeutung für unser Volk.«

Auch diesen Roman kann man ganz gewiß »zur Unterhaltung« lesen, denn es gibt keine Zeile darin, die einen nicht auf das geistvollste, bald tief, bald amüsant unterhielte. Aber er ist auch von einer erzieherischen Bedeutung ohnegleichen für unser Volk.

Ich freue mich, dieses alles, von seiner Vaterstadt aus datiert, dem Dichter sagen zu dürfen.

Ida Boy-Ed an Otto Grautoff

Lübeck 19. Dez. 04

Hochverehrter Herr Grautoff,

aus Ihrem Brief vom 9ten habe ich zu meiner großen Freude ersehen, daß Mann befriedigt von Lübeck geschieden ist. Für mich waren die Tage seiner Anwesenheit reich, obgleich ich selbst, noch zu sehr Rekonvaleszentin, keineswegs auf der Höhe war und insbesondere auch noch mit meinen Augen sehr zu tun hatte (muß den ganzen Winter Privatbriefe diktieren). Die klare, tiefe und in sich so sehr abgeschlossene Persönlichkeit von Thomas Mann hat mich sehr beeindruckt. Ich habe auch das freudige Gefühl, daß zwischen ihm und mir sich eine Sympathie angesponnen hat, die auf gemeinsamem Geschmack in ästhetischen und materiellen Dingen beruht. Ich hatte ein merkwürdiges Künstler-Mutter Gefühl; vielleicht identifizirte ich mich mit der Stadt Lübeck, und es kam mir vor, als ob dieses junge Genie mein Sohn wäre. Ich will Ihnen mal etwas sagen: wohin die Begabung von Mann wachsen wird, kann noch keiner wissen. Ich glaube aber, in viel größere Höhen als wie sie selbst seine ersten Prosawerke erwarten ließen. Möchte ich dies noch erleben.

Ich lege einen Artikel bei, der sehr à propos gerade heute Nachmittag im Berliner Tageblatt stand, wo ich ohnehin an Sie schreiben wollte. Vielleicht haben Sie die Liebenswürdigkeit, ihn Thomas Mann zu geben. Allerdings haben mich die M. N. N. freundlichst aufgefordert. Indessen sehe ich nicht, was ich für das Blatt schreiben könnte. Meine Romane kann es nicht bezahlen, und wissenschaftliche Artikel schreibe ich nicht, weil ich nur eine dumme Person bin.

Ob ich diesen Winter nach München komme, hängt von meiner Arbeit und von meiner Gesundheit ab. Der Wunsch ist lebhaft genug. Ich will dieser Epistel gleich meine besten Wünsche zum neuen Jahr anfügen und die bestimmte Hoffnung aussprechen, daß Sie mich 1905 in Lübeck besuchen.

Mit herzlichen Grüßen

Ihre Ida Boy-Ed

Bitte sehr mich rechtzeitig Th. M's Hochzeitstag wissen zu lassen.

ANMERKUNGEN

Die Ziffern am Rand verweisen auf die Textseiten.
Abkürzungen: E. = Erstdruck; GW = Thomas Mann, Gesammelte
Werke in dreizehn Bänden, Frankfurt am Main, S. Fischer Verlag
1974.
Die in den Briefen erwähnten literarischen Versuche von Otto
Grautoff sind nicht erhalten; sie mußten in den meisten Anmerkungen unerwähnt bleiben.
Der Herausgeber schildert die Vorgänge und Beziehungen, die sich
in diesen Briefen spiegeln, in dem Buch ›Der Zauberer. Das Leben
des deutschen Schriftstellers Thomas Mann‹ ausführlicher, als es
in den nachstehenden Anmerkungen möglich ist.

AN OTTO GRAUTOFF

September 1894   3
Herrn Tesdorpf: Krafft Tesdorpf (1842–1902), Lübecker Kaufmann;
Vermögensverwalter der Familie Mann und Amtsvormund von
T. M.
nach den Fleischtöpfen Brandenburgs a/H.: Otto Grautoff war   4
vom Frühjahr 1894 bis Juni 1897 Buchhandelslehrling in Brandenburg an der Havel.
mein Bruder: Heinrich Mann (1871–1950).
Herr Ewers: Ludwig Ewers (1870–1946); Journalist und Kritiker.
Klassenkamerad von Heinrich Mann.
»Farbenskizze«: Verschollene Jugendarbeit T. M.'s, die er als Gymnasiast auf Veranlassung von Ewers der Lübecker ›Eisenbahn-Zeitung‹ einreichte. Der Redakteur Telesfor von Szafranski lehnte
sie ab.
Geschichtlein von sitzengebliebenen Sextanern: T. M. und Grautoff 5
hatten beide im Gymnasium mehrere Klassen wiederholen müssen.
Feuerbach: Ludwig Feuerbach (1804–1872), Philosoph.
Sudermann: Hermann Sudermann (1857–1928), Dramatiker, Erzähler.   6

6   22. 9. 1894

7   *Herr York:* vermutlich ein Redakteur des ›Brandenburger Anzeigers‹.

Ernst Possart: Ernst Ritter von Possart (1841–1921), Schauspieler
und Regisseur. Ab 1893 Generaldirektor, 1895–1905 Intendant des
Hoftheaters in München.

Rémond, Ida Hofmann, Keppler, Häusser: Fritz Rémond (1864 bis
1936), Ida Riemerschmidt-Hofmann (1873–1963), Heinrich Keppler
(1851–1895), Karl Häußer (1842–1907), Schauspieler am Münchner
Hoftheater.

»Komm, Nacht . . .«: Shakespeare, ›Romeo und Julia‹, 3. Akt, 2.
Szene.

8   *Mit dem albernen »Büreau«:* T. M. hatte seine Tätigkeit als Volontär bei der ›Süddeutschen Feuerversicherungsbank‹ in München
Ende August aufgegeben.

»Gefallen«: E. ›Die Gesellschaft‹, Leipzig, Jg. 10, Oktober 1894;
GW VIII.

»Aus Mitleid«: verschollenes Manuskript.

die »Gesellschaft«: Gegründet 1885 von Michael Georg Conrad
(1846–1927) als »Realistische Wochenschrift für Literatur, Kunst
und öffentliches Leben«; bestand bis 1902. Hauptorgan des frühen
Naturalismus. Ihr Redakteur war Hans Merian (1857–1902) in
Berlin.

Wilhelm Friedrich: 1851–1925; Buchhändler und Verleger. In dem
von ihm gegründeten Verlag in Leipzig erschien zehn Jahre lang die
Zeitschrift ›Die Gesellschaft‹. Hauptverleger des deutschen ›Realismus‹.

Ludwig Fulda: 1862–1939; Lustspieldichter und Übersetzer.

Leo Melitz: nicht ermittelt.

»auf den Tisch die duftenden Reseden«: »Stell auf den Tisch die
duftenden Reseden, / Die letzten roten Astern trag herbei, / Und
laß uns wieder von der Liebe reden, / Wie einst im Mai.« Ein damals sehr beliebtes Lied mit dem Titel ›Allerseelen‹ von Hermann
von Gilm, 1883 von Richard Strauss vertont.

In Deiner Brust: Schiller, ›Wallenstein. Erster Teil: Die Piccolomini‹, 2. Akt, 6. Szene.

9   *Graf Vitzthum:* Hermann Graf Vitzthum zu Eckstädt, Schulkamerad von T. M.

Weber: Charles (Charlie) Weber, entfernter Verwandter und Schulkamerad von T. M.

Die Originale dieser beiden ersten Briefe wurden von unbekannter
Hand mehrmals zerschnitten und offensichtlich falsch wieder zusam-
mengefügt. Der vermutliche Zusammenhang ist hier vom Herausgeber rekonstruiert.

27. 9. 1894   9
Herr Gottschalk: Johann Christian Wilhelm Gottschalk, Kustos am
Katharineum in Lübeck.
Dein Herr Bruder: Ferdinand Grautoff (1871–1935), Journalist.   10
Später Chefredakteur der ›Leipziger Neuesten Nachrichten‹.
meinem »herrlichen Vater«: Senator Thomas Johann Heinrich Mann
(1840–1891).   12
die Frau dieses Mannes: Mutter von T. M., geb. Julia da Silva
Bruhns (1851–1923).

13./14. 11. 1894   15
Herrn von Leixner: Otto Leixner von Grünberg (1847–1907), Re-   17
dakteur der Zeitschrift ›Die Gegenwart‹.
»Heimat«, . . . »Schmetterlingsschlacht«: Dramen von Hermann   18
Sudermann.
bei Bauer: Vermutlich das Literaten- und Journalisten-Café Bauer   20
in Berlin.
Richard Dehmel: 1863–1920; bedeutender Lyriker; Mitherausgeber   21
des ›Pan‹.
»Pan«: Anspruchsvolle Literatur- und Kunstzeitschrift; begann im
April 1895 zu erscheinen. Herausgegeben von Otto Julius Bierbaum
und Julius Meier-Graefe. Zum Redaktionsausschuß gehörten: Eber-
hard von Bodenhausen, Richard Dehmel, Otto Erich Hartleben,
Harry Graf Kessler.
Stuck: Franz von Stuck (1863–1928), Maler. S. a. Katia Mann,
›Meine ungeschriebenen Memoiren‹, Frankfurt, S. Fischer 1974.
Professor Haushofer: Max Haushofer (1840–1907), Professor für   22
Nationalökonomie am Polytechnikum in München.

Ende November 1894   22
ihm gegenüber: Da Anfang und Schluß des Briefes fehlen, läßt sich

nicht ermitteln, um wen es sich handelt; möglicherweise Michael
Georg Conrad.

25 8. 1. 1895
   Emil Gerhäuser: 1868–1917, gefeierter Wagner-Tenor, 1893/94 in
   Lübeck engagiert.
26 *»Der kleine Professor«:* verschollenes Manuskript; vermutlich eine
   erste Fassung von ›Der kleine Herr Friedemann‹.
27 *Herrn Mengers:* Siegfried Mengers, Mitschüler von T. M., Abitur
   1894.
   Herrn Holm: Korfiz Holm (1872–1942), Schulkamerad von T. M.
   und sein ›Vorturner‹ am Lübecker Katharineum. Wirkte unter dem
   Pseudonym »Anthropos« an der Schülerzeitschrift ›Der Frühlingssturm‹ mit. In München Redakteur am ›Simplicissimus‹. Ab 1909
   Leiter, seit 1918 Teilhaber des Albert Langen Verlages.
   im Magazin: ›Das Magazin für die Literatur des In- und Auslandes‹.
   Redaktion damals: Fritz Mauthner.
   »Der alte König«: nicht erhaltenes Manuskript.

28 20. 1. 1895
   dem »Akademisch-dramatischen Verein« beigetreten: gegründet und
   geleitet von dem Schriftsteller und Kabarettisten Ernst Freiherrn
   von Wolzogen (1855–1934).

29 5. 3. 1895
30 *»Dans le véritable amour ...«:* Auch in T. M.'s Notizbuch I,
   Seite 51, notiert, ohne Quellenangabe; vermutlich aus Paul Bourget,
   ›Le Disciple‹.
   in der ›Bavaria‹: Restaurant in Lübeck.
31 *das Webergeheul des Herrn Hauptmann:* Gerhart Hauptmann (1862
   bis 1946), ›Die Weber‹ (1892), am 17. Dezember 1894 vom
   Akademisch-Dramatischen Verein aufgeführt.
32 *Bahr:* Hermann Bahr (1863–1934). Der Wiener Dramatiker, Erzähler, Essayist und Kritiker; Anreger und Propagandist immer neuer
   künstlerischer Tendenzen. Hatte großen Einfluß auf den jungen
   T. M. S. a. ›On Myself‹, GW XIII.
   den alten Herrn Spielhagen: Friedrich Spielhagen (1829–1911), Erzähler, Dramatiker. Zeitweilig Herausgeber von ›Westermanns Mo-

natsheften‹. Sein Aufsatz ›Das Umsturzgesetz und die Dichtung‹ in: ›Die Zukunft‹, Berlin, Oktober 1895.

die »Umsturzvorlage«: Im Dezember 1894 nach dem Rücktritt des Reichskanzlers von Caprivi im Reichstag eingebrachter Gesetzesentwurf, der gewaltsamen Umsturz der bestehenden Staatsordnung strafbar machen sollte; 1895 vom Reichstag abgelehnt.

eine begonnene Novelle: ›Walter Weiler‹.　　　　　　　　　　　33

allerlei Lyrik: u. a. ›Siehst du, Kind, ich liebe dich . . .‹ (1895). Die erhaltenen Gedichte aus den Jahren 1893–1895 in GW VIII.

etwa 28. 3. 1895　　　　　　　　　　　　　　　　　　　　　　33

der »Modernen Kunst« geschickt: Berliner literarisch-belletristische　35
Zeitschrift im Verlag Richard Bong.

Eugen Richter: 1838–1906; Führer der Deutschen Freisinnigen Par-　36
tei, seit 1893 der Freisinnigen Vereinigung. Mitglied des deutschen Reichtags und des preußischen Abgeordnetenhauses.

von Herrn Harden: Maximilian Harden (1861–1927). Berliner Essayist und Publizist, Herausgeber der politisch-literarischen Wochenschrift ›Die Zukunft‹.

der possierliche kleine Phraseur: Richard Zimmermann, Professor　37
am Katharineum.

lauter Senior Ramkes: Paul Emil Leopold Friedrich Ranke, Haupt-　39
pastor an St. Marien in Lübeck, mit der Familie Mann verfeindet.

3. 4. 1895　　　　　　　　　　　　　　　　　　　　　　　　39

einen gewissen »7ten Band«: Der Zusammenhang ist nicht mehr zu ermitteln.

12. 4. 1895　　　　　　　　　　　　　　　　　　　　　　　40

Dr. Bäthge: Ludwig Hermann Baethcke, Studienrat am Kathari-　41
neum. Unterrichtete Deutsch, Französisch und Latein.

Dr. Weiß: Max Weiß, Verfasser von: ›Die Vorurteile gegen die　42
Stenographie und ihre wirksamste Bekämpfung‹, Neustadt a. d. H. 1896.

dem Herrn, der sich untersteht, Mann zu heißen: Adolf Mann, ›Lehrbuch der Satzkürzung in der Gabelsbergerschen Kurzschrift nach einfachen Regeln und teilweise neuen Gesichtspunkten‹, Elberfeld 1893.

44 Anfang Mai 1895
    Alles Vergängliche: Goethe, Faust II, Chorus Mysticus am Schluß
    des 5. Aktes.
45 *Wie sich Verdienst und Glück:* Goethe, Faust II, 1. Akt, Kaiser-
    liche Pfalz – Saal des Thrones.

45 7. 5. 1895
    »*Walter Weiler*«: verschollenes Manuskript; erste Fassung der No-
    velle ›Der Bajazzo‹.
    seiner Mutter: Mia Holm, geb. v. Hedenström (1845–1912), Lyri-
    kerin.
    »*Mama*«: verschollene Jugenddichtung von T. M.

46 16./17. 5. 1895
49 *die Novellen meines Bruders:* ›Der Löwe‹ (›Moderne Kunst‹, Fe-
    bruar 1895), ›Irrthum‹ (›Moderne Kunst‹, Dezember 1894), ›Contes-
    sina‹ (erschien nicht in ›Moderne Kunst‹, sondern zusammen mit
    ›Das Wunderbare‹ – E: ›Pan‹, November 1896 – in Heinrich Manns
    Novellenband ›Das Wunderbare‹, München, Langen 1897).

50 Ende Mai 1895
    Die Novelle soll köstlich werden: möglicherweise eine Vorstufe
    zum späteren ›Luischen‹.
51 *kleinen Bruder:* Victor (Vicco) Mann (1890–1949). Verfasser von
    ›Wir waren fünf, Bildnis der Familie Mann‹, Konstanz 1949.

52 vermutlich Ende Mai 1895
53 *der alte Fontane:* Theodor Fontane (1819–1898), den T. M. zeit-
    lebens bewunderte, gehörte dem Redaktionsausschuß der Zeitschrift
    ›Pan‹ an. S. a. GW IX.
    Bei Reders Geburtstagsfeier: der Münchner Schriftsteller Heinrich
    Ritter von Reder (1824–1900).

54 18. 6. 1895
    irgendwo ein Mädchen: nicht ermittelt.
    den Brackenburg: In Goethes ›Egmont‹ Klärchens unglücklicher
    Liebhaber.

etwa 28. 6. 1895 56
Café Luitpold: Café in München, damals bekannter Literaten-
treffpunkt.
meiner begonnenen Novelle: Von einer Novelle mit dem Titel
›Piété sans la foi‹ ist nichts erhalten.

August 1895 59
die Heine'sche Illustration: Der Roman ›Les Demi-vierges‹ von
Marcel Prévost (1862–1941) erschien 1895 im Albert Langen Verlag unter dem Titel ›Halbe Unschuld‹ mit Illustrationen von Thomas Theodor Heine (1867–1948).
Mitarbeiter des »XX. Jahrhunderts«: ›Das 20. Jahrhundert‹, ge- 60
gründet im Oktober 1890 als »Deutsch-nationale Monatshefte
für soziales Leben, Politik, Wissenschaft, Kunst und Literatur«. Herausgeber ab Jahrgang 5: Heinrich Mann; 1896 eingestellt.
Panizza: Oskar Panizza (1853–1921), Erzähler und Dramatiker. Gehörte dem Kreis um ›Die Gesellschaft‹ an. T. M. rezensierte ›Das
Liebeskonzil‹. E. ›Das 20. Jahrhundert‹, Berlin, Jg. 5, H. 11, August
1895; GW XIII.
zwei Bücherbesprechungen: ›Ze Garten‹. Ein deutscher Sang am
Gardasee von Karl Habermann. E. ›Das 20. Jahrhundert‹, Berlin,
Jg. 6, H. 1, Oktober 1895. – ›Ostmarkklänge‹. Gedichte von Theodor Hutter. E. ›Das 20. Jahrhundert‹, Berlin, Jg. 6, H. 3, Dezember 1895. Beide GW XIII.

17. 1. 1896 60
»Im Mondlicht«, »Begegnung«, »Zur Psychologie des Leidenden«: 61
verschollene Manuskripte.
»Der Wille zum Glück«: E. ›Simplicissimus‹, München, Jg. 1, Nr.
21–23, 22. 8./29. 8./5. 9. 1896; GW VIII.
O. E. Hartleben: Otto Erich Hartleben (1864–1905). Dramatiker,
Erzähler, Lyriker. Redakteur der Wochenschrift ›Simplicissimus‹, die
ab April 1896 im Verlag Albert Langen erschien.
Brandes: Georg Brandes (1842–1927), dänischer Essayist, Literar- 62
historiker und Kritiker. ›Die Literatur des 19. Jahrhunderts in ihren
Hauptströmungen dargestellt‹ (1872/90) hatte großen Einfluß auf
T. M.

63   2. 2. 1896
64   *Sven Lange:* 1868–1930; dänischer Schriftsteller; Freund und Mitarbeiter des Verlegers Albert Langen.
66   *Maupassants »Sollicitude«:* Guy de Maupassant (1850–1893), ›Solitude‹. Erstdruck in ›Le Gaulois‹, März 1884.
     Frau Sucher: Rosa Sucher (1849–1927), Sopranistin und gefeierte Wagner-Sängerin. Verheiratet mit dem Dirigenten Josef Sucher. Ihr Sohn Franz war ein Schulkamerad von T. M.
67   *eine Art ›Gil Blas‹:* gemeint ist die französische satirische Wochenschrift ›Le Gil Blas illustré‹, die seit 1892 erschien.

67   17. 2. 1896
     der einjährige Dienst: T. M. hatte das Gymnasium Ostern 1894 mit der Obersekundareife verlassen und war damit zum einjährigen freiwilligen Militärdienst berechtigt, den er noch abzuleisten hatte.
69   *Bourgets »Physiologie de l'amour moderne«:* Paul Bourget (1852 bis 1935), ›Physiologie de l'amour moderne. Fragments posthumes d'un ouvrage de Claude Larcher, recueillis et publiés par Paul Bourget, son exécuteur testamentaire‹ (1891).

70   Anfang März 1896
71   *Die jüngere Schwester:* Carla Mann (1881–1910), Schauspielerin.
     die Ältere: Julia Mann (1877–1927), heiratete 1900 den Direktor der Bayerischen Handelsbank, München, Dr. Joseph Löhr (1862 bis 1922).
     Bungert: August Bungert (1845–1915), Komponist in bewußter Wagner-Nachahmung.

71   19. 3. 1896
72   *Schleiermacher:* Friedrich Ernst Daniel Schleiermacher (1768–1834), Theologe und Philosoph.
     Fichte: Johann Gottlieb Fichte (1762–1814), Philosoph.
73   *und schließ ans Vaterland, ans teure . . .* »Ans Vaterland, ans teure, schließ dich an . . .«, aus: Schiller, ›Wilhelm Tell‹, 2. Akt, 1. Szene.
     die »Jugend«: Beginn 1896, Untertitel: »Münchner illustrierte Wochenschrift für Kunst und Leben«, im Verlag Georg Hirth. Nach dieser Zeitschrift ist die künstlerische Bewegung des Jugendstils benannt.

23. 5. 1896   74

psychopathischen Novelle: ›Der kleine Herr Friedemann‹. E. ›Neue   75
deutsche Rundschau‹, Berlin, Jg. 8, H. 5, Mai 1897; GW VIII.

längere Artikel: ›Tiroler Sagen‹. E. ›Das 20. Jahrhundert‹, Berlin,
Jg. 6, H. 9, Juni 1896. – ›Ein nationaler Dichter‹, E. ebenda. Beides GW XIII.

Willri Timpe: Schulkamerad von Otto Grautoff und T. M. Sohn
des Oberlehrers Timpe, bei dem T. M. zeitweilig in Pension war.

27. 9. 1896   76

gegenüber der »ganzen Geschichte«: Der Zusammenhang ist nicht
zu ermitteln.

dort geschäftlich zu tun: Die Zeitschrift ›Das 20. Jahrhundert‹ er-   77
schien ab 1896 in Zürich.

»Der Tod«: E. ›Simplicissimus‹, München, Jg. 1, Nr. 42, 16. 1.   78
1897; GW VIII.

8. 11. 1896   78

Fischer: Der Verleger S. Fischer (1859–1934). S. a. ›In memoriam S.   81
Fischer‹ und ›S. Fischer zum siebzigsten Geburtstag‹, beides GW X.

13. 1. 1897   83

mitten in einer mühseligen Novelle: ›Luischen‹.

Münchens Schwanthaler-Öde: Anspielung auf den Bildhauer Lud-   85
wig von Schwanthaler (1802–1848), der unter Ludwig I. zahlreiche
klassizistisch-romantische Standbilder von Fürsten und Künstlern
für München schuf.

22. 1. 1897   86

etwas von mir: ›Der Tod‹.

6. 4. 1897   87

»Der Bajazzo«: E. ›Neue deutsche Rundschau‹, Berlin, Jg. 8, H. 9,   89
September 1897; GW VIII.

im Maiheft der »Neuen Deutschen Rundschau«: Monatsschrift, begründet von S. Fischer im Januar 1890 als ›Freie Bühne für mo-
dernes Leben‹. Titel von 1894 bis 1903: ›Neue deutsche Rundschau
(Freie Bühne)‹, ab 1904 ›Die Neue Rundschau‹, seit 1963 ›Neue
Rundschau‹.

»Enttäuschung«: entstanden 1896. E. ›Der kleine Herr Friedemann‹, Novellen, Berlin, S. Fischer 1898 (= Collection Fischer Band 6); GW VIII.

90 *ein Novellenband »Das Wunderbare«:* ›Das Wunderbare und andere Novellen‹, München, Albert Langen 1897.

91 23. 4. 1897
Herrn Brüning: Oberlehrer Gevert Brüning, Englischlehrer von T. M. und Otto Grautoff am Katharineum.
Herrn Drege: Georg Heinrich Wilhelm Drege, Lehrer am Katharineum.

94 6. 6. 1897
95 *Im Hause meiner Großmutter:* Elisabeth Mann, geb. Marty (1811 bis 1890). Ihr Haus Mengstraße 4 wurde zum ›Buddenbrook-Haus‹.

95 21. 7. 1897
Fräulein Unflath: nicht ermittelt.
96 *einen mir bekannten Münchner Maler:* Baptist Scherer (1869–1910), T. M. vom Hause seiner Mutter her bekannt. Er entwarf den Umschlag für den Novellenband ›Der kleine Herr Friedemann‹.
97 *einer Novelle namens »Luischen«:* E. ›Die Gesellschaft‹, Leipzig, Jg. 16, Band 1, 1900; GW VIII.
»Tobias Mindernickel«: E. ›Neue deutsche Rundschau‹, Berlin, Jg. 9, H. 1, Januar 1898; GW VIII.
»Antilocho IX«: nicht geschrieben oder verschollen.
wir drei Herren: vermutlich T. M., Heinrich Mann und Graf Vitzthum.

98 20. 8. 1897
meine Notiz über ›Wagner in Rom‹: Schilderung eines Wagner-Konzertes auf der Piazza Colonna in Rom, später in ›Betrachtungen eines Unpolitischen‹, Kapitel ›Einkehr‹, eingearbeitet. S. a. GW XII.
99 *»Klein Eyolf«:* Drama (1894) von Henrik Ibsen (1828–1906).
100 *daß ich einen Roman vorbereite:* ›Buddenbrooks. Verfall einer Familie‹. 2 Bde., Berlin, S. Fischer 1901; GW I.

101 11. 12. 1897
noch ein neues Stück hinzugefügt: ›Tobias Mindernickel‹.

268

9. 5. 1898
»*Collection Fischer*«: Eine Reihe preiswerter Bändchen im Taschen-
format mit farbig illustrierten Umschlägen. Sie erschien ab 1897
und wurde nach dem zehnten Band 1899 wieder eingestellt.

14. 5. 1898
subtile Rache: Krafft Tesdorpf ist das Urbild des Stefan Kisten-
macher in ›Buddenbrooks‹.
Herrn Stolterfoht: Die Stolterfohts waren eine bekannte Lübecker 104
Kaufmanns- und Gutsbesitzersfamilie, mit den Manns durch Maria
da Silva Bruhns, die ältere Schwester von T. M.'s Mutter, verwandt,
die Heinrich Nikolaus Stolterfoht heiratete.
Knut Hamsun's »*Mysterien*«: erschien 1894 als erstes Buch des
neugegründeten Verlags Albert Langen.

25. 10. 1898
wieder ein Novellenband: Der Band kam nicht zustande. 105
Platen: T. M. zitiert hier aus vier Gedichten von August Graf von 106
Platen-Hallermünde (1796–1835).

22. 12. 1898
Herr Ernst Hardt: 1876–1947, Dramatiker und Erzähler.
»*Blätter für die Kunst*«: Die im Oktober 1892 von Stefan George
begründete Zeitschrift erschien in zwölf ›Folgen‹. Zunächst auf
einen engen Subskribentenkreis beschränkt. Mit ›Volksausgabe‹
sind vermutlich die später (1899, 1904, 1909) erschienenen drei
Bände ›Auslese‹ gemeint.
wieder einmal eine Novelle von mir: ›Der Kleiderschrank‹. E. ›Neue
deutsche Rundschau‹, Berlin, Jg. 10, H. 6, Juni 1899; GW VIII.
Dr. Bie: Oscar Bie (1864–1938), Kunst- und Musikschriftsteller, 109
Kritiker. Von 1894 bis 1921 Redakteur der ›Neuen Rundschau‹.

11. 7. 1900
»*Kunstwart*«: Halbmonatsschrift, gegründet 1887. Herausgeber:
Ferdinand Avenarius (1856–1923).
Grimm: Emil Grimm, Redakteur bei den ›Münchner Neuesten
Nachrichten‹.
Max Mal: Redakteur bei den ›Münchner Neuesten Nachrichten‹.
doch noch »*Redakteur*«: T. M. blieb bis zum Oktober 1900 Re-

dakteur des ›Simplicissimus‹ und Lektor des Albert Langen Verlages.
meines Schwagers: Dr. Joseph Löhr.

111 13. 8. 1900
112 *Bricht mein Blick:* Wagner, ›Tristan und Isolde‹, 2. Akt, 2. Szene.

114 2. 9. 1900
Martens: Kurt Martens (1870–1945), Schriftsteller, Feuilletonredakteur der ›Münchner Neuesten Nachrichten‹; zwischen 1900 und 1905 guter Freund von T. M.
Holitscher: Arthur Holitscher (1869–1941), Schriftsteller. In der Zeit 1898–1903 guter Bekannter von T. M. Modell des Detlev Spinell in der Novelle ›Tristan‹. S. a. Katia Mann, a.a.O.
»Über unsere Kraft«: Drama von Björnstjerne Björnson (1832 bis 1910). Deutsche Fassung 1886.
einen Roman der eigensten Art: Fritz Geron Pernauhm, ›Ercole Tomei‹, Roman (Berlin 1900).

115 *Schramm-Stunden:* Johann Carl Schramm war Turnlehrer am Lübecker Katharineum.

122 9. 9. 1900
Hirth: Georg Hirth (1841–1916), Verleger, übernahm 1881 die ›Münchner Neuesten Nachrichten‹. Gründete 1896 die Zeitschrift ›Jugend‹.
123 *Gumpenberg:* Hanns Freiherr von Gumppenberg (1866–1928), Schriftsteller. Mitglied des Kabaretts ›Die elf Scharfrichter‹. Äußerte sich als Kritiker an den ›Münchner Neuesten Nachrichten‹ mehrfach abfällig über T. M.
v. Scholz: vermutlich der Lyriker, Dramatiker und Erzähler Wilhelm von Scholz (1874–1969).
Graf Kayserling: Der in München lebende baltische Erzähler Eduard Graf Keyserling (1855–1918).

123 22. 9. 1900
Mühlstraße: vermutlich Möhlstraße; Zusammenhang nicht zu ermitteln.
124 *Wiener Rundschau:* Halbmonatsschrift mit dem Untertitel »Zeitschrift für Kultur und Kunst«. Gegründet 1896; 1901 eingestellt.

270

Hofrath May: Richard May (1863–1936), Münchner Arzt, ab
1911 Ordinarius für innere Medizin und Geschichte der Medizin
an der Universität München. Damals Hausarzt von Frau Senator
Mann.

»Rosenmontag«: ›Eine Offiziers-Tragödie‹ (1900) von Otto Erich
Hartleben.

Paul Ehrenberg: 1878–1949, Maler. Engster Freund T. M.'s in den   128
Jahren 1899–1905.

»König von Florenz«: Ursprünglich geplanter Titel für ›Fiorenza‹.

Eine, wohl die nächstliegende: ›Tristan‹.

»was der Tag mir zuträgt«: Prosaband von Peter Altenberg (1859   129
bis 1919).

das von dem »Lumpen«: Tesdorpf hatte im Beisein von Tante Elisabeth, aber nicht zu ihr, sondern Grautoff gegenüber, T. M. als
einen ›Lumpen‹ bezeichnet.

Tante Elisabeth: Elisabeth Haag, geb. Mann (1838–1917), ältere
Schwester von T. M.'s Vater, Urbild der Tony Buddenbrook.

Herr Lind: Emil Lind (1872–1948), Schauspieler.

artigen Aufsatz: ›Die Ex-libris-Sammlung des Grafen zu Leunin-
gen-Westerburg in Neupasing bei München‹, in ›Börsenblatt für
den deutschen Buchhandel‹, Leipzig, Jg. 68/1901.

Junghans: nicht ermittelt.

Carl: Carl Ehrenberg (1878–1962), Musiker, jüngerer Bruder von
Paul Ehrenberg. Seit 1898 Theaterkapellmeister in München.

Café L.: Café Luitpold.   134

bei meiner Schwester: Julia Löhr.

zwei Seiten mit ganz hübschem Dialog: vermutlich ›Fiorenza‹.

die Widmung!: T. M. hatte den Novellenband Paul Ehrenberg wid-   135
men wollen.

136 6. 11. 1901

137 *wie einst meinen düsteren Helden:* Girolamo Savonarola (1452 bis
1498), Hauptfigur in ›Fiorenza‹.
»*Fiorenza*«: E. ›Neue deutsche Rundschau‹, Berlin, Jg. 16, H. 7–8,
Juli und August 1905; GW VIII.
Villa Medici in Careggi: Ort der Handlung von ›Fiorenza‹.

138 *Giovanni Pico von Mirandola:* Giovanni Pico della Mirandola,
italienischer Humanist (1463–1494). Figur in ›Fiorenza‹.
zwei neue Novellen: ›Gladius Dei‹, E. ›Die Zeit‹, Wien, 12. und
19. Juli 1902; GW VIII. ›Tristan‹. E. ›Tristan, Sechs Novellen‹.
Berlin, S. Fischer 1903.
Schüler: Karl Schüler, Inhaber der Münchner Buchhandlung Acker-
manns Nachfolger, Maximilianstraße.
»*Münchener*«: ›Münchner Neueste Nachrichten‹.
O. J. Bierbaum: Otto Julius Bierbaum (1865–1910), Journalist, Kritiker und Schriftsteller; Herausgeber des ›Modernen Musenalma-
nachs‹. 1894 Mitgründer des ›Pan‹. Später Mitherausgeber der
›Insel‹.
im Litterarischen Echo: ›Das Literarische Echo‹. Gegründet Oktober
1898 als »Halbmonatsschrift für Literaturfreunde« im Verlag
F. Fontane u. Co., Berlin.

139 26. 11. 1901
die ›Neuesten‹: ›Münchner Neueste Nachrichten‹.
Aufsatz über mich: ›Der Roman einer Familie‹, in ›Das literarische
Echo‹, Berlin, Jg. 4, H. 6, Dezember 1901.
Büsching: nicht ermittelt.
Im Lootsen: ›Der Lotse‹. Hamburger Zeitschrift. Grautoff besprach
›Buddenbrooks‹ in: ›Der Lotse‹ 2, 1902.

AN IDA BOY-ED

143 14. 12. 1903
Natalia Kulenkamp: geb. Mannhardt, aus angesehener Lübecker Familie, Schulfreundin von T. M.'s Schwester Julia, mit allen Geschwistern Mann gut befreundet. Sie hatte eine in München ver-
heiratete Schwester und kam oft dorthin.

272

Hermione von Preuschen: 1854–1918, Malerin und Schriftstellerin.

Ihr Vorschlag: Ida Boy-Ed wollte anregen, daß T. M. von der Lübecker Literarischen Gesellschaft ›Lübecker Leseabend von 1890‹ zu einer Lesung eingeladen würde.

Königsberger Litter. Gesellschaft: Lesung Ende Oktober aus ›Tonio Kröger‹; E. ›Neue deutsche Rundschau‹, Berlin, Jg. 14, H. 2, Februar 1903. GW VIII.   144

meine Schwester in Düsseldorf: Carla Mann war vom Oktober 1903 bis Juni 1904 am Stadttheater Düsseldorf engagiert.

Emanuel Fehling: Aus der Lübecker Honoratiorenfamilie Fehling, die in ›Buddenbrooks‹ unter dem Namen Hagenström vorkommt. Sohn des späteren Bürgermeisters Ferdinand Fehling und älterer Bruder des Regisseurs Jürgen Fehling.

Dr. Benda: Emanuel Benda, Lübecker Schriftsteller und Journalist.

22. 2. 1904   145

Ihrer Novelle: ›Die Pistole‹, in: ›Die große Stimme, Novellen‹, Stuttgart, 2. Aufl. 1903.

Ihre Künstlergeschichten: vermutlich ›Malergeschichten‹ (1892).

Mitterbad: Kurort im Ultental bei Meran, wo der mit Heinrich und Thomas Mann befreundete Dr. von Hartungen in den Sommermonaten Kurarzt war und eine Villa besaß. Während des übrigen Jahres leitete Dr. von Hartungen sein eigenes Sanatorium in Riva am Gardasee, das T. M. mehrfach zur Kur aufsuchte.   146

Diederich: nicht ermittelt.

19. 8. 1904   147

Frau Doktor Prieß: nicht ermittelt.

einem Herrn Bade: nicht ermittelt.

in Stadt Hamburg: Hotel Stadt Hamburg in Lübeck. Auf seiner Reise nach Dänemark im Herbst 1899 stieg T. M. im Hotel Stadt Hamburg ab und geriet vorübergehend in Verdacht, ein aus München entwichener Hochstapler zu sein, da er sich nicht ausweisen konnte. Die Episode ist in ›Tonio Kröger‹ geschildert.   148

nicht bei den beiden Löwen: gemeint sind die beiden schwarzen steinernen Löwen, die beiderseits des Hoteleingangs hockten und einander anblickten, »als wollten sie niesen«.

In Göttingen: Vorlesung in der Göttinger Literarischen Gesellschaft am 24. 7. 1904.   149

Jürgen Fehling: 1885–1968; damals Schauspieler in Göttingen, später neben Leopold Jeßner einer der bedeutendsten Regisseure des Expressionismus.

sein Vater: Emil Ferdinand Fehling.

Onkel Hermann: Hermann Fehling.

150 *Hoffmannsthals »Elektra«:* Hugo von Hofmannsthal (1874–1929), ›Elektra‹, Drama (1903). S. a. ›In memoriam Hugo von Hofmannsthal‹, GW X.

151 *»Herzogin von Assy«:* Heinrich Manns dreiteiliger Roman ›Die Göttinnen oder Die drei Romane der Herzogin von Assy‹ (München, Langen 1903).

151 **28. 8. 1904**
Weininger: Otto Weininger (1880–1903), ›Geschlecht und Charakter‹, Leipzig 1903.

153 **7. 10. 1904**
Katja Pringsheim: wurde geboren am 24. Juli 1883 als jüngstes Kind von Alfred Pringsheim (1850–1941), Ordinarius für Mathematik an der Universität München, und Hedwig Pringsheim, geb. Dohm (1855–1942). Ihre Verlobung mit T. M. fand am 3. Oktober 1904 statt, die Hochzeit am 11. Februar des folgenden Jahres. 1974 erschienen ›Meine ungeschriebenen Memoiren‹.

154 *einem dramatischen Gedicht:* ›Fiorenza‹.

154 **16. 11. 1904**
der »Gemeinnützigen Gesellschaft«: ›Gesellschaft zur Beförderung gemeinnütziger Tätigkeit‹, kurz ›die Gemeinnützige‹ genannt; Lübecker Bürgervereinigung, gegründet 1789 zur Förderung kultureller und sozialer Bestrebungen. Ihr Organ waren die ›Lübeckischen Blätter‹, in denen Ida Boy-Ed mehrfach über T. M. schrieb.

155 **10. 12. 1904**
General-Anzeiger: Anonyme Besprechung der Lesung T. M.'s im Lübecker General-Anzeiger. T. M. hatte am 2. 12. 1904 in der ›Literarischen Gesellschaft‹ aus ›Fiorenza‹ und ›Das Wunderkind‹ gelesen.

Harden: Maximilian Harden, Herausgeber der ›Zukunft‹. Siehe Anmerkung zum Brief an Otto Grautoff vom 28. 3. 1895.

Ihre Novellen: ›Die große Stimme‹.
Ihrem Herrn Sohn: Emil Boy-Ed.

156
3. 9. 1905
Verwandten meiner Frau: Hermann Rosenberg, Direktor der Berliner Handelsgesellschaft, und Else Rosenberg, geb. Dohm, Schwester von Hedwig Pringsheim und Tante von Katia Mann. S. a. Katia Mann, a.a.O.
eine Prinzengeschichte: ›Königliche Hoheit‹. Roman. Erstausgabe 157 Berlin, S. Fischer 1909; GW II.
Novelle, die in Berlin W spielt: ›Wälsungenblut‹. Sollte im Januar 1906 in der ›Neuen Rundschau‹ erscheinen, wurde von T. M. jedoch wieder zurückgezogen. Erst 1921 als Privatdruck mit Steindrucken von Th. Th. Heine im Phantasus-Verlag, München, erschienen. GW VIII.
ein Roman: ›Die Geliebten‹, später in ›Maja‹ umbenannt, ein Münchner Gesellschaftsroman, der über umfangreiche Vorarbeiten nicht hinausgelangte.

157
11. 11. 1905
die Geburt eines . . . kleinen Mädchens: Erika Julia Hedwig Mann (1905–1969) wurde am 9. November 1905 geboren.

158
27. 2. 1906
Sie in der Wüste gesehen: Ida Boy-Ed verbrachte die Wintermonate 159 häufig in Ägypten und unternahm Ausflüge in die Umgebung von Kairo.
in der »Woche«: Die illustrierte Zeitschrift ›Die Woche‹, Berlin.
mein Artikel: ›Bilse und ich‹, ›Münchner Neueste Nachrichten‹, 15./16. 2. 1906. GW X.
Ein Münchner Verlag: Der Aufsatz erschien bei E. W. Bonsels mit einem Vorwort, datiert »München, am 50. Todestage Heinrich Heines« (17. 2. 1906).

160
5. 4. 1908
kürzlich etwas geschrieben: ›Versuch über das Theater‹, in ›Nord und Süd‹, Jg. 32, H. 370 und 371, Januar und Februar 1908; GW X. Antwort auf die Rundfrage ›Die kulturellen Werte des Theaters‹.

161 11. 9. 1908
meinen Roman: ›Königliche Hoheit‹.
die »selige Insel«: Ida Boy-Ed, ›Die selige Insel, Novelle‹. Erscheinungsort und Jahr nicht ermittelt.

161 15. 3. 1909
meine Erstlinge: Erweiterte Neuausgabe von T. M.'s erstem Novellenband ›Der kleine Herr Friedemann‹ (1898) unter dem Titel ›Der kleine Herr Friedemann und andere Novellen‹, in Fischers Bibliothek zeitgenössischer Romane, Berlin 1909.
162 *meine neue Arbeit:* ›Königliche Hoheit‹.

162 19. 3. 1909
des Buches: ›Königliche Hoheit‹, Vorabdruck in der ›Neuen Rundschau‹, Berlin, Jg. 20, H. 1–9, Januar bis September 1909. Besprechung von Ida Boy-Ed: ›Königliche Hoheit‹, in ›Hamburger Nachrichten‹, Nr. 42 (Sonntagsbeilage), September 1909.
163 *in den Lübeckischen Blättern:* Ida Boy-Ed, ›Königliche Hoheit‹, in ›Lübeckische Blätter‹, 19. September 1909.
Journal des Débats: gemäßigt-liberale Pariser Tageszeitung, gegründet 1789, bestand bis 1944.
Ihren Geschichten aus der Hansestadt: ›Die Geschichten aus der Hansestadt‹, Leipzig 1909.
meinen drolligen Kindern: Erika Mann und ihr Bruder Klaus (1906 bis 1949).

164 7. 4. 1909
Ihre schöne Gabe: ›Die Geschichten aus der Hansestadt‹.
zweiten Söhnchen: Angelus Gottfried Thomas (Golo) Mann wurde am 27. 3. 1909 geboren.
den »Selbstmörder«: Eine der Novellen aus ›Die Geschichten aus der Hansestadt‹.

165 25. 9. 1909
Ihre Studie über mein Buch: Die Besprechung von ›Königliche Hoheit‹ in den ›Lübeckischen Blättern‹.
Samuel Spölmann ... Gräfin ... Imma ... Löwenjoul ... Klaus Heinrich: Personen in ›Königliche Hoheit‹.

Harriman: Edward Henry Harriman (1848–1909), amerikanischer Eisenbahnmagnat und Börsenmakler.

funkel-hagel-neuen Dach: das ›Landhaus Thomas Mann‹ in Bad   167
Tölz war im Sommer 1909 bezugsfertig geworden.

mit einer diffizilen Abhandlung: der großangelegte Essay über »Geist und Kunst«, der schließlich in den Vorarbeiten steckenblieb. T. M. veröffentlichte 1913 zwei Bruchstücke daraus unter den Titeln ›Der Literat‹ (›März‹, München, H. 1, 4. 1. 1913) und ›Der Künstler und der Literat‹ (›März‹, München, H. 2, 11. 1. 1913); GW X.

5. 10. 1909   168

Geibel-Tradition: Anspielung auf den in Lübeck geborenen und gestorbenen Dichter Emanuel Geibel (1815–1884).

28. 6. 1910   169

Ihre schöne wertvolle Gabe: ›Ein königlicher Kaufmann‹, Roman, Stuttgart 1910.

der »hanseatische Roman«: ›Buddenbrooks‹.

»Soll und Haben«: Roman (1855) von Gustav Freytag (1816 bis   170
1895).

einem Töchterchen: Monika Mann, geb. am 7. 6. 1910.

Memoiren eines Hochstaplers: ›Bekenntnisse des Hochstaplers Felix Krull‹.

Reinhardt-Premiere im Künstlertheater: Max Reinhardt (1873 bis 1943) leitete von 1909 bis 1911 die jährlichen Festspiele des Künstlertheaters auf der Theresienhöhe in München.

2. 12. 1911   171

Ihr Buch: ›Hardy von Arnbergers Leidensgang‹, Roman, Stuttgart 1911.

das beifolgende kleine Buch: Adalbert von Chamisso, ›Peter Schlemihls wundersame Geschichte‹. Einleitung von T. M. Berlin, S. Fischer 1911 (Pantheon-Ausgabe); GW IX.

neuen Roman: ›Bekenntnisse des Hochstaplers Felix Krull‹. Bruchstück aus einem Roman. Vorabdruck des Kapitels 5 aus dem I. Buch in: ›Das XXV. Jahr. Almanach des S. Fischer Verlages‹, Berlin 1911.

einer großen Novelle: ›Der Tod in Venedig‹. E. ›Die Neue Rundschau‹, Berlin, Jg. 23, H. 10/11, Oktober/November 1912; GW VIII.

172 24. 3. 1913
173 *Fritz Behn:* 1878–1970, Bildhauer aus Lübecker Honoratioren-
     familie, lebte in München, in seiner Vaterstadt nicht anerkannt.
     T. M. plädierte für einen Auftrag an ihn in seinem Artikel ›Für
     Fritz Behn‹, ›Lübecker Nachrichten‹, Nr. 85, 12. 4. 1913; GW XI.
     die Eisenbahn-Zeitung: Lübecker Tageszeitung, von Ida Boy-Eds
     Vater gegründet.
     bauen wir vor der Stadt: Poschingerstraße 1 in München-Bogen-
     hausen. Das Haus wurde im Januar 1914 bezogen.

174 4. 11. 1913
175 *Streich meines Onkels:* Zeitungsanzeige von Friedrich Mann in den
     ›Lübecker Anzeigen‹ vom 30. Oktober 1913, in der er sich von
     seinem Neffen und ›Buddenbrooks‹ distanziert.
     der Münchner Professor: nicht ermittelt.
     etwas aus Davos: ›Der Zauberberg‹, ursprünglich als Novelle ge-
     plant. Erstausgabe Berlin, S. Fischer 1924; GW III.
176 *»Charlotte«:* ›Charlotte von Kalb. Eine psychologische Studie‹, Jena
     1912.

176 11. 11. 1913
     habe die Rassenmischung verherrlicht: T. M.'s Aufsatz ›Die Lösung
     der Judenfrage‹, in ›Münchner Neueste Nachrichten‹, 14. 9. 1907;
     GW XIII.

177 14. 11. 1913
     wo ich vorlas: Lesung am 12. und 13. November 1913 in der
     ›Freien Bühne‹, Stuttgart, aus ›Königliche Hoheit‹, ›Bekenntnisse
     des Hochstaplers Felix Krull‹ und Novellen.

177 31. 1. 1914
178 *drei Vortragsfahrten:* nach Stuttgart, Basel und Budapest.
     an den Lübecker Vorsitzenden: der Lübecker Literarischen Gesell-
     schaft.

179 14. 6. 1916
     meinen »Friedrich«: ›Friedrich und die große Koalition. Ein Ab-
     riß für den Tag und die Stunde‹. E. ›Der Neue Merkur‹, München,
     1. Jg., H. 10/11, Januar/Februar 1915; GW X.

Hedwig Dohm: 1833–1919; Frauenrechtlerin, Schriftstellerin.

6. 7. 1916   180
daß dies Buch so gewürdigt wird: vermutlich ›Charlotte von Kalb.
Eine psychologische Studie‹.
»Betrachtungen eines Unpolitischen«: begonnen 1915, beendet erst
im Frühjahr 1918.

11. 12. 1916   180
den Fall Walter-München: Der Dirigent Bruno Walter war in München mit der Musikkritik in Konflikt geraten; T. M. trat mit seinem Artikel ›Musik in München‹ (›Der Tag‹, Berlin, Nr. 16 und
17, 20. und 21. Januar 1917; GW XI) für ihn ein.

22. 12. 1916   181
Ihr schönes . . . Buch: ›Die Opferschale‹, Roman, Berlin 1916, oder
auch ›Aller Haß und Liebe‹, Erzählungen, Berlin 1916.
Mr. Wilson is going . . .: Thomas Woodrow Wilson (1856–1924),
27. Präsident der Vereinigten Staaten (1913–1921).

15. 2. 1917   181
Walters: Bruno Walter (1876–1962) und seine Frau Elsa Korneck.
S. a. ›An Bruno Walter zum siebzigsten Geburtstag‹, ›Für Bruno
Walter‹, beides GW X, und ›Die Sendung der Musik. Zum fünf-
zigsten Dirigenten-Jubiläum von Bruno Walter‹, GW XIII.
den Aufsatz: ›Musik in München‹.
Ostern in Stockholm: Die Reise kam nicht zustande.   182
Fehling: Emil Ferdinand Fehling. Siehe Anmerkung zum Brief
an Ida Boy-Ed vom 14. 12. 1903.
Burghaus: Wohnung von Ida Boy-Ed im Lübecker Burgtor.

24. 2. 1917   183
mit dieser Veranstaltung: Heinrich Manns Schauspiel ›Madame
Legros‹ wurde am 19. 2. 1917 gleichzeitig in den Münchner und den
Lübecker Kammerspielen uraufgeführt.

11. 3. 1917   183
Almanach-Studie: nicht ermittelt.

Legros-Artikel: Scharf gegen Heinrich Mann gerichteter polemischer Artikel von Ida Boy-Ed, ›Noch einmal Madame Legros‹, in den ›Lübeckischen Blättern‹.

Wolf: Wolffs Telegraphen-Bureau (WTB), die amtliche deutsche Nachrichtenagentur.

184 *der bon juge Maier:* Oberlandesgerichtsrat Wilhelm Meyer.

Feinhals, Reinhardt, Proppe, Fladung, Schützendorf: Sänger an der Münchner Oper: Fritz Feinhals (1869–1940), Delia Reinhardt (1892 bis 1974), Irene von Fladung (1879–1965), Gustav Schützendorf (1883–1937).

des . . . Bekenntnisbuches: ›Einkehr‹. Vorabdruck aus ›Betrachtungen eines Unpolitischen‹, in ›Die Neue Rundschau‹, Berlin, Jg. 28, H. 3, März 1917.

185 28. 4. 1917
Landerwerbung: Ida Boy-Ed kaufte ein Landhaus in Malente am Kellersee in Schleswig-Holstein.

186 *Hochwohl-Artikel:* nicht ermittelt.

meiner Rundschau-Veröffentlichung: ›Einkehr‹.

Don Juan: Das Zitat stammt aus Canto XII der Versdichtung von Byron (1788–1824).

187 *Professor W. Helpach:* Besprechung der Biographie ›Charlotte von Kalb‹ durch Willy Hellpach, in ›Der Tag‹, April 1917.

188 20. 11. 1917
Errettung Ihres Sohnes: Ida Boy-Eds dritter Sohn Emil war Marineoffizier. Sein Torpedoboot war auf eine Mine gelaufen, er konnte aber gerettet werden.

das neue Werk meines Bruders: ›Die Armen‹, Roman von Heinrich Mann, Leipzig 1917. Besprechung: Karl Gustav Leverkühn, ›‹Die Armen› von Heinrich Mann‹, in ›Lübeckische Blätter‹ Jg. 59, Nr. 46, 18. 11. 1917.

189 *meine Schreiberei:* ›Palestrina‹, Vorabdruck aus ›Betrachtungen eines Unpolitischen‹, in ›Die Neue Rundschau‹, Berlin, Jg. 28, H. 10, Oktober 1917.

189 21. 1. 1918
in den jüngst vergangenen Tagen: T. M. hatte am 17. Januar in Lübeck auf einer Wohltätigkeitsveranstaltung im Stadttheater zu-

gunsten der Verwundeten des Krieges gelesen und bei Ida Boy-Ed gewohnt.

Vorwort für die Betrachtungen: ›Betrachtungen eines Unpoliti- 190 schen‹.

R. Strauss: Richard Strauss (1864–1949).

12. 2. 1918 190

Der Bericht: Conrad Neckels, ›Thomas Manns Vorlesung aus eigenen Werken‹, ›Lübecker Anzeigen‹ Nr. 31, 19. 1. 1918.

Magnifizenz: Anrede für den regierenden Bürgermeister in Hansestädten. Gemeint ist Emil Ferdinand Fehling, 1917–1920 Lübecker Bürgermeister.

Doktor Reisch: nicht ermittelt. 191

19. 3. 1918 191

Jungs Vorträge: Fritz Jung, ›Vorträge über Thomas Mann‹.

mit einem Bekannten: vermutlich Kurt Martens.

»Rose vom Liebesgarten«: Oper (1901) von Hans Pfitzner (1869 bis 1949).

Erb: Karl Erb (1877–1958), lyrischer Tenor, zeitweise in Lübeck, 192 später in München engagiert.

Plessing: aus bekannter Lübecker Familie.

6. 4. 1918 192

Ihrem Aufsatz: Unter anderen über Bruno Walter und Clemens Freiherrn von Franckenstein.

Frankenstein: Clemens Freiherr von Franckenstein (1875–1942), Komponist, seit 1912 Intendant der Münchner Oper.

Lilli Dieckmann: geb. Distel (1882–1958), mit T. M.'s Schulfreund Reinhart Dieckmann verheiratet; ihre Schwester war die Dresdner Opernsängerin Hilde Distel (1880–1917), mit T. M. seit Jugendtagen befreundet.

das Lichnowski'sche Manuskript: Karl Max Fürst von Lichnowsky 193 (1860–1928), 1912–1914 deutscher Botschafter in London. ›Meine Mission 1912–1914‹, eine an das Auswärtige Amt gerichtete Denkschrift, zirkulierte unter der Hand und wurde gegen seinen Willen 1918 gedruckt.

Grey: Edward Viscount Grey of Fallodon (1862–1933), britischer Außenminister von 1905 bis 1916.

193 27. 4. 1918
einem prächtigen Töchterchen: Elisabeth Veronika Mann, geboren am 24. April 1918.

Geheimrat Döderlein: Geheimrat Professor Albert Döderlein (1860 bis 1941).

Mein Manuskript: ›Betrachtungen eines Unpolitischen‹.

Brandstätter: Druckerei in Leipzig.

»Herr und Hund«: Ein Idyll. Erstausgabe München 1919. Buchschmuck von Emil Preetorius. Einmalige Vorzugsausgabe zugunsten bedürftiger Schriftsteller. GW VIII.

194 13. 8. 1918
Das »Buch«: ›Betrachtungen eines Unpolitischen‹.

Preetorius: Emil Preetorius (1883–1973), Illustrator, Bühnenbildner, Kunstsammler, Schriftsteller. Seit 1953 Präsident der Bayerischen Akademie der Schönen Künste in München. Mit T. M. seit 1907 befreundet.

des Schutzverbandes Deutscher Schriftsteller: Berufsorganisation deutscher Autoren, deren Vorstand in Bayern T. M. angehörte.

Velhagen und Klasing: ›Velhagen und Klasings Monatshefte‹, beliebte deutsche Familienzeitschrift.

195 17. 10. 1918
Ihren Aufsatz: nicht ermittelt.

196 23. 10. 1918
197 *den Aufsatz*: ›Thomas Manns ‹Betrachtungen eines Unpolitischen›‹, in ›Lübeckische Blätter‹, Jg. 16, Nr. 42, 20. 10. 1918.

198 *die Briefe von Villers*: Alexander von Villers, ›Briefe eines Unbekannten‹, hrsg. von Rudolf Graf Hoyos, 1881.

199 6. 11. 1918
»Nachtrag«: Ida Boy-Ed, ›Nachtrag‹ [zur Besprechung der ›Betrachtungen‹], ›Lübeckische Blätter‹, Jg. 16, Nr. 44, 3. 11. 1918.

199 1. 2. 1919
200 *Artikel über den Sinn der Revolution*: nicht ermittelt; vermutlich nicht geschrieben.

über die Gefahren des wirtschaftlichen Niederbruchs: nicht ermittelt.

zugunsten unserer Kriegsgefangenen in Frankreich: ›Unsere Kriegsgefangenen‹, ›Frankfurter Zeitung‹, Nr. 93, 4. 2. 1919.

10. 2. 1919   200
Die Nachricht: Tod und Begräbnis des Lübecker Senators Possehl.
Er war das Vorbild für ›Der königliche Kaufmann‹ von Ida Boy-Ed
gewesen.

13. 2. 1919   201
Kurt von Wolff: der Komponist und Dirigent Kurt von Wolfurt,
eigtl. Baron Wolff (1880–1957).
von Schrekers »Gezeichneten«: ›Die Gezeichneten‹, Oper (1918) von
Franz Schreker (1878–1934).

21. 2. 1919   202
Tag-Aufsatz: nicht feststellbar.
Eisner: Kurt Eisner (1867–1919), bayerischer Sozialistenführer, Mi-
nisterpräsident der im November 1918 in München ausgerufenen
Republik.
stupiden jungen Grafen: Anton Graf von Arco auf Valley (1897
bis 1945).
Auer: Erhard Auer (1874–1945), sozialdemokratisches Mitglied des
Bayerischen Landtags, 1919 Mitglied des Reichstags. Bayerischer
Innenminister, beim Attentat im Landtag am 21. 2. 1919 schwer
verwundet.

26. 4. 1919   202
die historische Amtstracht der Senatoren: wurde für die Gestalt des
Großvaters von Hans Castorp im ›Zauberberg‹ gebraucht; vgl. Brief
vom 25. 5. 1919.

11. 5. 1919   203
einem Knäbchen: Michael Thomas Mann, geboren am 21. April
1919.
»Die Nacht scheint tiefer tief herein zu dringen...«: Goethe,   204
Faust II, 5. Akt, Palast – Mitternacht.
das giftige alte Mannsbild: Anspielung auf den französischen Mi-
nisterpräsidenten Georges Clemenceau (1841–1929).

204 25. 5. 1919
   Besprechung von Strecker: Karl Strecker (1862–1933), ›Thomas
   Manns Betrachtungen eines Unpolitischen‹, ›Velhagen und Klasings Monatshefte‹ Nr. 33, April 1919.
205 *nachträglichen Pfitzner-Feier:* Der 50. Geburtstag von Hans Pfitzner
   wurde am 16. Juni gefeiert. Ansprache von T. M.: ›Tischrede auf
   Pfitzner‹, E. ›Süddeutsche Monatshefte‹, München, Jg. 17, H. 1, Oktober 1919; GW X.

205 13. 9. 1919
   die Blätter: nicht ermittelt.
206 *den »Nietzsche« meines Freundes Ernst Bertram:* Ernst Bertram
   (1884–1957), ›Nietzsche‹, Berlin, Bondi 1918.
   Spengler: Oswald Spengler (1880–1936), ›Der Untergang des
   Abendlandes‹, München 1919.

206 19. 12. 1919
   Der Aufsatz: nicht ermittelt.
207 *»Gesang vom Kindchen«:* Idylle. E. ›Der Neue Merkur‹, München, Jg. 3, H. 1–2, April–Mai 1919; GW VIII.

207 7. 7. 1920
   reizende Besprechung: Ida Boy-Ed, ›Zwei Idyllen von Thomas
   Mann‹, ›Lübeckische Blätter‹, 4. 7. 1920.

208 8. 9. 1920
   Ihre Novelle: ›Die Kommode‹, in ›Velhagen und Klasings Monatshefte‹, Jg. 35, H. 1, September 1920.

209 14. 1. 1921
   Ihre Nachrichten: Ida Boy-Ed litt an schweren Kreislaufstörungen.
   Die »Beschäftigung mit dem Schweren und Guten«: »Die Kunst
   beschäftigt sich mit dem Schweren und Guten«. Aus Goethes ›Ma-
   ximen und Reflexionen (Aus den Wahlverwandtschaften)‹.
   Ihrem Buch: ›Germaine von Staël‹.
   Litzmann: Professor Berthold Litzmann (1857–1926), Ordinarius
   für deutsche Literatur in Bonn; mit T. M. befreundet.
210 *»Thou comest in such a questionable shape . . .«:* William Shakespeare (1564–1616), ›Hamlet‹, 1. Akt, 4. Szene.

Artikel über russische Literatur: ›Zum Geleit‹, ›Süddeutsche Monatshefte‹, München, Jg. 18, H. 5, Februar 1921. Einleitung zum Februarheft der ›Süddeutschen Monatshefte‹, ›Meisterwerke der russischen Erzählungskunst‹. Jetzt als ›Russische Anthologie‹ in GW X.
die Schweizer Reise: Vorlesungsreise 17.–30. Januar 1921.
Nietzsche-Konzert: Zur Feier des 80. Geburtstags Friedrich Nietzsches am 15. Oktober 1924 siehe ›Vorspruch zu einer musikalischen Nietzsche-Feier‹, GW X.

28. 2. 1921   211
Vermählung Ihres Sohnes: Karl Boy-Ed war während des Ersten Weltkrieges Marineattaché in den Vereinigten Staaten gewesen. Seine Heirat mit Virginia Mackay-Smith war damals aus politischen Gründen verhindert worden und nun endlich zustande gekommen.
an meinem Roman: ›Der Zauberberg‹.
redigiere einen Essayband: ›Rede und Antwort‹. Gesammelte Abhandlungen und kleine Aufsätze. Erstausgabe Berlin, S. Fischer 1922.

14. 5. 1921   211
Doktor Kurt Martens: siehe Anmerkung zum Brief vom 2. 9. 1900 an Otto Grautoff.
Tochter: Herta Martens.

24. 5. 1921   212
Ihr Werk: ›Germaine von Staël‹, Stuttgart 1921.

26. 7. 1921   213
meinem Vortrag: ›Goethe und Tolstoi‹, gehalten anläßlich der Nor-   214
dischen Woche vom 2.–8. September in Lübeck. E. ›Die Neue Rundschau‹, Berlin, Jg. 48, H. 6, März 1922; GW IX.

11. 9. 1921   216
Der Vortrag gestern im Beethovensaal: ›Goethe und Tolstoi‹, am 10. September in Berlin.

216   13. 9. 1921
Edschmidts »Kean«: Schauspiel (1921) von Kasimir Edschmid (1890 bis 1966).
Bassermann: Albert Bassermann (1867–1952), Schauspieler.

217   26. 9. 1921
jener Vogeler: vermutlich Erich Vogeler, Feuilletonredakteur des ›Berliner Tageblatts‹.

217   3. 11. 1921
Geschenk Ihres Buches: ›Germaine von Staël‹.
diesjährige Schweizer Reise: 6.–12. November 1921 nach Zürich. Lesung im Lesezirkel Hottingen: Kapitel ›Das Thermometer‹ aus ›Der Zauberberg‹; in der Aula der Universität ›Goethe und Tolstoi‹.
218   *Ihrer »Charlotte von Stein«:* ›Das Martyrium der Charlotte von Stein. Versuch ihrer Rechtfertigung‹, Stuttgart 1920.

219   24. 1. 1922
Herrn Schulrat Wychgram: Jakob Wychgram, ›Rede und Antwort‹. ›Lübeckische Blätter‹, Jg. 64, Nr. 3, 15. 1. 1922.
Hofmiller: Josef Hofmiller (1872–1933), Essayist und Kritiker; Mitherausgeber der ›Süddeutschen Monatshefte‹.

219   5. 3. 1922
Franz Hoffmann: nicht ermittelt.
Wakenitzstraße: Wohnung von Hans Ewers und Frau.

220   9. 3. 1922
Dahms: nicht ermittelt.
nach Berlin zu einer Vorlesung: Im Theater am Kurfürstendamm und in der Sezession Lesung des Kapitels ›Analyse‹ aus ›Der Zauberberg‹ (19. und 20. März).

220   16. 7. 1922
die lebensfrischen Novellen: ›Brosamen‹, Dresden 1922.
221   *große Reise durch Rheinland und Holland:* Vortragsreise 10. Oktober bis 3. November 1922.
etwas mit Spanien anzuspinnen: Spanische Reise vom 19. April bis 23. Mai 1923. Vorträge: ›Goethe und Tolstoi‹ und ›Okkulte Er-

lebnisse‹ (E. ›Die Neue Rundschau‹, Berlin, Jg. 35, H. 3, März 1924; GW X) in den deutschen Schulen in Diego de León und Madrid.

las an der Universität: ›Goethe und Tolstoi‹.

die Bekanntschaft Onckens: Hermann Oncken (1869–1945), Historiker, 1907–1922 Professor in Heidelberg.

Alfred Weber: 1868–1958, Soziologe, seit 1907 Professor in Heidelberg.

Roman-Ungetüm: ›Der Zauberberg‹.

5. 11. 1922   222

mit Ihrer . . . Geschichte: nicht ermittelt.

jenes Berliner Vortrags: ›Von Deutscher Republik. Gerhart Hauptmann zum 60. Geburtstag‹. E. ›Die Neue Rundschau‹, Berlin, Jg. 33, H. 11, November 1922; GW XI.

Dr. Fritz Endres: Schriftsteller und Kritiker, T. M. aus München bekannt, damals Gymnasiallehrer in Lübeck.

Buddenbrook-Buchhandlung: im Hause Mengstraße 4 wurde eine Buchhandlung eröffnet, die sich aber nicht lange hielt.

5. 12. 1922   222

den Aufsatz: ›Von Deutscher Republik‹.

Wolff-Bureau: Wolffsches Telegraphenbüro.

seinen klugen Affen: Oswald Spengler.   224

7. 12. 1923   225

das Wiedersehen: Vortrag am 15. 12. im Johanneum in Lübeck, ›Okkulte Erlebnisse‹.

26. 12. 1923   225

deren Bericht: Walter Schwabe, ›‹Okkulte Erlebnisse›, Vortrag von Thomas Mann‹, in: ›Lübeckische Blätter‹ Nr. 51 vom 23. 12. 1923.

25. 5. 1924   226

London . . . Oxford: Reise über Holland nach England im Mai 1924.

Hauptmann und Frau: Gerhart Hauptmann (1862–1946) und seine Frau Margarete, geb. Marschalk. S. a. Katia Mann, a.a.O. T. M. über Gerhart Hauptmann siehe GW IX, X, XI.

226 21. 7. 1924
die Zeitungsnachricht: Verlobungsnachricht von Klaus Mann und Pamela Wedekind. Es war keine Kinderei, sondern durchaus ernst gemeint. – Tilly Wedekind: ›Dementi besagter Zeitungsnachricht‹, in: ›Münchner Neueste Nachrichten‹, Juli 1924.

227 *Schillings:* Max von Schillings (1868–1933), Komponist, Dirigent.

227 4. 12. 1924
228 *in Dresden gesprochen:* Vortragsreise vom 12. bis 26. November 1924.

228 27. 1. 1925
Ihr Aufsatz: Ida Boy-Eds umfangreiche Besprechung von ›Der Zauberberg‹ in ›Lübecker Anzeigen‹, 23. Januar 1925.
die unpersönliche Schrift: der Brief ist mit Schreibmaschine geschrieben.

229 8. 9. 1925
Himmighofen: nicht ermittelt.
Witkop: Philipp Witkop (1880–1942), Professor für neuere deutsche Literatur in Freiburg, mit T. M. seit 1905 befreundet.

230 19. 12. 1925
Ihr reiches Geschichtenbuch: ›Aus alten und neuen Tagen‹, Novellen, Stuttgart 1926.

231 3. 3. 1926
was für einen Vortrag . . . in Lübeck: ›Lübeck als geistige Lebensform‹, Festvortrag am 5. Juni zur 700-Jahr-Feier der Stadt Lübeck. E. Lübeck, Otto Quitzow 1926; GW XI.

231 12. 5. 1926
232 *den Zürcher Studenten . . . eine Vorlesung:* ›Unordnung und frühes Leid‹, Novelle. E. ›Die Neue Rundschau‹, Berlin, Jg. 36, H. 6, Juni 1925; GW VIII.

232 23. 5. 1926
Konsul Alfred Mann: Vetter von T. M.

288

Frau Alice Biermann: Kusine von T. M., Tochter seiner Tante Elisabeth Haag (geb. Mann).
Frau Marie Marty: eine entfernte Verwandte von T. M.'s großmütterlicher Familie.
Neumann: vermutlich der Schriftsteller Felix Neumann (1875 bis 1968), ein Lübecker Schulkamerad von T. M.   233

11. 6. 1926   233
in Hamburg: ›Lübeck als geistige Lebensform‹.
Frau Senator Vermehren: nicht ermittelt.

18. 6. 1926   235
die »Gartenlaube«: Illustrierte Familienzeitschrift (gegründet 1853 in Leipzig).

22. 6. 1926   235
Quitzow: Otto Quitzow, Verleger und Buchhändler in Lübeck.

9. 10. 1926   237
der pädagogischen Provinz Salem: die von Kurt Hahn (1886–1974) gegründete Internatsschule Schloß Salem am Bodensee, die Golo Mann besuchte.
mein Pariser Reisebüchlein: ›Pariser Rechenschaft‹, Erstausgabe   238
Berlin, S. Fischer 1926; GW XI.
Bemerkung in V. und Kl. Monatsheften: Karl Strecker, ›Der Zauberberg von Thomas Mann‹, ›Velhagen und Klasings Monatshefte‹, Jg. 39, März 1926.
Akademie: Sektion für Dichtkunst, Preußische Akademie der Künste, Berlin.
Josefs-Geschichte: ›Joseph und seine Brüder‹, Tetralogie: ›Die Geschichten Jaakobs‹. Erstausgabe Berlin, S. Fischer 1933; ›Der junge Joseph‹. Erstausgabe Berlin, S. Fischer 1934; ›Joseph in Ägypten‹. Erstausgabe Wien, Bermann-Fischer 1936; ›Joseph, der Ernährer‹. Erstausgabe Stockholm, Bermann-Fischer 1943. GW IV/V.

1. 12. 1926   239
des Vereins für Lübeckische Geschichte: ›Thomas Mann: Lübeck als geistige Lebensform‹, in: ›Zeitschrift des Vereins für lübeckische Geschichte und Altertumskunde‹, Heft 24/1927.

240　23. 1. 1927
die schöne Sendung: ›Gestern und morgen‹, Roman.
Ihre Biographie: Ida Boy-Eds Lebenserinnerungen (unvollendet und unveröffentlicht).

240　9. 3. 1927
Brandes-Erinnerungen: ›Erinnerungen an Georg Brandes‹, erschienen am 1. März 1927, vermutlich im ›Berliner Lokalanzeiger‹.

241　11. 5. 1927
Ihren Ehrentag: Ida Boy-Eds 75. Geburtstag am 17. April 1927.

241　21. 5. 1927
zum Abscheiden meiner Schwester: Julia Löhr-Mann hatte sich am 10. Mai 1927 das Leben genommen.
meines Lübecker Spruches: ›Glückwunsch zum 75. Geburtstag von Ida Boy-Ed‹, E. ›Lübeckische Blätter‹, Jg. 69, Nr. 16, 17. 4. 1927; GW XIII.

242　6. 8. 1927
die Todesnachricht: Vermutlich handelt es sich um den Tod von Emil Ferdinand Fehling am 3. August 1927.

242　10. 3. 1928
geliebte Luft Travemündes: Ida Boy-Ed hielt sich bis zu ihrem Tode am 13. Mai 1928 im Ostsee-Sanatorium Travemünde auf.
243　*die Damen:* nicht ermittelt.
in Leipzig ... als Sachverständiger: nicht ermittelt.

REGISTER

Die kursiv gesetzten Ziffern verweisen auf den Anhang

ERWÄHNTE WERKE VON THOMAS MANN

INHALT